范耕研著

藎硯齋叢書之十

莊子詁義全稿

文史哲出版社印行

國家圖書館出版品預行編目資料

莊子詁義全稿 / 范耕研著. -- 初版. -- 臺北市
　：文史哲，民 87
　　面：　公分. --（嚴硯齋叢書；10）
　　ISBN 957-549-129-7(精裝) .--ISBN 957-549-
130-0(平裝)

1. 莊子 - 解釋

121.331　　　　　　　　　　　　　87002249

嚴硯齋叢書　⑩

莊子詁義全稿

著　　者：范　　　耕　　　研
出　版　者：文　史　哲　出　版　社
登記證字號：行政院新聞局版臺業字五三三七號
發　行　人：彭　　　正　　　雄
發　行　所：文　史　哲　出　版　社
印　刷　者：文　史　哲　出　版　社
　　　臺北市羅斯福路一段七十二巷四號
　　　郵政劃撥帳號：一六一八〇一七五
　　　電話 886-2-23511028 · 傳真 886-2-23965656
　　中華民國八十七年二月初版

著者范耕研遺影

生於1894年農曆10月8日江蘇之淮陰
逝於1960年7月27日 上海市
享壽六十七歲

著者德配萬太夫人遺像
生於1899年農曆2月21日江蘇之淮陰
逝於1946年農曆2月6日淮陰水渡口老宅
享年四十八歲

高序

柳師劬堂嘗盛稱淮陰三范，以績學聞於南雍。伯尉曾，字耕研，號冠東，治周秦諸子；仲紹曾，攻物理、化學；叔希曾，字耒研，初爲歸、方古文，繼爲目錄、版本之學，皆有聲於時。先兄孟起與三范同時就讀於南京高等師範，與耕研之私交尤篤，常爲余言之。民國十四年，余入南雍，每訪龍蟠里國學圖書館，猶及見耒研，繼讀其書目答問補正，更深儀其人。顧余卒業於南雍時，耒研業棄世。遭時喪亂，先兄故於行都之歌樂山，與范氏之音訊遂絕。一月前，鹽城司教授琦兄來

訪，述及其鄉賢范君耕研之長公子名震者在臺，今春曾返鄉探親，攜出其父叔遺稿之倖存者如墨辯疏證、呂氏春秋補注、莊子詁義（未刊稿）、書目答問補正，及其父之詩詞殘存於日記中者將輯集之，並刊爲范氏遺書，而屬其問序於余。余知耕研所著尚有文字略十卷、淮陰藝文考略八卷、韓非子札記二卷、張右史詩評二卷、宋史陸秀夫傳注一卷，均於所謂「文化大革命」時燬佚於紅衛兵之手；其子恐其父叔之心血所注，若再亡佚，將何以對先人於泉下，乃有遺書之刊印。其孝思之誠篤，在今日不可多見，實足以風世而正俗矣，因樂而爲之

序。

中華民國七十八年三月高郵高明謹撰於木柵之雙桂園。

敘

民國二十一年，純肄業於省立揚州中學普通科，先師授本國史，教科書中先秦部份，介紹公孫龍、惠施名辯學說，其白馬非馬、離堅白諸論，純略可領會；惟惠施雞三足之說，師以司馬彪之解釋之，本應了然，乃竟增惑焉！下課時，純急趨前，乞師解惑，師轉而問純：人三手曾有疑惑否？蓋世俗稱扒手爲三隻手也。令人解頤之啓迪，大增純敬仰之心。惠施學說見《莊子．天下篇》，此爲啓發純思讀《南華》之始因。嗣購得商務印書館印行師著《墨辯疏證》讀之，內容不甚了然，但讀

師之序言，文字工眇奧衍，更增敬仰。曾啓請不能了解之故，師笑答曰：中國有三部天書，一、《周易》；二、《墨辯》（即《墨子》中《經》上下與《經說》上下）；另一則《天問》也。此亦純與芮兄和師於先師僑寶期間講授《莊子》竟，請求續授此三書之因由。揚中素重數理，雖校內國文教師於吾師外，有鮑勤士、張煦侯、徐公美諸師，皆飽學之士，但純仍惟日孜孜於數理英文，無暇從國文科名師游也。民國三十三年，東夷之亂正熾，國土大部淪陷，日僞掃蕩，鄉間已不遑寧處，而吾邑僞邑侯江廉清尚能實副其名，鄰邑教育界名流遷

居吾邑者甚夥，先師與農研先師叔及摯友周劍飛、吳慎因、嚴公畏、趙養頤、秦師南野諸先生等俱移居吾邑城，當時諸寓公之心情，可於秦師南野先生及先師之詩中見之。

秦師詩係贈淮浦寓公高廉昉者，二律中僅錄其首四句，即可見秦師當時之心境，亦即先師當時之心境也。詩如下：

早脫驚埃計未疏，移家稍喜挈琴書；

我成瑣尾空倉雀，君亦潛鱗涸轍魚。

先師詩如下：

棲遲斗室讀《南華》，兵氣峻嶒照海涯；

敢託微言空向郭，誰憐器世憫蟲沙。

先師全律，已由剛侯師兄印入殘本《莊子詁義》中，茲不具錄。讀者今欲了解《莊子詁義》，必須先知當時先師所處之世，故不憚詞費，縷述如上。

復次，須說明者：此《莊詁》遺著，爲先師未定之初稿，其證有五：先師覆太夫子柳劬堂老人函中所舉抗戰中寫成書稿八種，其中未提及《莊詁》，此其證一。今僅以印本《莊詁》中《人間世》篇與抄稿中此篇比勘，改動處甚多：如『以國量乎澤若蕉』句，詁云：『蕉讀

若憔悴之憔』抄稿無；『且若亦知夫德之所蕩』一節下之前段詁文與抄稿異；『回之未始得使』句、『入遊於樊』句、『未聞以無知知者也』句、『夫循耳目內通』句，詁文俱引阮毓崧說；『獸死不擇音』句，引《左傳》注，抄稿中悉無；類此者不勝枚舉，此其證二。《齊物論》『罔兩問景』章，先師於此詁云：『罔，無也；兩，偶也。罔兩猶言無對。舊解罔兩爲景中之景，似非也。』但抄稿罔兩未有此詁，此其證三。《列禦寇》篇：『必且有感，搖而本才。』《釋文》：『才，一本作性。』郭象註：『必將有感，則與本性動也。』

是郭象所見之本，顯然作『性』。先師詁云：『如此更將搖撼本性。』則先師亦從一本『才』作『性』也。依《詁義》通例，應改正文中之『才』作『性』，而在詁文中注：『性，各本作才，今從一本。』類此者尚有《寓言》篇『罔兩問影』章：『而況乎以有待者乎』句，闕誤引張君房本，『有』字前有『無』字，師偶漏引改，亦與全稿通例有異。蓋先師於兵氣崚嶒中倉促寫就，定稿俟諸異日，體例遂未能劃一耳！此其證四。恭讀先師三十六年八月二十六日日記：『余前作《莊詁》，頗多糾正舊說之處，然於《齊物論》尚未能軼出

太炎性相之外，會當打破此關，另造新詁。』此其證五。綜上五證，此抄本全稿，非定稿明矣。剛侯師兄印出之《莊詁》，雖僅存內篇之《消搖遊》至殘缺之《德充符》等五篇，實爲先師之定本《莊詁》，寫至《德充符》尚未完篇，因滄桑巨變而輟筆，並非因紅衛兵之劫掠而致殘，紅衛兵所劫掠以去者，係先師手寫初稿。今定本既未寫就，則此揚州書估所傳鈔之《莊詁》，雖係初稿，但爲全稿，亦足珍逾拱璧矣。《藷硯齋叢書》之四，仍應按原貌不加改動，初稿亦當按原貌付印，因其俱爲先師治《莊》多年心血之所凝寄者也。

《莊詁》《消搖游》末章，先師詁文：『苟其有用久矣其細也夫。』純慚顓魯，實未解其義。『用』下斷句，抑『矣』下斷句，似俱覺未安，不得已姑於『矣』下句，附加說明於此，以就正於方家。又全稿中凡遇『晁』字，先師悉改爲『鼂』，避祖諱也。謹遵先生意志，不加改動。

純以行將就火之年，病廢之身，承師兄之命，圈校《莊詁》傳鈔本。重溫《南華》，恍若再坐春風，重沐化雨。今幸再校畢事，而歲星已閱一周矣。撫今思昔，不禁感慨係之。莊生不云乎？『其所美者爲神奇，所惡者

純爲臭腐，遜而臭腐復化爲神奇，神奇復化爲臭腐。』生此器世間，歷八十四寒暑，閱盡桑海，今蝶夢初覺，始知無論志士仁人，國情民意；唯心唯物之爭，中西體用之辯，一經芻狗之已陳，則神奇爲臭腐矣。『昔者堯攻叢枝胥敖，禹攻有扈，國爲虛厲，身爲刑戮，其用兵不止，其求實無已。』先師詁云：『實爲幣帛財貨。古今中外，伐人之國，侵人之疆，其所利者，豈非子女玉帛哉？湯十一征自葛始，未嘗不曰葛伯廢祀，聲罪致討。弔伐於先，兼併於後，湯武聖人，亦何殊於嬴政。』先師之所以發此極沈痛之言，當於先師作《莊

詁》時所處之境求之，此純之於敘首必須詳述師從淮浦僑居吾邑當時之心境也。純今日承命圈校《莊詁》之心境，亦復如是。『儒以詩禮發冢』，累代瀧岡悉毀；書以糟粕見破，萬卷縹緗一炬。當年師授讀《南華》之書室，人琴俱亡，而吾師之音容笑貌，羹牆猶見也。所幸僑寓郡城，濫竽高校，遂未成涸轍之鮒，乃得苟全性命，生逢盛世，未始非有福之人也已！今後蟲臂鼠肝之化，垂楊左肘之生，俱無怛也。仰視雖不羨猿鶴，俯思尚自憫蟲沙；未能絕己任物，以《莊》旨自揆，應屬於漆園中之焦芽敗種而應受呵斥者也。先師堪如郭子瀞爲

王益吾所譽於《莊》書爲副墨之子，而純以散木樗材，
不能爲洛誦之孫，有愧師承，彌增慚恧也已！
一九九五年八月中旬，受業郁念純恭敍於揚州寄寓，斗
室氣溫高達攝氏三十八度。
附記：先師《莊詁》手寫稿，原裝訂三冊；當時爲
純分別影寫人士及此次圈校傳抄本賜助諸
君，胥於《周易詁辭》序中詳述，茲從略，
僅附誌於此，以表謝忱！

輯印說明

一、原稿已失，此係傳抄本。書名，經念純師兄與徐沁君教授研定爲《莊子詁義全稿》，題字，乃集先父遺墨剪貼而成。

二、本叢書之四《莊子詁義》僅爲內篇，又且不全，但念及乃先父心血之所系，遂逕付梓。茲經念純師兄訪得此稿，師兄又於敍中詳予說明，始知前印之《詁義》，雖是不全之稿，但詁文中多加入新義，此輯雖爲全稿，應係未定稿。經揚州書賈傳抄後譌誤不少，乃再煩念純師兄校勘、句讀，有助閱讀。

三、此輯原稿，正文係用大字，先父詁文則以雙行小字注於句後。今爲懷思故之心，仍照原型打字排版，惜字體較小，影響閱讀爲美中不足也。

四、由於古今字體之流變，此《莊子》內篇中對「无」、「無」兩字亦多混用。先父《詁義》中，除《周易》「无妄」卦一處用「无」外，其他則一概用「無」，蓋意義相同也。

五、先父七歲時，先祖即逝世，全由先曾祖晃公教養。養成嗜書之習，學有所成，皆賴先曾祖之教誨。每言及先曾祖，必肅恭敬畏，是以《詁義》中，凡遇

「冕」字均敬避祖諱而代之以「絻」，非筆誤也。

六、書前仍用高　明先生總序外，又請郁念純先生寫敍，芮和師先生寫跋，以二位師兄曾隨先父研習《莊子》者也。

七、思及先父得以安心箸述者，悉賴先母竭盡全力照顧之勞，輯中恭印先父母遺照以爲紀念。

莊子詁義全稿目次

莊子詁義卷第一　　蘦硯齋叢箸

淮陰　范耕研　伯子

內篇消搖遊弟一

各本消搖作逍遙。釋文謂亦作消搖。馬敘倫云。消搖是故書。故改從之。消搖遊義取閒放不拘。怡適自得。夫人之稟賦高下不同。各極其性分之所及。以盡其所應盡之功能。乃可無負此生。若乃知小而苟大。是謂夸妄。知大而安小。是謂暴棄。小大雖殊。皆有以自盡。是謂自由。是謂平等。此消搖遊之旨也。雖然。高下大小者。世態之辨也。不有卷石。無以成大山。不有涓流。無以成鉅川。賢知者倡其義。愚不肖者成其功。聖人創物。百姓與能。毛髮雖細。闕之不爲完人。故郭象曰。消搖一也。豈容勝負於其閒哉。

北冥有魚。其名曰鯤。鯤之大不知其幾千里也。化而爲鳥。其名爲鵬。鵬之背不知其幾千里也。釋文。冥。海也。梁簡文帝云。窅冥無極。故謂之冥鯤。李頤云。大魚名。崔譔云。鯤當爲鯨。說文。朋及鵬皆古文鳳字也。按。鳳雖爲羽蟲之長。未聞其鉅大。鯤鯨雖大。亦何嘗有幾千里之長。且魚鳥異類。焉能互化。前人觀物不審。創爲異說。雀蛤蜾蠃。見於經傳。又如本書至樂天運。徵引尤繁。舉不足信。此鯤鵬變化。亦聊以爲喻。故郭象謂達觀之士。宜要其會歸。而遺其所寄。不足事事曲與生說。自不害其弘旨。皆可略之也。莊生寓言至夥。皆當以此說解之。怒而飛。其翼若垂天之雲。王筠云。怒同努。崔云。垂猶邊也。大如天一邊雲也。是鳥也。海運則將徙於

南冥。南冥者。天池也。海運。謂海水流行。其時風潮相乘。鵬乃得馮之以飛。今世地文學家所謂季候風及寒流煖流也。舊注失之。

齊諧者志怪者也。諧謂詼諧。戰國時人多善諧隱。嘗有集之成書者。以其出齊人手。故曰齊諧。孟子所稱齊東野語。殆爲近之。以爲人名者非是。謂之爲諧。則莊子亦不以爲莊論可知矣。諧之言曰。鵬之徙於南冥也。水擊三千里。摶扶搖而上者九萬里。去以六月息者也。擊借爲激。摶借爲轉。爾雅云。扶搖謂之飆。摶扶搖謂乘風盤旋。翱翔而上。息。休止也。遠則九萬。久則六月。皆以形鵬之大。野馬也。塵埃也。生物之以息相吹之。野馬。崔云。天地閒氣如野馬馳也。然氣如野馬。涉諸比況。未可逕以野馬爲氣。錢坫謂馬當爲塺。說文。塵也。然野塺與塵埃語複。王闓運云。也爲之。言馬馳起塵。物吹起氣。皆出無心。如鵬之海運。以至微喻至大也。說亦可通。天之蒼蒼其正色邪。其遠而無所至極邪。其視下也亦若是則已矣。王引之云。則與而同。王闓運云。從下視天。天若無物。假能從天下視。復有何世哉。人之蔽者見不大也。且夫水之積也不厚。則負大舟也無力。覆杯水於坳堂之上。則芥爲之舟。置杯焉則膠。水淺而舟大也。坳借爲凹。堂有空義。既陷又空。故可容水。俗語所謂窪塘也。舊注多誤。芥。李

云。小草。風之積也不厚。則其負大翼也無力。故九萬里則風斯在下矣。而後乃今培風背。負青天。而莫之夭閼者。而後乃今將圖南。王念孫云。培之爲言馮也。馮。乘也。奚侗云。培風背句。言馮於風之背。與下文絕雲氣負青天句法同。司馬云。夭。折也。閼。止也。蜩與學鳩笑之曰。我決起而飛。槍榆枋。時則不至。而控於地而已矣。奚以之九萬里而南爲。蜩。司馬云。蟬。學鳩。崔云。學讀如滑。滑鳩一名滑雕。毛詩草本疏云。鶻鳩。班鳩也。馬敘倫云。決借爲趹。唐寫本切韻。馬行疾也。槍。說文。歫也。歫。止也。王闓運云。枋。應作枌。王引之云。則猶或也。控。司馬云。投也。按。水深者舟大。風厚者翼大。喻至人明道。則所資者深也。水淺杯膠。槍榆控地。喻凡人智淺。即不能消搖遊也。培風負天。上下寥闊。與天地爲一矣。如是之遊。乃能消搖。知蒼蒼之非正色。則出於萬物之表矣。喻至人明道乘化。左右逢源。適莽蒼者三飡而反。腹猶果然。適百里者宿舂糧。適千里者三月聚糧。莽蒼。司馬云。近郊之色。果然。衆家皆云。飽貌。之二蟲又何知。俞樾云。二蟲。謂蜩鳩。小知不及大知。小年不及大年。蟲魚之知。爲天所限。不能有所進退。人之稟賦。雖或不同。而充類至盡。可與天地爲一。造化同功。此至人之大知。豈可以蜩鳩自畫。而忘

鯤鵬之遠志哉。奚以知其然也。朝菌不知晦朔。惠蛄不知春秋。此小年也。楚之南有冥靈者。以五百歲爲春。五百歲爲秋。上古有大椿者。以八千歲爲春。八千歲爲秋。而彭祖乃今以久特聞。衆人匹之。不亦悲乎。朝。讀爲淖溺之淖。沮洳地也。朝菌。謂濕地所生之菌。菌。芝類也。惠蛄。司馬云。寒蟬也。陸德明謂即楚辭所云寒螿也。冥靈。李云。木名。彭祖。李云。名鏗。堯臣。封於彭城。歷虞夏至商。年七百歲。按。此謂立國長久。而世人誤以爲始封之人。老壽不死。且引以自比。故莊子斥之。湯之問棘也是已。窮髮之北有冥海者。天池也。有魚焉。其廣數千里。未有知其脩者。其名爲鯤。有鳥焉。其名爲鵬。背若太山。翼若垂天之雲。摶扶搖羊角而上者九萬里。絶雲氣。負靑天。然後圖南。且適南冥也。尺鴳笑之曰。彼且奚適也。我騰躍而不上不過數仞

而下。翺翔蓬蒿之間。此亦飛之至也。而彼且奚適也。此小大之辯也。棘。李云。湯時賢人。窮髮。司馬云。北極之下無毛之地也。鷃雀之飛。不過一尺。言其劣弱。故曰尺鷃。作斥者借字。馬其昶云。此段略同於諧而再見者。以湯棘言足取信。所謂重言也。按。莊子前既言小知不及大知。此又明言小大之辯。雖不企慕乎大。亦必不自甘於小。舊注乃謂冥此群異。無小無大。不亦誣與。故夫知效一官。行比一鄉。德合一君。而徵一國者。其自視也。亦若此矣。郭慶藩云。而讀爲能。古同音通用。謂才能也。按。此謂小知之人。不足以任大。而未嘗不以之自喜。故郭象謂其猶鳥之自得於一方也。而宋榮子猶然笑之。且舉世而譽之而不加勸。舉世而非之而不加沮。定乎內外之分。辯乎榮辱之竟。斯已矣。彼其於世未數數然也。雖然。猶有未樹也。宋榮子即天下篇之宋鈃。猶然。李云。笑貌。按。鄉國之士。雖有知行德能。而量小易盈。局於方所。不足以大受。故宋榮子笑之。世即指上文一鄉一國言。宋榮子審於自得。內我而外物。榮己而辱人。故不屑屑於世之毀譽。然亦僅是而已。不能復過此。數數。司馬云。猶汲汲也。彼既能不汲汲於世。未嘗非消搖之一境。惜其唯能自是。未能無所不可。故曰猶有未樹也。司馬云。樹。立也。胡遠濬曰。此即孔子所謂可與適道。未可與立。夫列子御風而行。泠然善也。

旬有五日而後反。彼於致福者未數數然也。此雖免乎行。猶有所待者也。

列子。名御寇。鄭人。御。迎也。迎風而行。猶言披襟當風耳。舊注謂列子得風仙乘風而行者。失之。泠然。郭云。輕妙之貌。胡遠濬云。易象傳。震來虩虩。恐致福也。詩。永言配命。自求多福。宋榮子重內輕外。是之謂致福者。宣穎云。御風泠然。謂在人世炎熱之外。按宋榮子忘名。列子忘功。故不若宋榮子之汲汲於修身福世之事也。雖然。因風得快。猶恃外物。尚非至極。至人者。物我兩忘。因應自然。乃無待耳。

若夫乘天地之正。而御六氣之辯。以遊無窮者。彼且惡乎待哉。

六氣。司馬云。陰陽風雨晦明也。郭慶藩云。辯讀爲變。按人稟天地之氣以生。順陰陽之變以死。生死變易。任運自然。各盡其性命之所至。無或虧欠。豈復有所待哉。此至人無己之境。又高於宋榮列子者也。惟至人受其正。而世人亦不得外焉。非有神仙之術也。天運變化。豈有窮竟。消搖之遊。更何所待。

故曰。至人無己。神人無功。聖人無名。

人盡其性。物盡其才。皆自然耳。無所謂功名也。功名立而有爭。斯不消搖矣。而爭之總因在於有我。故遊世遊道之士。對此三者。皆宜空之。　一章。

堯讓天下於許由曰。日月出矣。而爝火不息。其於光也。不亦難乎。時雨降矣。而猶浸灌。其於澤也。不亦

勞乎。夫子立而天下治。而我猶尸之。吾自視缺然。請致天下。許由。司馬云。潁川陽城人。陸德明云。隱於箕山。近人或謂即咎繇。未知是否。日月。呂氏春秋求人篇作十日。字林。爝。炬火也。馬敘倫云。立乃位之初文。許由曰。子治天下。天下既已治也。本書在宥篇云。聞在宥天下。不聞治天下也。今言堯治天下。蓋無心玄應。唯感之從。無行而不與百姓共。而天下自治也。故郭象謂堯以不治治之。非治之而治者也。今許由明既治則無所代之。而治實由堯。故有子治之言。按。堯讓許辭。皆能忘名者也。而我猶代子。吾將爲名乎。名者實之賓也。吾將爲賓乎。胡遠濬云。實即人間世求實之實。謂利也。鷦鷯巢於深林。不過一枝。偃鼠飲河。不過滿腹。歸休乎君。予無所用天下爲。庖人雖不治庖。尸祝不越樽俎而代之矣。郭璞云。鷦鷯。桃雀。本草陶注。偃鼠。一名鼢鼠。說文。鼢。地行鼠。淮南泰族訓云。調平五味者庖也。陳簠簋、列樽俎、設邊豆者祝也。齊明盛服。淵默不言而神之所依者尸也。宰祝雖不能。尸不越樽俎而代之。馬敘倫云。越借爲敚。郭象云。庖人尸祝。各安其所司。帝堯許由。各靜其所遇。按。能忘名者。乃能消搖。二章。

肩吾問於連叔曰。吾聞言於接輿。大而無當。往而不

反。吾驚怖其言。猶河漢而無極也。大有逕庭。不近人情焉。當猶對也。河漢無極。言不測其端委。李云。逕庭。謂激過也。馬敘倫云。逕庭。疊韵連語。方言曰。娗。欺謾之語也。其本字當作誔。連叔曰。其言謂何哉。曰。藐姑射之山。有神人居焉。肌膚若冰雪。綽約若處子。不食五穀。吸風飲露。乘雲氣。御飛龍。而遊乎四海之外。其神凝。使物不疵癘而年穀熟。吾是以狂而不信也。藐姑射。列子作列姑射。山海經謂其在海河洲中。李云。在北海中。按。寄寓之詞。不必求地以實之。冰雪猶仌雪。喻肌膚潔白。或謂冰雪猶凝脂然。本章有其神凝句。用凝字則此冰字必仌之借字也。綽約。李云。柔弱貌。按。疵癘皆病也。章炳麟云。狂。借爲誑。按。世豈有神仙哉。而莊子之言若此。故郭象以謂此皆寄言耳。神人無功而窮理極妙。是以玄同四海。無物不順。合於衛生之經。故物不疵癘。循於耕作之宜。故年穀熟。近世科學精進之國。疾疫菑荒甚鮮。是其驗也。況神人之所化哉。淺識之士。身處昏上亂相之邦。不覩郅治之隆。遂疑其誑而不信。不亦大可閔哉。連叔曰。然。瞽者無以與乎文章之觀。聾者無以與乎鐘鼓之聲。豈唯形骸有聾盲哉。夫知亦有之。是其言也。猶時

女也。之人也。之德也。將旁礴萬物以爲一。世蘄乎亂。孰弊弊焉以天下爲事。按。其言即指上聾盲之喻。時。之也。女即汝字。指肩吾言。司馬以爲處女。大誤。旁礴。雙聲連語。作動詞用爲混同義。作狀詞用爲廣博義。蘄。白也。亂。治也。馬敘倫云。弊借爲憋。姚鼐云。旁礴萬物以爲一。所謂合萬物以爲一。所謂合萬物爲己者。其惟聖人乎。世自化之蘄乎治耳。非彼有意以天下爲事而治也。之人也。物莫之傷。大浸稽天而不溺。大旱金石流土山焦而不熱。是其塵垢粃糠。將猶陶鑄堯舜者也。孰肯以物爲事。章炳麟云。稽借爲詣。同從旨聲。說文。詣。候至也。物莫之傷者。喻神人無功。任天而行。故郭象云。至人之不嬰乎禍難。非辟之也。推理直前。而自然與吉會。按。神人緒餘。猶足威唐虞之治。言功不足矜。宋人資章甫而適諸越。越人斷髮文身無所用之。堯治天下之民。平海內之政。往見四子藐姑射之山汾水之陽。窅然喪其天下焉。資章甫。李云。資。貨也。章甫。殷冠也。以冠爲貨。諸越。李楨云。猶言於越。春秋。定五年。經。於越入吳。四子。司馬、李云。王倪、齧缺、被衣、許由。按。莊子寓言。本無實指。不必鑿求。舊說未可遽信。藐姑射之山五字。馬敘倫云。涉上文而羨。奚侗云。窅借爲杳。說文。杳。冥也。按。神人無功。自然而治。故堯見四子。窅然自失也。三章。

惠子謂莊子曰。魏王貽我大瓠之種。我樹之成而實五石。以盛水漿。其堅不能自舉也。剖之以爲瓢。則瓠落無所容。非不呺然大也。吾爲其無用而掊之。惠子。司馬云。姓惠。名施。爲梁相。魏王。司馬云。梁惠王也。朱桂曜云。瓠本果實。剖之可爲盛器。則有瓢、瓟、瓽、蠡等異名。然瓠有多種。不皆可以盛物。如韓非子外儲所謂厚而無竅。重如堅石者。故曰無用也。瓠落。猶華離也。瓠華古同聲。落與離通。華離謂污衺不正。分離破碎。不能容物。故曰瓠落無所容。呺。李云。虛大貌。俞樾云。呺。俗字。當作枵。虛也。莊子曰。夫子固拙於用大矣。宋人有善爲不龜手之藥者。世世以洴澼絖爲事。客聞之。請買其方百金。聚族而謀曰。我世世爲洴澼絖。不過數金。今一朝而鬻技百金。請與之。客得之。以說吳王。越有難。吳王使之將。冬與越人水戰。大敗越人。裂地而封之。能不龜手一也。或以封。或不免於洴

澼絖。則所用之異也。龜。向秀云。拘坼也。司馬云。文坼如龜文也。按。龜本有拘音。故訓以拘坼。非以文相似也。司馬說誤。陸德明音愧悲反。是讀如本字。是也。徐音舉倫反。是以爲皸之借字。不知義同字異。未可混讀。李云。洴澼絖者。漂絮於水上。絖。絮也。按。洴澼。即漂字緩讀之聲。今子有五石之瓠。何不慮以爲大樽。而浮乎江湖。而憂其瓠落無所容。則夫子猶有蓬之心也夫。司馬云。樽如酒器。縛之於身。浮於江湖。可以自渡。慮猶結綴也。陸德明云。所謂腰舟。章炳麟云。結綴字當爲落。說文正作輅。云生革可以爲縷束也。慮落雙聲相假。朱桂曜云。古剖瓠爲飲器。此大瓠既瓠落無所容。則唯有落之。使形似大樽。用以渡水也。魯語。叔向召舟虞與司馬曰。夫苦匏不材。於人共濟而已。魯叔孫賦匏有苦葉。必將涉矣。瓠字亦作壺。鴟冠子。賤生於無用。中河失船。一壺千金。蓬。向云。蓬者短不暢曲士之謂。郭象云。此章言物各有宜。苟得其宜。安往而不消搖也。四章。

惠子謂莊子曰。吾有大樹。人謂之樗。其大本擁腫而不中繩墨。其小枝卷曲而不中規矩。立之塗。匠者不顧。今子之言大而無用。衆所同去也。莊子曰。子獨不見狸狌乎。卑身而伏。以候敖者。東西跳梁。不辟高下。中

於機辟。死於罔罟。今夫斄牛。其大若垂天之雲。此能爲大矣。而不能執鼠。今子有大樹。患其無用。何不樹之於無何有之鄉。廣漠之野。彷徨乎無爲其側。消搖乎寢臥其下。不夭斤斧。物無害者。無所可用。安所困苦哉。

廣雅。狸。貓也。狌。司馬云。狖也。按。今呼黃鼠狼。敖。遊也。敖者。謂遊獵之人。狸狌逃避獵人。而終陷機罔。言其愚拙遜於斄牛。而執鼠之技則勝之。證物各有能有不能。宜用當其才。王念孫云。辟應作繴。亦即罿罦。覆車也。郭璞謂今之翻車。按。瓠樗。無用之名。而用得其當。物我皆利。此無用之大用。故君子不器。至人無己。苟其有用久矣。其細也夫。宇宙覆燾之內。萬物並生。樊然淆亂。性有賢愚。而盡其性者無賢愚。才有大小。而用其才者無大小。亦各盡其性命之所及。順天因物以遊世遊道而已。此其所以爲消搖也。自功名立而有爭。人我分而有辯。於是企慕之情生。矜張之習著。是皆求其有用者也。苟有返本之士。冥然漠然。敦龐全生。豈非消搖之極致哉。而功名知能之士之所笑也。嗚乎。世人徇物。馳逐而不返。孰能知瓠樗之無用而大用哉。　五章。

齊物論第二

舊以齊物屬讀。衆家皆同。王安石、呂惠卿始以物論屬讀。意謂衆論。近人或讀論爲倫。意謂萬類。其說亦非。物論二名。義在對立。物指有形。論指名理。有形故有生死。名理故有是非。此至不齊者也。夫生死無常。理不可知。而生死之事具在。因事順應。止於其不可知。而生死之理得。故曰方生方死。方死方生也。是非起伏。不可究詰。而必有其本然之眞。照之以天。得其道樞。而是非之理明。故曰然

於然。不然於不然也。生死是非之見。無一足以嬰其心而害其性矣。此非僅至人得道之所獨詣。實百姓日用所共行也。故曰寓之於庸。寓庸而通得矣。其要在於喪我。即消搖遊之無己也。泯絕人法。兼空物我。莊子所謂齊物者如是。而世人疑其惡生樂死。傎倒是非。則詭譎猖狂。害理甚矣。又或謂其忘生死、無是非。夷於鹿豕木石。又何貴於道邪。皆非莊子之旨。聊於此駁之。別詳於注。

南郭子綦隱几而坐。仰天而噓。荅焉似喪其耦。錢大昕云。隱當作㥯。說文。所依據也。几。各本作机。此從李本。奚侗云。荅焉。一切經音義七引作嗒然。注云。精靈失其所也。釋文。耦。匹也。對也。郭云。嗒焉若失其配匹。顏成子游立侍乎前曰。何居乎。形固可使如槁木。而心固可使如死灰乎。今之隱几者。非昔之隱几者也。顏成子游。李云。子綦弟子也。居。司馬云。猶故也。郭云。槁木死灰。取其寂寞無情。按。謂子綦動止無心。不爲物論所嬰。子游覩其隱几有異於昔。因而發問。子綦曰。偃。不亦善乎而問之也。今者吾喪我。汝知之乎。女聞人籟而未聞地籟。女聞地籟而未聞天籟夫。偃。子游名也。郭云。吾喪我。我自忘矣。我自忘矣。天下有何物足識哉。按。喪我。即消搖遊之無己。亦即佛家之遣除我執。郭云。籟。簫也。朱桂曜云。天籟人籟。猶言天樂人樂。變樂言籟者。以實體代虛象也。章炳麟云。地籟則能吹所吹有別。天籟則能吹所吹不殊。斯其喻旨。按。夫借爲乎。子游曰。敢問

其方。子綦曰。夫大塊噫氣。其名爲風。是唯無作。作則萬竅怒呺。而獨不聞之翏翏乎。山林之畏佳。大木百圍之竅穴。似鼻。似口。似耳。似枅。似圈。似臼。似洼者。似污者。激者。謞者。叱者。吸者。叫者。譹者。宎者。咬者。前者唱于。而隨者唱喁。泠風則小和。飄風則大和。厲風濟則衆竅爲虛。而獨不見之調調之刀刀乎。

馬敘倫云。方借爲狀。朱桂曜云。淮南俶眞訓高注。大塊。天地之間也。兼天而言是也。按。司馬訓爲大朴。郭象訓爲無物。皆誤。怒呺。郭象云。怒動而爲聲也。翏。奚云。當爲飂。說文。高風也。林者。陵之誤。畏佳。李頤云。山阜貌。按。猶巍崔。枅。洪頤煊云。通鈃。說文。似鍾而頸長。爲瓶罌之屬。圈。馬敘倫云。禮記玉藻。母沒而杯圈存焉。孟子作杯棬。皆謂飲器。洼污。司馬云。洼曲。污下。奚云。激借爲噭。說文。吼也。謞與號同。說文。嘑也。司馬云。叱咄。噓吸。叫呼。譹哭。皆聲也。奚云。宎當是笑之誤。咬借爲嘐。廣韻。雞鳴嘐嘐。李云。于喁。聲之相和也。泠風。小風也。飄風。司馬云。疾風也。厲風。郭云。烈風。濟。向云。止也。調調刀刀。皆動搖貌。朱桂曜云。刀乃勺之壞字。一切經音義引說文。勺。調勺也。天道篇。所以調均天下與人和者也。此調調刀刀。言地籟既止。衆竅皆虛。萬狀調均。止於天均。同於大齊

。蓋即所謂天籟也。按。朱說較向爲勝。子綦之述三籟者。所以證萬法之無常也。法之無常。人所難了。故以聲之無常爲喻。當風之作也。萬竅怒呺。可謂繁亂矣。及其濟止。調調勻勻。而向之繁亂者何在邪。作者自作。止者自止。其實本無作止也。萬事萬物。亦何殊於是乎。是即齊生死齊是非之基本原理也。世人斤斤然爭辨而不能忘情者。不過生死是非而已。今證其齊同。則其餘更何足措意哉。

子游曰。地籟則衆竅是已。人籟則比竹是已。敢問天籟。子綦曰。夫吹萬不同。而使其自已也。咸其自取。怒者其誰邪。

按。簫管參差。故曰比竹。姚鼐云。喪我者其聞衆竅比竹。舉是天籟。有我者聞之。祇是地籟人籟而已。子綦噫氣一則。示人從聞思處入。極親切。所言皆天籟也。子游不悟。所謂見指不見月也。按。吹字逗。言天籟自鳴。萬態不同。皆用其本體之能。無有外力鼓怒之也。朱桂曜云。吹萬不同。即萬竅怒呺。使其自已。即風濟竅虛。咸其自取。即調調勻勻。因子游不悟。故復申言之。按。自己。自止也。言自止。則其自生可知矣。舊讀爲人己之己。誤也。章炳麟云。以上總義。略破人法大相。次復別明心量。按。以上爲第一章。子綦之問答止此。以下乃莊子自攄其見。　一章。

大知閑閑。小知閒閒。大言淡淡。小言詹詹。其寐也魂交。其覺也形開。與接爲構。日以心鬬。縵者。窖者。密者。小恐惴惴。大恐縵縵。其發若機栝。其司是非之

謂也。其留如詛盟。其守勝之謂也。其殺如秋冬。以言其日消也。其溺之所爲之不可使復之也。其厭也如緘。以言其老洫也。近死之心。莫使復陽也。喜怒哀樂。慮嘆變慹。姚佚啓態。樂出虛。蒸成菌。日夜相代乎前。而莫知其所萌。已乎已乎。旦暮得此。其所由以生乎。

按。此言人類心理現象變幻無常。晝夜之間。意境莫有一刻同者。雖己亦莫知其何由而然。而人之得生者。僅稟此幻象。認之爲我。故應破除之也。閑閑。簡文云。廣博之貌。按。兼知衆理。其學廣博也。閒閒。簡文云。有所閒別。按。局於方隅。不能通達也。淡淡。一本作炎炎。此從李本。老子云。道之出口。淡乎其無味也。詹詹。李云。小辯之貌。魂交。司馬云。精神交錯。按。夢境迷離。疑若有知。是謂交錯也。形開。司馬云。目開意悟。按。醒時神識自能了別諸物也。接。謂觸物生感。構。謂心物交加。世人鉤心鬭角。夢寐爲之不寧。是謂心鬭。司馬謂構結歡愛。似非也。縵者寬心。謂漠然應物。窖者深心。謂切求事理。密者精心。謂精思成慧。惴惴。李云。小心貌。縵縵。李云。齊死生貌。章炳麟云。以小恐神志尚定。故有戰慄震怖諸相。大恐神志已奪。乃如昏醉也。按。人心發動若機栝。喻其速捷。人心留止如詛盟。喻其堅定。意志衰殺。謂心與境忘。乃似無所有也。意志陷溺。謂專殉忘身。若沒沉之不可救也。章云。厭讀如壓。按也。洫讀爲侐。靜也。謂定心靜慮。如老者形志衰而嗜欲息也。近死之心。莫使復陽。宣穎云。陰鷙無復生意也。馬敘倫云。變借爲攣。說文。慕也。今字作戀。朱桂曜云。姚

佚猶佻佚。言輕慢也。啓謂開張。態謂作態。按。音樂出乎虛器。無聲而有聲。菌芔成乎蒸溼。無形而有形。暫時和合而有聲形。喻人心變幻。日夜相代。莫知所始。其無常與聲形何異。而人乃託此變幻之心以爲我。不亦可閔乎。故曰旦暮得此其所由以生也。此者即謂心識。言心識雖幻。而爲人所託此以生也。非彼無我。非我無所取。是亦近矣。而不知其所爲使。若有眞宰。而特不得其眹。可行已信。而不見其形。有情而無形。百骸九竅六藏。賅而存焉。吾誰與爲親。汝皆說之乎。其有私焉。如是皆有爲臣妾乎。其臣妾不足以相治乎。其遞相爲君臣乎。其有眞君存焉。如求得其情與不得。無益損乎其眞。一受其成形。不亡以待盡。與物相刃相靡。其行盡如馳。而莫之能止。不亦悲乎。終身役役。而不見其成功。薾然疲役。而不知其所歸。可不哀邪。人謂之不死奚益。其

形化。其心與之然。可不謂大哀乎。人之生也。固若是芒乎。其我獨芒而人亦有不芒者乎。

非彼無我。宣云。彼即上之此也。按。謂心識。無心識則無我。無我則心識亦無所託以神其用。二者互爲因依。知此者亦略得心與我之眞際矣。然心我相得而生者。果孰使之然者。若依世論。謂有造物爲之主。即所謂眞宰者也。但世雖有此名。莫詳其狀。則亦何取於此釋邪。朕本作眹。此從一本改。段玉裁謂朕爲舟縫。兆爲龜坼。故朕兆同義。今欲求眞宰。並朕迹而不得。明物情趣舍。皆緣自然。無使之者。如此竟無我邪。則又不然。人非木石。恆有思量。當思量時。必不自覺爲幻。進退屈信。確乎自任。故曰可行己信。郭云。行者信己可得行也。章炳麟云。雖自信任。而此我相爲朱爲白。爲方爲圓。終非意根所見。故曰不見其形。有情而無形。橫欲求形。惟是百骸九竅六藏之屬。且未知此數者誰爲眞我。若云皆說之者。諸體散殊。我應非一。而現自覺是一。若云有所私者。餘體痛楚。應若不知。而現不可捨置。若云皆爲臣妾者。誰復爲君。藉舉腦髓神經以爲共主。彼與臣妾等是筋肉膏肪。何因獨能調御。腦髓神經但可說爲傳達知識之具。若云遞爲君臣者。今欲令心受水穀。胃布血脈。終不可得。況能遞用。以此諸義展轉推度。明必有眞我在。佛典言常心。此乃謂之眞君。此最清淨心本來自爾。非可修相。非可作相。畢竟無得。故曰求得其情與不得。無益損乎其眞。劉師培云。不亡以待盡。田子方篇作不化。亡即化譌。下云其形化。即蒙此言。孫詒讓云。靡。借爲攠。今省作磨。馬敘倫云。其行盡如馳。盡字涉上文而羨。奚侗云。薾蓋闒之借字。闒。說文。智少力劣也。按。一受其成形。謂四大和合而有身。不化以待盡。謂形暫生而終有滅時。與物相刃相靡。其行如馳。謂膚肉骨髓。隨時代謝。十年故體悉成灰燼。此其所以可悲也。人生百年。薾然疲困。歸趣何所。成就何事。此其所以可哀也。姚鼐云。其形化。而心逐之。無復眞君。是芒然無知者矣。然人生本來豈若是芒哉。世自有覺者。然非隨其成心之謂也。章炳麟云。子綦本言喪我。莊生他篇皆言無己。獨此說有眞君。猶佛典悉言無我。涅槃經獨言有我。蓋雙泯二我。則自性清淨始現。斯所以異於斷

無也。夫隨其成心而師之。誰獨且無師乎。奚必知代而心自取者有之。愚者與有焉。未成乎心而有是非。是今日適越而昔至也。是以無有爲有。無有爲有。雖有神禹且不能知。吾獨且奈何哉。

按。成謂一成不變。人各有心。心各有知。以世與境之不同。遂成各異之定型。是謂成心。有成心者。是己非人。不堪因應。惡足以爲師乎。是非無常。因果倚伏。孔子行年六十而六十化。始時所是。卒而非之。是是非之相代也。礎潤而雨。月暈而風。有此因則有此果。是因果之相代也。知是非因果之相代而能爲抉擇。是謂知代而心自取。是必更歷多。聞見廣。乃能與乎此。其有成心。固無足怪。然兒嗁號而索乳。鼠奔軼以避貍。孰教之者乎。良知良能。日用不知。固無殊於成心。故曰愚者與有焉。夫是云非云。不由天降。不由地作。皆生於人心。然必待心已成型。是非乃生。苟未成乎心。則性本清淨。無有執著。何是何非。今謂未成乎心。而是非素定。斯豈非以無有爲有邪。喻如今日適越而昔至。絕無之事也。成心同於愚者。固不足師。未成乎心即無是非。更從何處執著有我。此章先破幻心。後破眞心。法我兩忘也。此節所釋。略本章太炎氏之說。惟文句點竄。歸於簡淺。恐失太炎之意。故省其名。二章。

夫言非吹也。言者有言。其所言者。特未定也。果有言邪。其未嘗有言邪。其以爲異於鷇音。亦有辯乎。其無

辯乎。章炳麟云。言得成義。吹非成義。其用固殊。然則古今異語。方土殊音。其義則一。其言乃以十數。是知言本無恆。非有定性。此所以興有言無言之疑。謂與鷇音無別也。朱桂曜云。爾雅生哺鷇。列子張注。生而須哺曰鷇。道惡乎隱而有眞僞。言惡乎隱而有是非。道惡乎往而不存。言惡乎存而不可。道隱於小成。言隱於榮華。故有儒墨之是非。以是其所非。而非其所是。欲是其所非而非其所是。則莫若以明。按。隱。晦蔽也。道言有所晦蔽。故須明以照之。章太炎說爲依據。似未足信。夫道無方所。無所不存。螻蟻稊稗。每下愈況。語言萬變。無所不可。狄鞮象寄。其義互通。本無定軌。惟心所取。固無眞僞是非之紛然也。其所以晦蔽者。由小成榮華也。章炳麟云。詳前世論道。不依一軌。夷惠行殊。箕比志異。猶皆謂之至德。固知道之無常也。比其衰也。帝王之法。依以爲公義。是道隱於小成。京洛之語。依以爲雅言。是言隱於榮華。荀子正論曰。天下之大隆。是非之封界。分職名象之所起。王制是也。故凡言議期命。以聖王爲師。此皆隨俗雅化。豈所語於致遠者乎。儒家法周。墨家法夏。二代嘗已小成榮華。而其是非相反。由是競生部執。如復重仇還以其情。明其自謬。按。道隱小成。言隱榮華。則世所謂是非。非眞是非。須明以辨之。是非乃可定。故曰莫若以明。明則是非得其眞。而儒墨之爭自息。非執一而時或執一。非執中而時或執中。非兩是兩非而時或兩是兩非。要視乎明之而已。莊子唯恐道言之晦蔽。思有以明之。奈何世人猶以無是無非說莊子邪。或者難言是非有眞。唯物理曆數有。然尚不敢遽必。禮俗政教。不法常可。時地遷貿。莫能爲良。何以定是非之眞。答曰。此明之所以可貴也。夫天圓地方。日升月恆。古人所謂是。今知其非。不有疇人。歷世窺測。何以漸得其眞。任而不辨。將終

古不明矣。王政漸袪。民治日張。男女平權。昏喪趨簡。豈唯時地演進。亦緣是非有眞。此明之效也。儒儆於人。墨儆於鬼。優絀顯然。豈同黨伐。又若仁義之名。傳自古昔。儒墨同其名言。異其封界。彼此執著。更相乖戾。愈宜比合異同。推求眞是。豈可存而不論。不求有以明之邪。唯時會未至。徵驗不足。則不可輕斷。是以聖人愼之。非謂無是非可明也。昔人清談。昌言無是無非。浸假而猖狂恣睢。顚越禮法。亦自託於莊子。是不解莊子以明之旨。而爲人心世道害也。世人誤解莊子者多。聊於此發之。

物無非彼。物無非是。自彼則不見。自知則知之。故曰。彼出於是。是亦因彼。彼是方生之說也。雖然。方生方死。方死方生。方可方不可。方不可方可。因是因非。因非因是。是以聖人不由。而照之於天。亦因是也。

按。彼是猶彼此。彼謂人。此謂我。章炳麟曰。物無非彼。言更相彼也。物無非是。言各自是也。無非彼則天下無是。無非是則天下無彼。人皆自證。而莫知彼。豈不亦了他人有我。他人之我。恆依計度推知。非恆審證知。翻忽之間。終有介爾障隔。依是起爭。是非蜂午。夫其執有是非者。若無我覺。必不謂彼爲非。若無彼覺。亦不謂我爲是。所以者何。此皆比擬而成執見。故曰彼出於是。是亦因彼。王闓運曰。方。古傍字。相左右曰方。相前後曰因。按。人我相待而生。是謂彼是方生之說。謂之爲說者。明非莊子所獨見。斯各家所共道。然因此遂謂生死可不可相倚。是非相因。而天下無眞是矣。是非莊子之意也。天下篇謂知萬物皆有所可。有所不可。彭蒙、愼到之說也。方生方死。惠施歷物之意也。皆莊子所斥爲非者。故曰聖人不由。而前人猥以爲莊子之意。捉莊生於辯者。亦何異貴游之妄談哉。惟釋德清之說。不同餘人。其言曰

。世人之是非。乃迷執之妄見。故彼此是非而不休。惟聖人不陷衆人之見。乃眞知獨照於天。然大道了然。明見其眞是。故曰亦因是也。此是則與衆天淵。故以亦字揀之。明即照破之意。故曰聖人照之於天。以實以明之明。此爲齊物之工夫。謂照破即無待。故下文發揮絕待之意。而歸結於莫若以明。按。天謂自然。謂本眞。求得事理之本然。則是非自明。

是亦彼也。彼亦是也。彼亦一是非。此亦一是非。果且有彼是乎哉。果且無彼是乎哉。彼是莫得其偶。謂之道樞。樞始得其環中。以應無窮。是亦一無窮。非亦一無窮也。故曰。莫若以明。

郭象云。我亦爲彼所彼。彼亦自以爲是。此與彼各有一是一非於體中。故彼是有無。未果定也。按。世俗是非。皆由妄見。故是非相偶。有甲即有非甲者伴之而起。甲與非甲。爭辯無已。眞理漸明。而合於乙。當始合時。暫無與對。聊以應世。而非眞無偶也。旋有非乙乘之。展轉離合。無有窮竟。世唯眞理絕待無偶。爲立敵所共許。無所容其辯。是謂道樞。以應無窮。則是非自明。非若辯者之依違兩可。是非莫定者也。樞。天樞也。天樞居中。斗柄環指。不滯一隅。以喻眞理爲是非之要會也。雖然。宇宙之事物萬變。而世人之妄見正深。何時乃能得眞理以爲道樞邪。曰。仍恃夫以明之術耳。苟能具因是之心。以明之術。則眞理雖夐遠邪。終有近之之一日。奈端力學。首創三律。用於大地。靡不有合。亦可謂無偶之道樞矣。施之星辰而差忒著。恩司坦修正其說爲相對論。說乃益密。未知異日有轉精者乎。而眞理賴是益明矣。不然者。將終古闇曶。無闓明之望。豈莊子之義哉。道樞體虛應外。還其本然。則是之與非。不成問題。莊子齊是非之意如此。而世人謂莊子不辯賢愚。置之不聞不問。則亦木石無知而已。曷足貴乎。尚得謂之明乎。世人誤解者多。故不惜累詞以辯之。　三章。

以指喻指之非指。不若以非指喻指之非指也。以馬喻馬之非馬。不若以非馬喻馬之非馬也。天地一指也。萬物一馬也。按。此破公孫龍説也。指物篇云。物莫非指。而指非指。指也者。天下之所無也。物也者。天下之所有也。以天下之所有。爲天下之所無。未可。彼所謂指。能指也。即識。彼所謂物。所指也。即境。物境當前即是。而識與指難知。以物爲指。是以有爲無。故公孫以爲未可。莊生則云。以境爲實有。但是俗論。境生於識。所指即爲能指。知此者則有無之爭自絕矣。白馬論云。馬者所以命形也。白者所以命色也。命色者非命形也。故曰白馬非馬。此離形與色爲二也。莊生則云。以馬喻白馬之非馬。不若以非馬喻白馬之非馬。所以者何。馬非僅用以命形。言馬而色寓焉。強離形色。非意想所許。亦且越出現量以外。知此者則白馬與馬之爭自絕矣。此破辯者之詞。此見是非有眞。此所謂莫若以明也。此上略本章太炎釋。檃栝以歸簡易。恐失章意。故省其名。章氏又云。廣論則天地本無體。萬物皆不生。由法執而計之。則乾坤不毀。由我執而計之。故品物流行。此皆意根偏計之妄也。

可乎可。不可乎不可。道行之而成。物謂之而然。惡乎然。然於然。惡乎不然。不然於不然。物固有所然。物固有所可。無物不然。無物不可。故爲是舉莛與楹。厲與西施。恢恑憰怪。道通爲一。其分也成也。其

成也毀也。凡物無成與毀。復通爲一。章炳麟云。此破名守之拘。亦空緣生諸相。道行之而成。指緣生。物謂之而然。指名守。次皆遮撥之言。其言惡乎然。然於然。惡乎不然。不然於不然。觀想精微。獨步千載。而舉世未知其解。今始證明。詳彼意根。有人我法我二執。即執一切皆有自性。名必求實。故有訓釋之詞。訓釋詞者。一謂說其義界。二謂執其因緣。三謂尋其實質。諸說義界。皆以義解義。更互相訓。諸責因緣。追尋至竟。不得不云自爾。諸尋實質。若立四大、種子、電子、原子。非接非謨。本在知識以外。實不可得。故曰惡乎然。然於然。惡乎不然。不然於不然。更無現量可證。比量可推也。凡諸訓釋。惟是三端。名言意想。盡於斯矣。隨俗諦說。物固有所然。物固有所可。依勝義說。訓釋三端。不可得義。無義成義。則雖無物不然。無物不可也。如上所論。一說義界。二責因緣。三尋實質。皆依分析之言。成立自義。然當其成立時。亦即其毀破時。成毀同時。復通爲一。此生彼滅。成毀同時。是則畢竟無生。亦復無滅。故釁眞珠者。珠滅而璽生。鎔礦鐵者。液成而礦毀。如是。人雖展轉幻化。故未化耳。若有化者。則不得無最前期也。按。章氏此釋。極自矜負。實亦能得莊生微旨。故要刪於此。又按。惡乎然四句。謂隨俗然否。皆非眞知。然世俗雖不得眞知。而物之眞然否自在。故復說言物固有所然。物固有所可。惟此仍就分殊者言之耳。苟就其本眞者言之。則道本無所不在。故曰無物不然。無物不可。所謂理一者也。寓言篇。不然於不然下。有惡乎可。可於可。惡乎不可。不可於不可四句。此亦應有。世本脫耳。莛與筳同。玉篇云。小簪也。淮南齊俗訓。柱不可以摘齒。筳不可以持屋。以筳與柱對。與莊喻同。恑與詭同。憰與譎同。莛楹、厲施。舉兩端以喻成毀。唯達者知通爲一。爲是不用而寓諸庸。庸也者用也。用也者通也。通也者得也。適得而幾矣。因是已。已而不知其然謂之道。勞

神明爲一。而不知其同也。謂之朝三。何謂朝三。曰。狙公賦芧曰。朝三而莫四。衆狙皆怒。曰。然則朝四而莫三。衆狙皆悅。名實未虧而喜怒爲用。亦因是也。是以聖人和之以是非。而休乎天均。是之謂兩行。按。庸。常也。庸常之理。百姓日用之所循。及其至也。雖聖人有所不知。達者寓焉。寓。寄也。言雖庸常之理。亦不過暫寄而已。不滯於法也。庸常之理。妙合於大用。莫不條暢而有得。無心而適遇。庶幾近於道矣。因是已者。謂因其所是而是之。世之所是。亦隨俗是之也。已而不知其然之已。承上句因是已之已來。與養生主已而爲知者之已同意。彼亦承上句殆已之已來也。戴東原訓已爲此。似失莊子行文之妙。未達大道。強勉以己見要合爲一。而不知其本來大同。不亦勞乎。昭文、曠、惠是也。同者。同於不知其然之道。道本不可知故也。天均。本作天鈞。朱桂曜謂作均者是。寓言篇。天均者。天倪也。天地篇。天地雖大。其化均也。均則物論齊。此本篇之旨也。崔訓陶鈞。誤也。世俗之是非。是中有非。非中有是。是非兩含。故須和通兩行。若其果是果非。則亦無所用其辨。又豈可兩行哉。此處莊子之旨。最易淆誤。讀者不可不察也。章炳麟云。聖人內了無言。而外還順世。順世故和之以是非。無言故休乎天均。一語一默。無非至教。此之謂兩行也。達者乘化。不厭轉生。雖化爲鼠肝蟲臂。未見有殊。豈希圓寂而惡流轉哉。證無生滅。示有生滅。此亦兩行也。詳此一解。金聲玉振。高蹈太虛。本非逮政之談。從事之訓。而世人以爲任用機權。尋其文義。既自不爾。又復兩行之道。聖哲皆然。自非深明玄旨。何由尋其義趣。自子期子玄之倫。猶不憭悟。況玄英以下乎。古之人其知有所至矣。

惡乎至。有以爲未始有物者至矣盡矣。不可以加矣。其次以爲有物矣。而未始有封也。其次以爲有封焉。而未始有是非也。是非之彰也。道之所以虧也。道之所以虧。愛之所以成。果且有成與虧乎哉。果且無成與虧乎哉。有成與虧。故昭氏之鼓琴也。無成與虧。故昭氏之不鼓琴也。昭文之鼓琴也。師曠之枝策也。惠子之據梧也。三子之知幾乎。皆其盛者也。故載之末年。唯其好之也。以異於彼。其好之也。欲以明之彼。非所明而明之。故以堅白之昧終。而其子又以文之綸終。終身無成。若是而可謂成乎。雖我亦成也。若是而不可謂成

乎。物與我無成也。是故滑疑之耀。聖人之所圖也。爲是不用而寓諸庸。此之謂以明。章炳麟云。無物之見。即無我執法執也。有物有封。有是非見。我法二執。轉益堅定。見定故愛自成。此皆徧計所執。自性迷。依他起。自性生此種種愚妄。雖爾。圓成實性實無增減。故曰果且有成與虧乎哉。果且無成與虧乎哉。故者。此也。義見墨子天志。有成與虧。此昭氏之鼓琴也。無成與虧。此昭氏之不鼓琴也。胡遠濬云。鼓琴有成虧。以局於一聲。不能必聽者之皆明也。唯我守其不鼓自全之聲。一俟聽者萬變而高下其鼓焉。斯成虧有無兩無碍。朱桂曜云。此昭文當即呂氏春秋君守篇之鄭太師文。枝策。司馬云。枝。柱也。策。杖也。馬敘倫云。枝策事未詳。淮南氾論訓。譬若師曠之施瑟柱也。所推移上下者。無尺寸之度。而靡不中音。疑即其事。梧。司馬云。琴也。惠施鼓琴事無考。郭象云。幾。盡也。三子知盡慮窮。形勞神倦。賴其盛。故能久。不爾。早困也。姚鼐云。三子自以所好而人不能知。是異於彼。而又欲以己所好告之人。是明之彼。按。莊子之所謂以明者。求得事理之本然以明之也。三子則欲以其私好爲明。故曰非所明也。三子殫精於一技。求明而得昧。皆於道裂之餘。未能得聞全道者之過也。堅白之辯。公孫龍輩所持。莊子之所笑也。子喻其後。言文以包惠曠。綸。琴瑟弦也。三子皆善樂。故以弦爲言。三子既芒昧。子亦無成。深惜之也。章云。詳夫自悟悟他。立說有異。悟他者必令三支無虧。立敵共許。義始極成。若違此者。便與獨語無異。故曰若是而可謂成乎。雖我亦成也。語隨法執。無現比量。非獨不可悟他。己亦不能自了。故曰若是而不可謂成乎。物與我無成也。按。滑稽列傳師古注。滑。亂也。稽。疑也。是滑疑即滑稽也。索隱引鄒誕曰。言是若非。言非若是。能亂同異也。言三子明非所明。不遇滑疑之耀耳。圖者。珍重之意。言聖人於此類致愼而不用。惟寄寓於庸常之理。乃可謂之以明。四章。

今且有言於此。不知其與是類乎。其與是不類乎。類與

不類。相與爲類。則與彼無以異矣。王夫之云。此欲顯其綱宗。而先自破其非。按。有言於此。謂此齊物論也。胡遠濬云。是字承據梧言。類謂同欲明人。不類謂所明者不同。相與爲類。則與彼無異者。謂同歸於明人。則不得謂可明者異於彼矣。彼謂惠子。按。兼指昭曠。雖然。請嘗言之。有始也者。有未始有始也者。有未始有夫未始有始也者。有有也者。有無也者。有未始有無也者。有未始有夫未始有無也者。俄而有無矣。而未知有無之果孰有孰無也。今我則已有謂矣。而未知吾所謂之其果有謂乎。其果無謂乎。章炳麟云。夫割斷一期故有始。長無本剽故無始。心本不生。故未始有夫未始有始。計色故有。計空故無。離色空故未始有無。離徧計故未始有夫未始有無。此分部爲言也。不覺心動。忽然念起。遂生有無之見。計色爲有。離計孰證其有。計空爲無。離計孰證其無。故曰俄而有無矣。而未知有無之果孰有孰無也。然今之論者。現有是言。言既是有。所詮之有。寧得遮撥爲無。而此能詮。誠合於所詮不。又無明證。故復說言未知吾所謂之其果有謂乎。其果無謂乎。按。章氏之說備矣。謹錄如前。又按。始。謂倡言者。未始有始。謂言尚未倡時也。更追而窮之。則並此無言而無之矣。至無無之時。則更何有是非哉。此有謂、即指己之作。齊物論欲申己說。先自遮撥。所謂能立兼能破也。天下莫大於秋豪之末。而大山爲

小。莫壽乎殤子。而彭祖爲夭。天地與我並生。而萬物與我爲一。

章炳麟云。夫如言而計。則大小壽夭之量。歷然有分。此但妄計分別。未悟處識世識爲幻也。就在處識世識之中。於此平議爲大小壽夭者。彼見或復相反。夫秋豪之體。排拒餘分。而大山之形。不辭土壤。惟自見爲大。故不待餘。惟自見爲小。故不辭餘也。殤子之念。任運相續。而彭祖之志。渴愛延年。任運自覺時長。渴愛乃覺時短矣。末世橫計。處識世識爲實。謂天長地久者先我而生。形隔器殊者與我異分。今應問彼。即我形內、爲有水火金鐵。不若云無者。我身則無。若云有者。此非與天地並起邪。縱令形敝壽斷。是等還與天地並盡。勢不先亡。故非獨與天地並生。乃亦與天地並滅也。若計眞心。即無天地。亦無人我。是天地與我俱不生爾。故知北游篇說冉求問於仲尼曰。未有天地可知邪。仲尼曰。可。古猶今也。無古無今。無始無終。明本未有生。即無時分。雖據現在。計未有天地爲過去。而實即是現在。亦不可說爲過去、爲現在。以三世本空。故今隨形軀爲說。此即並生而彼一。一無生有、生諸行。其實本無自他之異。故復說言萬物與我爲一。按。章氏之說備矣。今約其旨曰。大小壽夭。徒爲形相。若究其性分。則大非有餘。小非不足。久非可羨。暫非可哀。所以者何。以能各盡其性也。故曰天下莫大於秋豪之末。而大山爲小。莫壽於殤子。而彭祖爲夭。和合四大而成形。神識流轉而有知。形與知處而得生。皆天地自然所運化。與萬物曾無少異。故曰天地與我並生。萬物與我爲一。此數語者。詞若恢恑。意實平易。至人能明其道。安而行之。世人雖不能盡明其道。芒然昧然。亦無以自外。所謂百姓日用而不知也。非有神仙之術。靈妙之行。爲人所不可企攀也。後世方士鬼道之流。支離附會。乃成怪妄。豈可以說莊生哉。釋德清云。妙契玄同。天地同根。萬物一體。安心於大道。不起分別。此乃眞是。故下文云無適焉。因是已。

既已爲一矣。且得有言乎。既已謂之一矣。且得無言乎。一與言爲二。二與一

爲三。自此以往。巧歷不能得。而況其凡乎。故自無適有。以至於三。而況自有適有乎。無適焉。因是已。章炳麟云。所謂一者何邪。般若經說諸法一性即是無性。諸法無性即是一性。是故一即無見無相。何得有言。然既見爲一。又不得無一之名。按。寓言篇云。不言則齊。齊與言不齊。言與齊不齊也。人有彼此。理有是非。合是與非。更生是非。相反相生。永永無止。此所謂一與言爲二。二與一爲三也。老子曰。三生萬物。故巧歷不能得。而況其凡乎。凡。謂衆人也。自無適有。謂己之齊物論也。自有適有。謂世論也。齊物論者。空諸所有。以求眞是。且至於三。則至餘世論又當如何。唯能無適者。乃能因是焉。無適者不動之謂也。天地並生。萬物爲一。泊爾皆寂。然後爲至。所因者何。因其眞是也。此眞是者。即一即無。莊子之齊物論者如此。佛家所謂字平等。語平等。法平等。豈茫然置之不問哉。又按。淮南齊俗訓云。至是之是無非。至非之非無是。此眞是非也。若夫是於此而非於彼。非於此而是於彼者。此之謂一是一非也。此一是非隅曲也。夫一是非宇宙也。淮南所謂眞是非。即莊子所謂果是果非也。眞是無非。眞非無是。故曰無辨。謂無待辨白自明也。假是假非。彼此對峙。故曰隅曲。眞是眞非。無有對峙。故曰宇宙。莊子所謂莫得其偶。是謂道樞也。天地並生。萬物爲一。混然大塊。故以宇宙爲喻。淮南此文。正發明莊子明眞是以齊物論之旨。故全錄而釋之於此。五章。舊分齊物論爲七章。此上通爲一章。今取顯露。便於訓說。更分爲五。

夫道未始有封。言未始有常。爲是而有畛也。請言其畛。有左有右。有論有議。有分有辯。有競有爭。此之

謂八德。釋文云。封、域。畛、陌也。道未始有封。郭云。冥然無不在也。言未始有常。即老子所謂名可名非常名也。爲是而有畛也。德清云。因執此一箇是字。乃有是非分別之辯。郭云。道無封。故萬物得其分域。按。有左有右。始有封畛也。有論有議。始有名言也。本作有倫有義。此從崔本。有分有辯者。群分而類別。人我著矣。有競有爭者。並逐而對辯。大亂肇矣。當世益降。去道益遠。略而判之。有此八德。是非紛起。物論不齊。有待於齊矣。

六合之外。聖人存而不論。六合之內。聖人論而不議。春秋經世先王之志。聖人議而不辯。章炳麟云。六合之外。謂大宇之表。六合之內。謂即此員輿。春秋經世先王之志。經世亦見外篇。律歷志有世經。則歷譜世紀之書。志即史志。愼子云。詩。往志也。書。往誥也。春秋。往事也。往事即先王之制。宇表世狀。不可臆知。知其非無。故存之。不可別陳說。故不論列之也。宇內事亦無限。遠古之記。異域之傳。有可論列。人情既異。故不可平訂是非也。春秋局在區中。而其時亦逝矣。有所臧否。祇隨成俗。左氏多稱君子。是其事類。夫春秋者。先王之陳迹。詳其行事。使民不忘故常。述其典禮。後生依以觀變。聖人之意。盡乎斯矣。

故分也者有不分也。辯也者有不辯也。曰。何也。聖人懷之。衆人辯之。以相示也。故曰。辯也者有不見也。胡遠濬云。聖人之議。迹近分辯。仍祇是不分不辯者。以但隨已成之公。是初無矜明眩己之心。由其無不見而能懷之故也。按。懷者涵蓋之謂。涵蓋一切。故無人我分別之見。若衆人則反。是辯之愈甚。則遺之愈多。故曰有不見也。

夫大道不稱。大辯不言。大仁不仁。

大廉不嗛。大勇不忮。道昭而不道。言辯而不及。仁常而不周。廉淸而不信。勇忮而不成。五者园而幾向方矣。奚侗云。淮南詮言訓載此文。不稱作無形。不仁作不親。不忮作不矜。於義較長。不周。各本作不成。闕誤謂江南古藏本作周。郭注亦云。常愛必不周。是也。改從之。朱桂曜云。嗛。蓋磏之壞字。説文。磏。厲石也。朱駿聲謂凡稜利之義。疑即此字所轉注。韓詩外傳。磏乎其廉而不劌也。與此處義正合。郭注謂嗛盈。非是。奚云。淮南詮言訓。五者無棄。庶幾向方矣。高注。方。道也。庶幾向於道也。今郭解以方圓。非是。园乃誤字也。章炳麟云。大道大辯。此二。本義。大仁大廉大勇。此三。譬稱之詞。故知止其所不知至矣。孰知不言之辯。不道之道。若有能知此之謂天府。注焉而不滿。酌焉而不竭。而不知其所由來。此之謂葆光。章炳麟云。知止其所不知者。即不論不議之謂。孔子亦云。知之爲知之。不知爲不知。是知也。又云。蓋有不知而作之者。我無是也。知北游篇云。物、己、死、生、方、圓、莫知其根也。扁然而萬物自古以固存。轉復觀之形物。鵠自然白。烏自然黑。孔雀文彩。棘鍼銛利。銑鐵必有磁石之用。石英必成六觚之形。縱復説爲想成。説爲業用。何故惟此而能如此。此但可説爲扁然固成者。夫規矩之審。物曲之近。猶不可盡明如是。況其至遠者乎。故曰不知其所由來。按。六合之內。春秋經世先王之志。不可盡知者。六合之外。不可知者也。是則無偶之樞。庸常之理。竟不可知。又何以定是非之眞邪。曰。是又不然。無偶庸常。雖不可遽知。惟日以明之。自可漸近於眞。此世運之所以日啓。物論之所以齊而不齊。不齊而齊

也。注焉而不滿。酌焉而不竭者。謂宇宙本體。人生眞際。其道深邃繁富。不可盡知也。葆光者。崔云。若有若無。謂之葆光。德清曰。和光同塵。光而不耀。章云。謂事有象而理難徵也。六章。崔云齊物七章。此連上章。而班固說在外篇。今故別爲一章。

故昔者堯問於舜曰。我欲伐宗、膾、胥敖。南面而不釋然。其故何也。舜曰。夫三子者。猶存乎蓬艾之間。若不釋然。何哉。昔者十日並出。萬物皆照。而況德之進乎日者乎。

章炳麟云。故爲發端之詞。舊有其例。禮運。故聖人。故人者。正義皆別標一章。易繫辭多言是故。亦與前文不屬。並是更端之語。宗膾胥敖。司馬云。三國名也。崔云。宗。一也。膾。二也。胥敖。三也。郭象云。將寄明齊一之理於大聖。故發自怪之問以起對。夫物之所安無陋也。則蓬艾乃三子之妙處。今欲奪蓬艾之願。而伐使從己。於至道豈弘哉。故不釋然神解耳。若乃物暢其性。各安其所安。無有遠近幽深。付之自若。皆得其極。則彼無不當。而我無不怡也。子玄之解。獨會莊生之旨。按。釋。讀爲懌。堯之伐國。以文壓野。然心知其非。故師行之頃。爲之不怡也。舜之意以爲廟謨雖定。干戈未接。彼三國者。猶安於蓬艾之陋。未受文明之禍。止而不伐。救過未晚。又何必爲之不怡哉。堯之橫以文明被之塞野。徒令勝者驕矜。敗者夷滅。人被其禍。物受其殃。終令兩者俱失其性而已。是強不齊爲齊。非眞齊也。十日並照。萬物群生。本出無心。故無恩怨利害之可言。喻文明推演四鄰則效。而非先進所可矜以爲賜。不惟不足爲賜。苟其逾分。猶日灼物。令物焦萃。況有心侵陵。其害豈可勝言哉。章云。志存兼幷者。外辭蠶食之名。而方寄言高義。若云使彼野人。獲

與文化。斯則文野不齊之見爲桀跖之嚆矢明矣。若斯論著之材。投畀有北。固將弗受。世無秦政。不能燔滅其書。斯仁者所以潸然流涕也。或言。齊物之用。廓然多塗。今獨以蓬艾爲言何邪。荅曰。文野之見。尤不易除。夫滅國者假是爲名。此是檮杌窮奇之志爾。如觀近世有言無政府者。自謂至平等也。國邑州閭。泯然無間。貞廉詐佞。一切都捐。而猶橫著文野之見。必令械器日工。餐服愈美。勞形苦身。以就是業。而謂民職宜然。何其妄歟。故應物之論。以齊文野爲究極。此章才有六十三字。辭旨淵博。含藏衆宜。馬蹏、胠篋、盜跖諸篇。皆依是出也。　七章。

齧缺問乎王倪曰。子知物之所同是乎。曰。吾惡乎知之。子知子之所不知邪。曰。吾惡乎知之。然則物無知邪。曰。吾惡乎知之。雖然。嘗試言之。庸詎知吾所謂知之非不知邪。庸詎知吾所謂不知之非知邪。

按。物所同是者。謂根塵所觸。心所結想。凡在人倫。皆有同感。然未必盡同也。眼珠凸凹。視有遠近。因此同視一物。而大小明闇。自爾不同。況有色盲。不辨朱紫。則其所見。豈同恆人。眼根如是。餘根亦然。則感官所得。物無同是矣。心所結想。愈不齊一。資有賢愚而好惡異。識有高下而是非異。加以種姓政俗。古今方域。爲之蔀障。如是而欲求物所同是。喻如責涅爲白。煮沙成飯。必不可得矣。然學人之所探討。物理之所窮析。非舉世所認爲同是者歟。然亦限於粗迹。而各人心目之所觸想。且不盡同。至精思所極。叩其究竟。咸非比量現量所能推證。是則所謂同是者。皆暫假以爲詮說之資。非眞有同是也。故曰吾惡乎知之。子所不知者。宇宙間物。有可知有不可知。兩者分量多寡。界際廣狹。無有定

所。以時而異。以國而異。以種姓而異。以人而異。先民茫昧。榛狉渾噩。所知者寡。立國久遠。政教開明。所知者多。局於蠻荒。自安蓬艾。所知者狹。得天獨厚。勤行服知。所知者廣。故曰吾惡乎知之。且有前以爲不可知而後可知者。前以爲可知而後不可知者。然後所不可知者果竟不可知邪。仍未可遽定也。惟宇宙本原。人生眞際。終將存於不論不議之列。則人類心思能力之所限。無可奈何者也。故又說言庸詎知吾所謂知之非不知邪。庸詎知吾所不知之非知邪。郭象云。若自知其所不知。即爲有知矣。物無知者。謂知識本體。即上文所謂眞君也。人所知者。皆爲知識。知識本體。非人所能體察。說是本體。仍是知識。本體終不可得。佛說相見二分至證自證分。似爲心體。然能證者還是所證。本體仍不可見。然苟無本體。知識何寄而生。是則可行己信而不見其形。有情而無形。故曰吾惡乎知之。

且吾嘗試問乎女。民濕寢則腰疾偏死。鰌然乎哉。木處則惴慄恂懼。猨猴然乎哉。三者孰知正處。民食芻豢。麋鹿食薦。蝍且甘帶。鴟鴉耆鼠。四者孰知正味。猨猵狙以爲雌。麋與鹿交。鰌與魚游。毛嬙西施人之所美也。魚見之深入。鳥見之高飛。麋鹿見之決驟。四者孰知天下之正色哉。自我觀之。仁義之端。是非之塗。樊然殽亂。吾惡能知其辯。

朱桂曜云。偏。本字應作徧。說文。半枯也。釋魚。鰼、鰌。郭注。今泥鰌。西施。各本作麗姬。今從崔本。古書多以嫱施連言。作麗姬者。涉下文而譌。章炳麟云。恂爲愵之誤。說文。愵。驚詞也。鰌與魚游之鰌。當借爲⿰酉黽⿱酋黽之⿰酉黽。郭璞云。三蒼云六畜所食曰薦。蝍且。廣雅云。蜈公也。帶。崔云。蛇也。疾走不顧曰決。郭慶藩云。決驟。正字當作趹趣。章云。發正處、正味、正色之問者。明能覺者既殊。則所覺者非定。此亦所以破法執也。人與飛走。情用或殊。轉驗之人。蚳醢。古人以爲至味。蟠鼠。粵人以爲上肴。口之所適。則酸腐爲甘旨也。愛之所結。則嫫母爲清揚也。此皆稠處恆人。所執兩異。豈況仁義之端。是非之塗。而能有定齊哉。但當其所宜。則知避就取舍而己。

齧缺曰。子不知利害。則至人固不知利害乎。王倪曰。至人神矣。大澤焚而不能熱。河漢沍而不能寒。疾雷破山、飄風振海而不能驚。若然者。乘雲氣。騎日月。而游乎四海之外。死生無變於己。而況利害之端乎。

各本脫飄字。今從闕誤引江南李化本增。郭象云。夫神全形具而體與物冥者。雖涉至變。而未始非我。故蕩然無蔕介於胸中也。王闓運云。是非虛寄。猶可不論。利害在己。無容不顧。利害生自是非。今齊是非當齊利害。故疑之也。後世佛經以舍身濟物爲用。俗說人批僧頰。自言不打。皆以利害未可齊也。利害未可齊而妄言齊是非。不可爲教也。語其常。則奔車無伯夷。覆舟無仲尼。語其用。則神農遇毒。舜行雷雨。在陳絕糧。孔子不病。不能害也。章云。必謂麼性自然。物感同爾。則爲一覕之論。非復齊物之談。若轉以彼之所感。而責我之亦然。此亦曲士之見。是故高言平等。還順俗情。所以異乎反人爲實。勝人爲名者也。若夫至人者。親證一如。既無

歧相現覺。無有風雷寒熱。尚何侵害之有。八章。

瞿鵲子問乎長梧子曰。吾聞諸夫子。聖人不從事於務。不就利。不避害。不喜求。不緣道。無謂有謂。有謂無謂。而遊乎塵垢之外。夫子以爲孟浪之言。而我以爲妙道之行也。吾子以爲奚若。俞樾云。瞿鵲子必七十子之後學。所稱夫子。謂孔子也。下文長梧子以丘與予並舉。則丘必夫子之名。非孔子而何。崔謂丘爲長梧子名。誤也。不從事於務。郭云。務自來而理自應耳。非從而事之也。不就利不避害。郭云。任之而直前。無所避就。按。不喜求者。不以求得爲喜。言不求也。不緣道者。道本非可緣者也。寓言篇云。終身言。未嘗言。終身不言。未嘗不言。道本不可言。可言皆非道之至。上章所舉三問三不知者也。故曰無謂有謂有謂無謂也。遊乎塵垢之外者。郭云。凡非眞性。皆塵垢也。孟浪。向秀云。音漫瀾。無所趣舍之謂。馬敘倫云。猶謾讕。說文。謾。欺也。讕。抵讕也。按。大道既不可知。聖人之境。亦非語言文字所能達。要在自證。故夫子以爲孟浪之言也。章云。此章初說生空。次說生空亦非詞辯可知。終說離言自證。

長梧子曰。是黃帝之所聽熒也。而丘也何足以知之。且女亦大早計。見卵而求時夜。見彈而求鴞炙。予嘗爲女妄言之。

女以妄聽之奚。黃帝。各本作皇帝。今從一本。聽熒。向、司馬云。疑惑也。朱桂曜云。時夜。淮南說山訓作辰夜。高注。雞知將旦。鶴知夜半。見卵因望其夜鳴。故曰求時夜。崔謂時夜爲雞。非也。鴞。司馬云。小鳩。可炙。章云。此本妙道之行。而長梧子方復以爲早計者。此理本在忘言之域。非及思議之間。不悟其因而求其果。終入佝瞀之塗。故當爲妄言。令隨順得入也。王闓運云。妄。僭也。未至其詣。故言聽皆僭。朱桂曜云。奚下疑有若字。蓋涉注文第一字而誤省耳。上文吾子以爲奚若。一問一答。語調正同。按。朱說甚是。王伯厚引張文潛銘證奚字斷句。乃脫佚後附會之詞。未足爲信。

旁日月。挾宇宙。爲其脗合。置其滑涽。以隸相尊。衆人役役。聖人愚芚。參萬歲而一成純。萬物盡然而以是相蘊。章云。旁日月者。喻死生如晝夜。挾宇宙者。喻萬物本一體。脗合者。郭云。無波際之謂。滑涽者。向云。未定之謂。此當喻亂相亂體。隸者。田子方篇曰。棄隸者若棄泥塗。知身貴於隸也。貴在於我而不失於變。且萬化而未始有極也。詳其言。隸以比四支百體。總爲身根。以隸相尊。即佛法所謂薩迦邪見。此言死生無異萬物一如。於中妄著亂相亂體。乃起邪見。衆人馳流無己。而聖者愚芚若不知也。愚非誠愚。人間世篇以無知知。即此愚芚義也。馬敘倫云。芚爲惷之省。借爲惷。按。參萬歲而一成純者。泯時間也。萬物盡然而以是相蘊。泯方所也。時間空間。兩無所執。尚何有於生死邪。郭云。純者。不雜者也。蘊。積也。

予惡乎知說生之非惑邪。予惡乎知惡死之非弱喪而不知歸者邪。麗之姬。艾封人之子也。晉國之始得之也。涕泣沾

襟。及其至於王所。與王同筐牀。食芻豢。而後悔其泣也。予惡乎知夫死者不悔其始之蘄生乎。章云。如言而計。說生惡死。寧知非惑。喻以麗姬涕泣。此非以死爲得所。特矯說生之義。王闓運云。利害不可齊。生死尤不可齊。齊則無道矣。然悅生惡死。必無所不至。故明生死之本同。以悟世人而返其本心也。人本無生。既生惡死。是忘其本。猶幼失其鄉。長而不知所歸。按。麗姬之涕泣。由於見掠。上世劫奪婚之遺也。筐牀。司馬云。安牀也。夢飲酒者旦而哭泣。夢哭泣者旦而田獵。方其夢也。不知其夢也。夢之中又占其夢焉。覺而後知其夢也。且有大覺而後知此其大夢也。而愚者自以爲覺。竊竊然知之。君乎牧乎。固哉。章云。覺夢之喻。亦非謂生夢死覺。大覺知大夢者。知生爲夢。故不求長生。知生死皆夢。故亦不求寂滅。按。君牧同義。禮記、曲禮。九州之長入於天子之國曰牧。莊子以迷夢之人。堅執己見。故呼之爲君牧。擬以尊貴之名。無奈何之詞也。舊解失之。丘也與女皆夢也。予謂女夢亦夢也。是其言也。其名爲弔詭。萬世之後而一遇大聖知其解者。是旦莫遇之也。章云。長梧所論。亦非親證實相之談

。故必俟大聖於萬世。庶知其解。弔詭。即天下篇之諔詭。與俶儻之俶同。郭注卓詭。亦即弔詭之異文。既使我與若辯矣。若勝我。我不若勝。若果是也。我果非也邪。我勝若。若不吾勝。我果是也。而果非也邪。其或是也。其或非也邪。其俱是也。其俱非也邪。我與若不能相知也。則人固受其黮闇。吾誰使正之。使同乎若者正之。既與若同矣。惡能正之。使同乎我者正之。既同乎我矣。惡能正之。使異乎我與若者正之。既異乎我與若矣。惡能正之。使同乎我與若者正之。既同乎我與若矣。惡能正之。然則我與若與人。俱不能相知也。而待彼也邪。章云。次明雖俟大聖亦不可定生空義。何以明之。辯者證者。無過四句。雖復待之大聖。大聖有自證之功。亦無證他之語。以大聖語亦隨俗。不離四句故。夫然。則有謂無謂、無謂有謂之爲妙道。於是斷可識矣。按。四句者。蓋謂若是我非。一也。我是若非。二也。或是或非。三也。俱是俱

非。四也。以此四句。更生四句。同乎若。一也。同乎我。二也。異乎我與若。三也。同乎我與若。四也。寓言篇云。與己同則應。不與己同則反。同於己爲是之。異於己爲非之。豈足爲信據哉。黮闇。李云。不明貌。而待彼也邪彼字。近指大聖。遠指非彼無我之彼。意指眞君。

化聲之相待。若其不相待。和之以天倪。因之以曼衍。所以窮年也。何謂和之以天倪。曰。是不是。然不然。是若果是也。則是之異乎不是也。亦無辯。然若果然也。則然之異乎不然也。亦無辯。忘年忘義。振於無竟。故寓諸無竟。

按。化聲之相待下五句二十五字。原在忘年忘義句上。呂吉甫移之於前。雖別無他證。而義勝舊文。故宣穎、王先謙、吳摯甫、胡遠濬諸家皆從之。今依之乙正。非詭更也。化者。變易也。凡變易者無常。今聲變易。故聲是無常。聲待器而後得聞。然樂不作而聲固自具也。故曰化聲之相待若其不相待。夫言待於聲。始有所謂今聲既無常。則言之是非然否。果有待乎。果無待乎。天倪者。郭云。自然之分也。曼衍。司馬云。無極也。按。曼衍。極空間之廣也。窮年。盡時間之久也。寓言篇曰。卮言日出。和以天倪。卮。圓酒器也。卮言。謂圓融之言。究竟之義。世人之是非然否。終無可定。定之以究竟之義。所謂和之以天倪也。前所謂莫若以明者。明。即此和也。前所謂寓諸庸者。庸。即此天倪也。章炳麟云。和之以天倪者。以待大聖證成生空。則不如自證也。自證者。如飲井水。知其鹹淡。非騁辯詭詞所能變。然則是異不是。然異不然。造次而決。豈勞唇舌而煩平定哉。然諸自證亦有眞俗之殊。五感所得。言不可破。其間能覺所覺。猶是更互相待。青黃甘苦諸相。果如是青黃甘苦否。大宗師

篇云。夫知有所待而後當。其所待者特未定也。此徒俗中自證。未爲眞自證者。其眞自證乃以不知知之。故有眞人而後有眞知。自非親證而待左證。平議於人言。雖遇大聖猶不能條理斯義。亦與不待無殊。何爲棲棲遠求萬世乎。

忘年謂齊死生。忘義謂齊是非。是非死生蕩而爲一。至理暢乎無極。故寄之者不得有窮。按。崔云。振。止也。無竟猶無窮。振於無竟。即前所謂以應無窮也。忘年忘義。齊死生是非。亦可謂得其環中矣。故可以應無窮也。無辯謂是非然否昭然若揭。不待更辯。舊注乃謂是非然否。理在不殊。不知莊子明謂有異。豈可謂之不殊哉。緣世人疑莊子既齊是非。不應承認物有果是果然耳。不知莊子齊物。旨在明常。豈若木石鹿豕無知之物而已。淮南齊俗訓所釋。詞義甚明。可以參觀。已引於前。茲不復出。九章。

罔兩問景曰。曩子行。今子止。曩子坐。今子起。何其無持操與。景曰。吾有待而然者邪。吾所待又有待而然者邪。吾待蛇蚹蜩翼邪。惡識所以然。惡識所以不然。

釋文。景。映永反。或作影。按。景本訓光。當如字讀。罔兩。向云景之景。蓋謂反射餘光。夫晷景遷馳。分陰不駐。此爲自無主宰。別有緣生。故發罔兩問景之端。責其緣起。寓言篇云。火與日。吾屯也。陰與夜。吾代也。謂景待火日而生。火息日落而景亦滅。是火日爲景本因。然徒有火日。景尚不顯。必更有傳者。物理家言氣不傳光。別有以太爲之媒質。則以太者爲景外緣。雖然。即令光非空氣所傳。何知眞空不能傳光。而云以太。誰所證得。徒爲假說。未可信據。故曰吾待蛇蚹蜩翼邪。蚹。司馬云。蛇腹下齟齬。可以行者也。蛇待蚹而行。蜩待翼而飛。罔兩與景。生滅同時。不爲因果。與蛇蚹蜩翼不類。故曰惡識所以然惡識所以不然。蓋持因果說者。果必有因。因復

有因。如是展轉成無窮焉。寓言篇則謂彼來則我與之俱來。彼往則我與之俱往。彼強陽則我與之強陽。強陽者又何以有問乎。郭云。推而極之。則今之所謂有待者。卒至於無待。往來無意。不可問也。此正莊子破緣生之說。故不陷無窮過也。然此有則彼有。則無有因。是莊子持無因論邪。答曰。然。莊子正謂萬法無因耳。故曰惡識所以然惡識所以不然。詳夫無因之論。有眞俗二諦。以緣會衆多。主因難了而持無因論者。俗諦也。了達諸法唯心所造。無能取所取。不以前因後果而有心。唯依心而成前因後果。如是破無因論。乃成無過。庚桑楚篇謂靈臺有持。正萬法唯心之說。故莊子之無因論。與佛契合。非常夫之見也。十章。

昔者莊周夢爲胡蝶。翩翩然胡蝶也。自喩適志與。不知周也。俄然覺則蘧蘧然周也。不知周之夢爲胡蝶與。胡蝶之夢爲周與。周與胡蝶。則必有分矣。此之謂物化。

翩翩。本作栩栩。今從崔本。栩本木名。翩則飛貌。故以翩爲勝也。喻。李云。快也。此借爲愉字也。蘧。李云。有形貌。馬敘倫云。蘧爲瞿之借字。說文。舉目驚瞿然也。章炳麟云。郭云。今之不知胡蝶。無異於夢之不知周也。而各適一時之志。則無以明胡蝶之不夢爲周矣。世有假寐而夢經百年者。則無以明今之百年非假寐之夢者也。大宗師篇云。古之眞人。其寢不夢。諸有夢者。皆由顚倒習氣未盡耳。然尋莊生多說輪回之義。此章本以夢爲同喻。非正說夢。大宗師篇云。若人之形者。萬化而未始有極也。養生主篇云。適來夫子時也。適去夫子順也。指窮於爲薪。火傳也。不知其盡也。寓言篇云。有以相應也。若之何其無鬼邪。無以相應也。若之何其有鬼邪。非無鬼非有鬼。離斷常見。則必議及輪回。而彼土積喙相傳。有輪回義。非獨依於比量。亦由借彼重言。此土既無成證。質言輪回。既非恆人所見。轉近夸誣。故徒以夢化相擬。衆所不徵。不苟建立。斯其所以爲巵言歟。輪回生死。亦是俗

諦。前章說無待。所以明眞。此章說物化。所以通俗。莊生本不以輪回生死遺憂。但欲人無封執。故語有機權爾。又其所志本在內聖外王。哀生民之無拼。念刑政之苛殘。必今世無工宰。見無文野。人各自主之謂王。智無留礙然後聖。自非順時利見。示現白衣。何能果此願哉。苟專以滅度衆生爲念。而忘中塗惘怨之情。何翅河清之難俟。陵谷變遷之不可豫期。雖抱大悲。猶未適於民意。夫齊物者以百姓心爲心。故究極在此。樂行在彼。雖證涅槃。而畢竟不入涅槃也。

十一章。

莊子詁義卷第二

蘦硯齋叢箸

淮陰　范耕研　伯子

養生主第三

養生主者。莊子自抒其對於生死之觀念也。生既不足悅。死亦不足惡。無如人已生此世間。將如何以度此一生。乃可謂無負邪。達生篇云。養形必先之以物。物有餘而形不養者有之矣。有生必先無離形。形不離而生亡者有之矣。生之來不能卻。其去不能止。悲夫。世之人以爲養形足以存生。而養形果不足以存生。則世奚足爲哉。雖不足爲而不可不爲者。其爲不免矣。郭象云。夫生以養存。則養生者理之極也。若乃養過其極。以養傷生。非養生之主也。知於此而後知莊子所謂養生者。了達於生死之故。任運無虧。以盡其性命之情而已。非若方士輩。殫精竭財以求長生。亦非同躭樂之士。縱恣無度以賊其生。要在緣督盡年。是謂衛生之經矣。

吾生也有涯。而知也無涯。以有涯隨無涯。殆已。已而爲知者。殆而已矣。

吾生也有涯。郭云。所稟之分各有極也。人之賦命。修短不同。而其大齊。不過百年。終有盡時。故曰有涯。知者。知識。學術思想也。夫形上之學。玄妙精深。申此絀彼。未可遽窮。固屬無涯。即形下之學。追探究竟。亦屢變其說。隨時修正。若天文家言蓋天。進而爲渾天。地球中心。進而爲太陽中心。若物理家言。先有奈端之力學三律。今有斯坦因之相對論。前修未密。後出轉精。未知何時乃有定論。今之所得。未知於宇宙之理。萬分中居其幾分。而已竭學人之心腦矣。則知識之全部。容有涯邪。敝精疲神以窮追乎知識。終不能及。縱令能及。亦無益於身心性命之理。曷若安運任化。

以待知識之自來乎。知止其所不知。斯不以有涯隨無涯矣。老子云。知止可以不殆。蓋謂此也。莊子以自然爲宗。對於知識學問。惡其窮追馳騖與夫成心有爲。則必陷於困殆而不可救。若夫世運既進。文化自開。豈復有害於性命哉。亦莊子所不拒也。繕性篇云。古之治道者。以恬養知。知生而無以知爲也。謂之以知養恬。宣穎云。以恬養知者。謂定能生慧。宣說是也。下文知生云者。謂世運漸啓。文化日進。則知自生。但不可任知耳。此莊子之本意。世人以爲莊子反對知識。贊成愚蒙。誤會莊旨也。此節見生之重於知也。彼傾生殉學者。可以悟矣。以生殉學。尚不足貴。況所殉下於學者邪。世以莊子昌狂放恣。祇知享樂。何其誣也。

爲善無近名。爲惡無近刑。緣督以爲經。

李頤云。緣、順。督、中。經、常也。李楨云。人身惟脊居中。督脈並脊而上。故訓中。按。經即庚桑楚篇所謂衛生之經。郭云。忘善惡而居中。任萬物之自爲。悶然與至當爲一。故刑名遠已而全理在身也。胡遠濬云。一落於爲人。見爲善必榮之以名。見爲惡必辱之以刑。此無可如何者。而我不起分別。依理而爲。故無見榮見辱之心。斯謂之無近名無近刑耳。按。循中之說。人所易知。然如何乃可謂之循中。標臬塗轍。果何所在。則人所難了。苟謂非善非惡在兩者之中邪。則執中猶執一也。莊子舉庖丁解牛以爲喻。是循中者即遊刃於閒也。非漫謂之中也。說詳下文。前篇提出庸字。此處又提出中字。則莊子對於儒家中庸之說。固有默契邪。然莊子外死生、同人我。殆已無所滯執。而子思中庸。方且斤斤以一誠字爲極致。正不脫神我見解。兩者差異甚遠。而世人以其立名偶同。遂欲援莊入儒。不亦傎歟。

可以保身。可以全生。可以養親。可以盡年。

馬其昶云。受形父母。保身所以養親也。受氣天地。全生所以盡年也。按。莊子只是求所以全其生、盡其年。得天厚者。不可促之使短。得天薄者。亦不克延之使長。全之盡之。如是而已。一章。

庖丁爲文惠君解牛。手之所觸。肩之所倚。足之所履。

膝之所踦。砉然嚮然。奏刀騞然。莫不中音。合於桑林之舞。乃中經首之會。庖丁。崔云。庖人。丁其名也。文惠君。崔、司馬云。梁惠王也。文選。魏都賦、遊天台賦注引解牛作屠牛。踦。馬敘倫云。借爲掎。說文。偏引也。馬其昶云。謂屈一膝以按之也。砉。崔音畫。司馬云。皮骨相離聲。騞。崔云。音近獲。聲大於砉也。章炳麟云。砉騞二字。說文所無。無以下筆。桑林。司馬云。湯樂。崔云。宋舞樂名。章云。釋樂。角謂之經。首即角調矣。奚侗云。經首。疑當作絰首。古樂章之名。朱桂曜云。周禮。樂師以六樂之會正舞位。鄭注。大同六樂之節奏。正其位使相應也。言爲大合樂習之。又急就篇。五音總會歌謳聲。師古注。會謂金、石、絲、竹、匏、土、革、木、總合之也。又楚辭九歌。五音紛兮繁會。郭云。言其因便施巧。無不閑解盡理之甚。既適牛理。又合音節。文惠君曰。譆。善哉。技蓋至此乎。庖丁釋刀對曰。臣之所好者道也。進乎技矣。譆。李云。嘆聲也。郭云。直寄道理於技耳。所好者非技也。始臣之解牛之時。所見無非全牛者。三年之後。未嘗見全牛也。上全牛。各本無全字。今從宋本增。見全牛。謂未能見理。不見全牛。謂但見其理間。方今之時。臣以神遇。而不以目視。官知止而神欲行。向云。暗與理會。謂之神遇。專司所察而後動。謂之官知。從手放意。無心而得。謂之神欲。依乎天理。批大郤。導大窾。因其

固然。技經肯綮之未嘗。而況大軱乎。天理。成玄英云。天然之腠理。批。字林云。擊也。郤。郭音郄。崔、李云。間也。窾。崔、郭、司馬云。空也。郭慶藩云。說文無窾字。應作款。肯。崔云。說文。骨間肉肯。肯。著也。馬敍倫云。技借爲肢。經借爲脛。說文。胻也。綮當作肻。廣雅釋親曰。肻。腨也。山海經。無肻之國。郭注。肻。腓腸也。軱借爲髁。說文。髀骨也。良庖歲更刀。割也。族庖月更刀。折也。今臣之刀。十九年矣。所解數千牛矣。而刀刃若新發於硎。割謂割肉。折謂折骨。族。眾也。歲一更刀。故謂之良。月一更刀。故謂之眾。硎。砥石也。彼節者有間。而刀刃者無厚。以無厚入有間。恢恢乎其於遊刃必有餘地矣。是以十九年而刀刃若新發於硎。兩節即密。必有間隔。刀刃若綫。是爲無厚。事或難然。理實如此。故曰恢有餘地。名言有限。喻意無窮。讀者勿以詞害意。雖然。每至於族。吾見其難爲。怵然爲戒。視爲止。行爲遲。動刀甚微。謋然已解。如土委地。提刀而立。爲之四顧。爲之躊躇滿志。善刀而藏之。族。郭云。交錯聚結爲族。視爲止。

郭云。不復屬目於他物也。奚侗云。謋。疑爲磔之借。廣雅。磔。開也。躊躇滿志。郭云。逸足容豫自得之謂。陸云。善刀。猶拭刀也。

文惠君曰。善哉。吾聞庖丁之言。得養生焉。

按。以刀刃喻人生涉歷艱難。而無與禍嬰。全在虛心應物。不迎不將。無矯無詐而已。然此事至不易。故庖丁曰。每至於族。吾見其難爲。蓋隨事應付。淺深得當。要在得間。是以難言。然非徒作唐大之詞以欺世。或姑作虛詞以慰人也。蓋有實事存焉。夫陰陽之患。則疾疫荒歉是也。愼於飲食起居。而疾疫可免。修其畎澮。移其有無。而荒歉可輕。天災雖嚴。未嘗無間也。人事之患。則政刑戰爭是也。修法明教。則昏暴可以不作。裕其民生。充其國力。則敵對不敢生心。而戰爭可免。人事雖不測。未嘗無間也。至若喜怒好惡之情。嬰人之心而生患害。苟能同生死、忘是非。知物論之應齊。人我之不當執。更何世情之足患哉。世人不知遊閒之有餘。橫以難得之生。血肉之軀。茫然昧然。日與禍會而不知。或放縱恣睢以自戕賊。是以亡國亂家相隨屬。橫目之民。夭喪而不得終其天年。不亦哀邪。由是觀之。循中遊閒。非僅空言。必有事焉。所謂無爲而無不爲也。世人不明莊旨。每疑其誕妄。談玄之士。又徒繳繞虛詞。矜其美妙。其去莊亦遠焉。二章。

公文軒見右師而驚曰。是何人也。惡乎介也。天與。其人與。曰。天也。非人也。天之生是使獨也。人之貌有與也。是以知其天也。非人也。

公文軒。司馬云。姓公文氏。名軒。宋人也。右師。司馬云。宋人也。簡文云。官名。奚侗云。介假爲尬。說文。尬。尲尬也。尲尬。行不正也。下文明言天之生是使獨。則不得以介爲跀矣。按。人之貌有與也。與借爲予。賜予也。人貌非可自主。必有予之者。故曰天也非人也。郭注。兩足共行曰有與。似用黨與本義。誤

也。人之兩足。天所予也。右師之獨足。亦天所與也。兩足者無所矜。獨足者無所欠。皆天也。各安其分而盡其性。斯可矣。以喻人壽修短。不可強求。郭象云。若以右師之知而必求兩全。則心神內困而形骸外弊矣。是以達生之情者。不務生之所無以爲。達命之情者。不務命之所無奈何也。全其自然而已。按。知此者知莊子之養生。非求長生。世之求神仙者。可以悟矣。 三章。

澤雉十步一啄。百步一飲。不蘄畜乎樊中。神雖王。不善也。

蘄。郭云。求也。樊。李云。藩也。所以籠雉。向、郭同。崔以爲園中也。郭象云。夫俯仰乎天地之間。逍搖乎自得之場。固養生之妙處也。又何求於入籠而服養哉。夫始乎適而未嘗不適者。忘適也。雖心神長王。志氣盈豫。而自放於清曠之地。忽然不覺善之爲善也。按。莊子雖尊生。而求所以養生之主。然亦不以屈辱之生爲貴。故以澤雉爲喻。寧勞勞於飲啄難得一飽。而不求畜乎樊中。呂氏春秋引子華子曰。全生爲上。虧生次之。死次之。迫生爲下。迫生者。六欲莫得其宜也。故曰迫生不若死。西歐之士。每謂不自由毋寧死。莊子澤雉之喻。其勇壯之志。寧遜西人。孰謂莊子爲遁世畏死之士哉。夫不處烈日。不知溫清之樂。不遭離亂。不知太平之安。堯天舜日。政理遵軌。喁喁于于。忘其帝力。責望愈多。不自滿足。不知世有亡國喪家之苦而蘄死而不得者。喻如澤雉。神王猶不自以爲善。亦莊子之所戒哉。 四章。

老聃死。秦失弔之。三號而出。

老聃。司馬云。老子也。失。本又作佚。各如字讀。亦皆音逸。按。三號者。弔喪之儀。內不哀則難哭泣。故以三號盡儀。

弟子曰。非夫子之友邪。曰。然。然則弔焉若此可乎。

弔友應戚。三號太簡。故以爲疑。

曰。然。始也吾以爲其人也。而今非

也。秦佚之意。蓋謂吾與老聃爲友者。以其爲人也。今已死矣。徒存形骸耳。氣還太虛。已與天合。何用哀泣乎。隨俗三號。亦已足矣。德充符篇曰。所愛其母者。非愛其形也。愛使其形者也。意與此同。闕誤引文如海本。其人作至人。則秦佚斥老子爲非至人邪。誤甚。不可從。向吾入而弔焉。有老者哭之。如哭其子。少者哭之。如哭其母。彼其所以會之。必有不蘄言而言。不蘄哭而哭者。是遁天倍情。忘其所受。古者謂之遁天之刑。遁。又作遯。倍。又作背。遁。避也。倍。違也。遁天倍情。謂不合於自然。稟氣而生。氣散而死。皆自然耳。今哀過其情。故謂之忘其所受也。此斥哭者。非斥老子。郭云。感物大深。不止於當。將馳騖於憂樂之境。雖楚戮未加。而性情已困。庸非刑哉。適來。夫子時也。適去。夫子順也。安時而處順。哀樂不能入也。古者謂是帝之縣解。成云。帝。天也。王先謙云。大宗師篇云。得者時也。失者順也。安時而處順。哀樂不能入也。此古之所謂縣解也。與此文大同。來去得失。皆謂生死。德充符郭注亦云。生爲我時。死爲我順。時爲我聚。順爲我散也。天生人而情賦焉。縣也。冥情任運。是天之縣解也。言夫子已死。吾又何哀。按。莊子明養生而著老聃之死。以博大眞人。不能免此。則長生久視。無其道矣。世豈有神仙。善死者所以善生。蓋安生死者。人世之眞際。忘生死者。至人之妙境。觀於此知流沙化胡之妄。史公載黃帝葬橋陵。而不敢質言老聃之死。近世注莊者。仍有謂此莊生寄言。老聃實不死。人之度量相越。何其遠也。五章。

指窮於爲薪。火傳也。不知其盡也。朱桂曜云。指爲脂之誤。或借國語越語注。脂。膏也。脂膏可以爲燃燒之薪。故人間世云。膏火自煎也。按。各家多方解釋爲字。而忽指字。義終不了。不如朱說明晰。以脂爲薪。有窮盡時。而火傳相續。無有盡時。先民以得火不易。有尊火爲神者。使人專司其事。不使息滅。今世祠廟尚有長明燈。故莊子舉以爲喻。即佛家輪回義也。中土無輪回之名。故前篇喻以夢覺。此喻以薪火。意皆謂人死而有不死者在。神識流轉。精神之不死也。物質分合。形體之不死也。莊子義殆兼之。六章。

人間世第四

人間世者。莊子自攄其處亂世之方也。與人羣者。不得離人。然人間日變。世世異宜。處此暴君汙世。出與人接。唯無爭其名而晦其德。無心任物。隨變所適。斯善全之道哉。不言治世而言亂世者。治世堯舜在上。由光在下。淳淳悶悶。無往而不適。更何必究心於處之之方乎。唯世運既降。狡詐日甚。舉手投足。皆可與禍會。如是。乃不得不考求乎遊刃之道。接輿曰。來世不可待也。往世不可追也。此漆園所以寄憤而以人間世名其篇也。

顏回見仲尼。請行。曰。奚之。曰。將之衛。曰。奚爲焉。曰。回聞衛君。其年壯。其行獨。輕用其國。而不見其過。輕用民死。死者以國量乎澤若蕉。民其無如矣。回嘗聞之夫子曰。治國去之。亂國就之。醫門多

疾。願以所聞思其則。庶幾其國有瘳乎。姚鼐云。衛君。司馬以爲蒯聵。陸氏以爲輒。皆非也。莊生託詞。正以指同時若梁惠王糜爛其民者耳。春秋時君未若是惡也。郭云。夫君人者。動必乘人。喜則軒綄塞路。怒則伏尸流血。舉國而輸之死地。不可稱數。視之若草芥也。按。其行獨者。不與民同欲。是謂獨夫。不自見其過。是以無敢諫者。國力雖充。而數興大役以竭之。民命至重。而驅之疆埸以死之。是謂輕用民死。若嬴政、苻堅、隋煬、金亮。卒覆其社稷。而身亦殉焉。近世若獨逸榑桑。以一敵八。幾何非衛君之醜也。其亡不免矣。奚侗云。國量之國。涉上文而衍。當斷死者以量乎澤爲句。呂覽期賢篇。死者量乎澤矣。高注。量猶滿也。馬敘倫云。如。說文。從隨也。無如。言無所從也。思借爲司。俗作伺。則爲側省。言以所聞伺其側爲獻替也。治國去之。亂國就之。則佛入地獄之意。悲憫之懷。同於大慈。顏子有焉。仲尼曰。譆。若殆往而刑耳。夫道不欲雜。雜則多。多則擾。擾則憂。憂而不救。按。道不欲雜者。知道之士。秉要執樞。以應無窮。不欲事事曲爲之備也。成云。事多心擾。憂患並起。藥病既乖。彼此俱困。己尚不立。焉能救物。郭云。百醫守病。適足致疑。而不能一愈也。古之至人。先存諸己。而後存諸人。所存於己者未定。何暇至於暴人之所行。釋文引禮記大學云。君子有諸己而後求諸人。無諸己而後非諸人。所藏乎身不恕而能喻諸人者。未之有也。按。此儒家言。而莊子稱道之者。聖人君子之行。固處人間世者所不能外也。且若亦知夫德之所蕩而知之所爲出乎哉。德蕩乎名。知出乎

爭。名也者相札也。知也者爭之器也。二者凶器。非所以盡行也。

成云。德所以流蕩喪眞者。矜名故也。知所以橫出逾分者。爭善故也。郭云。雖復桀跖。其所矜惜。無非名善也。奚云。札。亦作軋。說文。軋。輾也。輾。轢也。引申之爲權勢相傾。王先謙云。二者皆凶禍之器。非所以盡乎行世之道。按。夫德不必蕩於名。而名隨之。知不必生於爭。而爭寓焉。修德以求名。求知以釀爭。世人之闇也。以矜名之蕩而惡道德。以競爭之害而絕知識。亦學人之滯也。要在兩忘。乃合於大道。而此乃極言以斥之者。蓋兩忘乃至人之妙境。非可以諭諸暴人。處亂世。事暴君。固不當以名知嬰之。故莊子之言如此。

且德厚信矼。未達人氣。名聞不爭。未達人心。而彊以仁義繩墨之言。衒暴人之前者。是以人惡育其美也。命之曰菑人。菑人者人必反菑之。若殆爲人菑夫。

矼。崔音控。簡文云。慤實貌。馬敘倫云。矼借爲罣。郭云。夫投人夜光。鮮不案劍者。未達故也。今回之德信與其不爭之名。彼所未達也。而強以仁義準繩於彼。彼將謂回欲毀人以自成。奚云。衒。本作術。此依闕誤引江南古本改。說文。衒。行且賣也。俞云。惡如字。與美對舉。音烏路反者非。育。各本作有。崔本作育。云。賣也。賣。衒也。經典每以鬻字爲之。言以人之惡鬻己之美也。按。菑。害也。

且苟爲悅賢而惡不肖。惡用而求有以異。若唯無詻王公必將乘人而鬭其捷。而目將熒之。而

色將平之。口將營之。容將形之。心且成之。是以火救火。以水救水。名之曰益多。順始無窮。若殆以不信厚言。必死於暴人之前矣。郭云。苟能悅賢惡愚。聞義而服。便爲明君也。苟爲明君。則不苦無賢臣。汝往亦不足復奇。如其不爾。往亦必受害。詻。各本作詔。今從崔本。說文。詻。論訟也。唯爲雖省。言汝雖不與之辯訟。彼王公且將乘人以君人之勢。而角其捷辯以拒諫飾非也。郭慶藩云。熒借爲瞀。說文。惑也。馬敘倫云。平借爲變。說文。更也。成云。言汝目將爲所眩。汝色將自降。口將自救。容將益恭。心且舍己之是以成彼之非。彼惡既多。汝又從而益之。按。順始無窮者。謂將順之事。自此而始。且將不知伊於胡底。不惟事暴君如此。即相等夷者。亦孰肯盡言以招人之忌嫉哉。將順君意。則不敢正言。故曰不信厚言。信。誠也。厚。篤也。言不誠篤。違於良心。是心死也。故曰必死於暴人之前矣。非謂誅死也。且昔者桀殺關龍逢。紂殺王子比干。是皆修其身以下傴拊人之民。以下拂其上者也。故其君因其修以擠之。是好名者也。傴拊。李云。謂憐愛之也。崔云。猶嘔呴。謂養也。拂。崔云。違也。按。借爲咈。擠。簡文云。排也。按。借爲齏、韲。居人臣之位。修身市惠以收民心。此君上之所深惡也。於是君上因其好修之故。厚責之此人所難能之行。或吹其疵累。案而誅之。雖賢者亦無以自明。嗚呼。中人以法。人或憐其枉。至以道德殺人。令人被惡名於身後。乃愈可哀已。推究其原。亦由夫上下好名之過耳。故曰因其修以擠之是好名者也。昔者堯攻叢枝胥

敖。禹攻有扈。國爲虛厲。身爲刑戮。其用兵不止。其求實無已。是皆求名實者也。而獨不聞之乎。名實者聖人之所不能勝也。而況若乎。叢枝。即齊物論之宗膾。虛厲。李云。居宅無人曰虛。死而無後爲厲。馬敘倫云。周禮墓大夫。帥其屬而巡其墓厲。注。厲。塋遮迾處。按。實謂幣帛財貨。古今中外。伐人之國。侵人之疆。雖釁隙多端。而其所利者。豈非土地子女玉帛哉。湯十一征自葛始。未嘗不曰葛伯廢祀殺餉。聲罪致討。堂皇有名。卒之葛亡而天下服。弔伐於先。兼併於後。湯武聖人。亦何殊於嬴政。關比見殺。爲爭名也。叢枝見滅。爲求實也。是名實之爲患。非惟暴君。雖聖人有所不免。今顏子欲以空言救之。豈可得哉。雖然。若必有以也。嘗以語我來。顏回曰。端而虛。勉而一。則可乎。曰。惡。惡可。夫以陽爲充孔揚。采色不定。常人之所不違。因案人之所感。以求容與其心。名之曰日漸之德不成。而況大德乎。將執而不化。外合而內不訾。其庸詎可乎。端而虛。王先謙云。端肅而謙虛。勉而一。王先謙云。黽勉而純一。上惡。驚嘆詞。下惡。可不可也。夫以陽爲充孔揚。馬敘倫云。陽與佯同。古止作陽。揚字疑涉陽字而羨

。此指顏回。郭象以來。多謂指斥衛君。誤。按。端虛勉一。出於強爲。故孔子謂其佯爲充孔也。充。實也。孔。甚也。猶言無而爲有。虛而爲盈。如是則容色屢更。不能自堅。何以爲諫正之資乎。故曰采色不定。采。飾也。色。容也。以下論衛君既不自見其過。故常人莫之敢違。案借爲按。抑。止也。容與。從容自得也。姚鼐云。暴君聞正言。亦有感動處。而旋自案止。以求自恣。故雖君子欲以誠信格君。而終不可化。宋哲宗於伊川是也。王先謙云。雖日日漸之以德。不能有成。而況進於大德乎。將執而不化。郭云。固守其本意。宣云。自以爲是也。外合而內不訾。姚云。訾。量也。聞君子之言。外若不違。而內不度量其義。然則我內直而外曲。成而上比。郭云。顏回更說此三條也。按。下乃自釋。內直者與天爲徒。與天爲徒者。知天子之與己皆天之所子。而獨以己言蘄乎而人善之。蘄乎而人不善之邪。若然者。人謂之童子。是之謂與天爲徒。外曲者與人爲徒也。擎跽曲拳。人臣之禮也。人皆爲之。吾敢不爲邪。爲人之所爲者。人亦無疵焉。是之謂與人爲徒。成而上比者。與古爲徒。其言雖教。讁之實也。古之有也。非吾有也。若然者。雖直

不爲病。是之謂與古爲徒。若是則可乎。按。內直者在己。則直道而行。外曲者在人。則委曲隨物。成而上比者。郭云。成於今而比於古也。又云。物無貴賤。得生一也。故善與不善。付之公當耳。一無所求於人。依乎天理。推己性命。若嬰兒之直往也。按。明於萬類平等之理。則雖遇暴君。無所欣懼。斯暴君亦無可用其喜怒矣。擎。宣云。擎笏也。跽。說文。長跪也。拳。馬敘倫云。借爲卷。說文。厀曲也。擎跽曲拳。人臣之禮。隨人事之所當爲而爲之。不矜詭異。不違世俗。故曰人亦無疵也。疵借爲呰。訶也。孔子拜下。雖違乎衆。然事君盡禮。亦此類也。其言雖實爲教讁。然既託於古。則責不在我也。按。此所謂諷諫。所謂重言。言者無罪。聽者足戒。仲尼曰。惡。惡可。大多。政法而不諜。雖固亦無罪。雖然。止是耳矣。夫胡可以及化。猶師心者也。朱桂曜云。大多二字爲句。按。郭謂當理無二。而張三條。故嫌其太多也。馬敘倫云。政法二字有一衍。說文。法之古文作金。形與正近。俞樾云。列禦寇篇。形諜成光。釋文。諜。便僻。此諜義同。言有法度而不便僻。按。師心。猶齊物論篇所謂隨其成心而師之。郭云。挾三術以適彼。非無心而付之天下也。雖未弘大。亦且不見咎責。罪則無矣。化則未也。

顏回曰。吾無以進矣。敢問其方。仲尼曰。齋。吾將語若。有心而爲之其易邪。易之者皞天不宜。馬敘倫云。方即旁之初文。其方。猶其他也。按。今本脫心字。依闕誤引張君房本補。有心。即上文師心。師心者自以爲是。謂橫梗三術於心中。如此欲以化人。不亦難邪。苟以不易者爲易。是更掉以輕心矣。雖神若皞天。亦未見其宜。向云。皞天。自然

也。顏回曰。回之家貧。唯不飲酒不茹葷者數月矣。若此則可以爲齋乎。曰。是祭祀之齋。非心齋也。回曰。敢問心齋。仲尼曰。若一志。無聽之以耳而聽之以心。無聽之以心而聽之以氣。聽止於耳。心止於符。氣也者虛而待物者也。唯道集虛。虛者心齋也。若一志。郭云。去異端而任獨也。遺耳目。去心意。而符氣性之自得。此虛以待物者也。虛其心則至道集於懷也。按。一志謂專壹其志。心齋以一志爲下手工夫。而以集虛爲其究竟。是心齋之與坐忘。一事二名。非有異也。俞樾謂聽止於耳。宜作耳止於聽。理或然也。耳者。聽官也。聞聲知意。與物符合者。心之用也。然心之用亦止於此而已。不能得物之眞相也。耳根如是。餘根亦然。虛心應物。還歸自然。若四大未和合時。故曰氣也。萬物皆由一氣所化生。此爲中土哲人公認之說。故莊子亦用之。至樂篇云。察其始而本無生。非徒無生也。而本無形。非徒無形也。而本無氣。雜乎芒忽之間。變而有氣。氣變而有形。形變而有生。此所謂氣。正是四大尚未和合。天地未判。萬物未生。故曰虛而待物。當其時也。有何人我。有何是非。故曰唯道集虛。能體此虛寂之境而與之合。是謂心齋。此所謂一與虛。與顏回所說端虛勉一不同。端虛勉一。乃用以應物之手段。故爲有心。一志集虛。乃用以齋心之工夫。故合於自然。此其異也。或疑心齋之說。襲諸佛氏。章太炎謂古者以詩書禮樂教士。人皆守禮。故能安定。後人無禮可守。心常擾擾。曲禮云。坐如尸。立如齊。論語。子之燕居。申申如也。夭夭如也。視聽言動。皆不敢非禮。是即心齋工夫。則佛法未入時。中土非無晏坐法也。按。

禮記祭統云。齊之爲齊也。齊不齊以致齊者也。又云。齊者不樂。言不敢散其志也。又云。定之之謂齊。齊者精明之至也。然後可以交於神明也。古代言齋者如此。皆與此一志集虛之說相合。可知心齋之說。中土所本有。非襲自佛氏也。

顏回曰。回之未始得使。實自回也。得使之也。未始有回也。可謂虛乎。夫子曰。盡矣。

陸德明云。未始得使絕句。奚侗云。自字係有字誤。郭云。未使心齋。故有其身。既得心齋之使。則無其身。按。一志集虛。物我兩忘。故曰未始有回也。己化而物自化矣。

吾語若。若能入遊其樊而無感其名。入則鳴。不入則止。無門無毒。一宅而寓於不得已。則幾矣。

入遊其樊。王先謙云。入衛遊其藩內。無感其名。胡遠濬云。無以衛君惡名橫於胸中。入則鳴不入則止。王先謙云。入吾言則言。不入則姑止。無門無毒。李楨云。毒蓋壔之借字。說文壔下云。保也。一曰高土也。讀若毒。王先謙云。門者可以沿爲行路。毒者可以望爲標的。無門無毒。使人無可窺尋指目之意也。馬敘倫云。一宅而寓於不得已。本作而宅於不得已。而字壞爲一字。校者或以他本作而寓者注其下。遂成今本也。郭云。不得已者。理之必然者也。按。物我兩忘。至矣盡矣。即令有所行。亦寓於不得已。尚何患哉。

絕迹易。無行地難。爲人使。易以僞。爲天使。難以僞。

郭云。不行則易。欲行而不踐地。不可能也。無爲則易。欲爲而不傷性。不可得也。視聽之所得者粗。故易欺也。至於自然之報細。故難僞也。王闓運云。僞即爲也。以上有爲字。故加偏旁別之。按。爲人使。爲天使。兩言使字。似是葉公章錯簡。

聞以有翼飛者

矣。未聞以無翼飛者也。聞以有知知者矣。未聞以無知知者也。按。以無知知。是此節本意。以無翼飛。是譬無行地。譬中之譬。絕迹猶有行地。若無行地。則本自無迹不待於絕而自絕矣。鳥以翼飛。速於獸走。然雲飄水逝。聲光四溢。其速有千百倍於鳥翼者。此所謂無翼飛者也。是則飛不必翼而翼不足貴矣。人以知知。然生有涯而知無涯。則所知不及其所不知。而人生日用。未嘗感其困缺。則雖不知同於知也。上古先民。未知日月運行之軌術。而能推知歷閏朔望。今世文教雖啓。其所知者豈遽備哉。人身官支之用。尚有不能深明者。特效醫藥。不盈十數。而世人飲食營衛。固充然自以爲足。是則雖不知而無礙於知。且將由無知而進即於知。則前之所知有不足貴者矣。故曰以無知知也。

瞻彼闋者。虛室生白。吉祥止止。夫且不止。是之謂坐馳。闋。說文。事已閉戶也。蓋祕閉戶牖。室即昏闇。然坐久亦能見物。此所謂虛室生白也。因中土建築。多不堅緻。光綫即緣罅隙而入。亦因人之瞳孔。略可張翕以應明暗。如貓犬能夜視然。虛靜之中。能生光明。以喻心能虛靜。慧定自生。故爲吉祥之所止也。舊注以室喻心。斯爲得之。太炎以佛光爲說。轉近穿鑿也。俞樾謂止止連文。於義無取。應從淮南作止也。奚侗謂應作止之。按。也與止不近。奚說近是。夫且不止是以謂坐馳者。王先謙云。若精神外騖而不安息。是形坐而心馳也。

夫徇耳目內通。而外於心知。鬼神將來舍。而況人乎。是萬物之化也。禹舜之所紐也。伏戲几蘧之所行終。而況散焉者乎。楊文會云。徇耳目內通。謂返見返聞。徹證心元。外於心知。謂離分別識。鬼神將來舍。謂三界有情。同

歸性海。而況人乎。謂天下歸仁。萬物之化。謂無不從此法界流。紐。簡文云。本也。几蘧。李云。上古帝王。散。崔云。德不及聖王爲散。一章。

葉公子高將使於齊。問於仲尼曰。王使諸梁也甚重。齊之待使者蓋將甚敬而不急。匹夫猶未可動也。而況諸侯乎。吾甚慄之。釋文。子高。楚大夫。爲葉縣尹。僭稱公。姓沈。名諸梁。字子高。郭云。重其使。欲有所求也。敬而不急。宣云。貌敬而緩於應事。王闓運云。甚敬則無以責之。不急則不如不敬。習世故以困人者。皆用此道。子嘗語諸梁也。曰。凡事若小若大。寡不道以懽成。按。寡不猶罕不。懽成猶樂成。事之樂成莫不有其道。仁者不憂。勇者不懼。君子樂得其道。郭訓道爲言。似非。此仲尼所曾告葉公者。事若不成。則必有人道之患。事若成。則必有陰陽之患。若成若不成而後無患者。唯有德者能之。人道之患謂刑僇。陰陽之患謂憂勞致疾。蘇輿云。事無成敗而卒可無患者。惟盛德爲能。按。郭注謂成敗任之於彼而莫足患心。是則坐觀成敗。不負責任。豈盛德事。故以蘇說爲長。吾食也執粗而不臧。爨無欲清之人。今吾朝受命而夕飲冰。我其內熱與。釋文。清宜从仌。其从水者。假借也。

。清。涼也。按。粗謂粗糲。臧謂精粲。爨無謂炊火熄滅。欲清謂所爨將涼。如此之人。生活儉薄。以明己性恬惔。郭云。內熱飲冰者。誠憂事之難。非美食之爲。吾未至乎事之情。而既有陰陽之患矣。事若不成。必有人道之患。是兩也。爲人臣者不足以任之。子其有以語我來。仲尼曰。天下有大戒二。其一命也。其一義也。子之愛親。命也。不可解於心。臣之事君。義也。無適而非君也。無所逃於天地之間。是之謂大戒。是以夫事其親者。不擇地而安之。孝之至也。夫事其君者。不擇事而安之。忠之盛也。自事其心者。哀樂不易施乎前。知其不可奈何而安之若命。德之至也。爲人臣子者。固有所不得已。行事之情而忘其身。何暇至於悅生而惡死。夫子其

行可矣。馬敘倫云。戒讀爲界。盛讀爲誠。王念孫云。施讀爲移。易施。古連語。王闓運云。陳大戒者。聖人教人。當坦然可行。無取精眇利害不入之言。不足爲衆人道也。然衆人怵於利害。則物因中之。若灼知不解不逃之誼。則蹈刃冒死猶所安也。是以弱女奮掌。而豺虎避路。相如張目。而秦王卻威。豈力能勝之哉。自以爲能勝也。故雖無先覺。亦遠於世俗之患者。其忘機與聖同也。德清云。莊子全書皆以忠孝爲要名譽、喪失天眞之不可尚者。獨人間世一篇。則極盡其忠孝之實一字不可易者。誰言其人不達世故而恣肆其志邪。蓋學有方內方外之分。在方外者。必以放曠爲高。特要歸大道也。若方內則於君臣父子之分。一毫不敢假借。以世之大經大法不可犯也。此所謂世、出世間之道。無不包羅。無不盡理。豈可以一概目之哉。按。古代未有無君之國。故無可逃。自近世共和肇造。以民爲主。淺識者以謂竟無君矣。遂欲棄忠而不講。不知事無公私。必有長屬。長之者即君。屬之者即臣。天澤之分。即不復嚴。盡己之責。豈可不忠。苟捐忠棄義。上下相賊。國將不國。而人類夷於禽獸矣。故曰無適而非君也。彼輩豈眞不知其理。特譁衆取寵。以自便其私而已。此背國懷敵者所以接踵於世。是則大可哀矣。又按。事心同於事君父。其不可奈何之事。則亦無所擇。故爲至德也。既已不可奈何。哀樂豈復嬰其心哉。然此亦爲忠臣孝子言耳。世有不忠不孝者。破抉藩籬。貪生怕死。固禽獸之不如。實則靦顏偷活。其辱有甚於死者。莊子所不屑論也。此與儒家殺身成仁、舍生取義之精神何殊。特儒家有心爲善。斤斤焉以之爲教。莊子則虛一應物。任運而行。此其異也。

丘請復以所聞。凡交近則必相靡以信。遠則必忠之以言。言必或傳之。夫傳兩喜兩怒之言。天下之難者也。夫兩喜必多溢美之言。兩怒必多溢惡之言。凡溢之類妄。妄則其信之也

莫。莫則傳言者殃。故法言曰。傳其常情。無傳其溢言。則幾乎全。宣云。交謂交鄰。王敔云。靡通縻。維繫也。漢書。羈縻字亦多作靡。郭云。溢。過也。奚云。論語。無莫也。邢疏。莫。薄也。郭云。夫喜怒之言。常過其當。傳之者宜兩不失中。故未易也。傳過言似誕妄。受者有疑。則傳言者橫以輕重爲罪也。必稱其常情而要其誠致。則近於全也。且以巧鬭力者始乎陽。常卒乎陰。大至則多奇巧。以禮飲酒者始乎治。常卒乎亂。大至則多奇樂。凡事亦然。始乎諒。常卒乎鄙。其作始也簡。其將畢也必巨。王先謙云。鬭力屬陽。求勝則終於陰謀。欲勝之至。則奇譎百出矣。禮飲象治。既醉則終於迷亂。昏醉之至。則樂無不極矣。俞云。諒與鄙文不相對。諒蓋諸之誤。諸讀爲都。淮南詮言訓。故始於都者常大於鄙。即本莊子。可證。按。都謂都雅。鄙謂鄙陋。郭云。夫煩生於簡。事起於微。此必至之勢也。言者風波也。行者實喪也。夫風波易以動。實喪易以危。按。實。富也。充也。喪。失也。實喪對舉。猶言得失耳。言語無定。如風如波。行爲不測。俛得俛失。無定故曰易以動。不測故曰易以危。文本明白。而說者各逞胸臆。轉令義蘊不達。甚無謂也。故忿設無由。巧言諞辭。獸死不擇音。氣息茀然。於是並生心厲。剋

核太至。則必有不肖之心應之。而不知其然也。苟爲不知其然也。孰知其所終。王闓運云。設同設。譎設。多言也。無由。無因之詞也。忿者造言。按。諞。各本作偏。此從崔本。說文。諞。便巧言也。

朱桂曜云。茀借爲艴。說文。慍怒色也。郭云。譬之野獸。蹴之窮地。意急情盡。則和聲不至而氣息不理。茀然暴怒也。按。上言怨恨之心。便巧之意。與情急勢窘。憤怒之志。詞各不同。以證言者風波易動之理。胡遠濬云。並生心厲。謂彼氣不平。則兩皆挾惡心。所謂氣壹動志也。馬敘倫云。剋爲勊之俗字。說文。尤劇也。郭云。大。寬以容物。物必歸焉。剋核太精。則鄙吝心生。而不自覺也。苟不自覺。安能知禍福之所齊詣也。按。此證行者實喪易危之理。

故法言曰。無遷令。無勸成。過度。益也。遷令勸成。殆事。美成在久。惡成不及改。可不愼與。成云。君命實傳。無得遷改。是爲無遷令。弗勞勸獎。強令成就。是爲無勸成。王先謙云。若過於本度。則是增益語言。遷令勸成。則事必危殆。成而善不在一時。成而惡必有不及改者。

且夫乘物以遊心。託不得已以養中。至矣。何作爲報也。莫若爲致命。此其難者。宣云。隨物以遊寄吾心。託於不得已而應。而毫無造端。以養吾心不動之中。此道之極則也。郭云。當任齊所報之實。何爲爲齊作意於其間哉。王先謙云。但致君命而不以己與。即此爲難。若人道之患非患也。王闓運云。但致命而不求人。則己心無利害。故難也。諸梁之必求於齊。豈爲楚哉。懼己得罪耳。按。傳言無溢。始簡畢巨。美成在久。皆處世閱歷之言。豈有遺棄世事之人而能深悉

如此哉。莊子作吏漆園。官卑職下。日與萌隸相接。煩辱困頓。此人世情僞所以知之審切也。蓋莊子入世最深。然後知出世之要。如來生長富貴。親見生老病死之苦。然後恍然有悟。脱然入山而獲大道。與莊子有同然者。此兩章詳論進言之困。與韓非說難略同。韓非有解老喻老。蓋亦深有得於道家之緒言者。然韓之意在逆探人心。以爲進言之地。莊子則感於艱險。難可與言。不得已而有所接。亦應之以虛一而已。所謂貌同而心異也。　二章。

顏闔將傅衛靈公大子。而問於蘧伯玉曰。有人於此。其德天殺。與之爲無方則危吾國。與之爲有方則危吾身。其知適足以知人之過。而不知其所以過。若然者。吾奈之何。釋文。顏闔。魯之賢人隱者。大子。司馬云。蒯聵也。蘧伯玉。名瑗。衛大夫。天殺。王闓運云。殺減少也。受於天者不全。郭云。夫小人之性。引之軌制則憎己。縱其無度則亂邦。不知民過之由己。故責於民而不自改。蘧伯玉曰。善哉問乎。戒之愼之。正女身哉。形莫若就。心莫若和。雖然。之二者有患。就不欲入。和不欲出。形就而入。且爲顚爲滅。爲崩爲蹶。心和而出。且爲聲爲名。爲妖爲孽。正身。謂先求身之無過。形莫若就心莫若和者。宣云。外示親附之形。內寓和順之意也。就不欲入和不欲

出者。王先謙云。附不欲深。必防其縱。順不欲顯。必範其趨也。郭云。若遂與同。則是顛危而不扶持。與彼俱亡矣。故當模格天地。但不立小異耳。自顯和之。且有含垢之聲。濟彼之名。彼將惡其勝己。妄生妖孽。故當悶然若晦。玄同光塵。然後不可得而親。不可得而疏。不可得而利。不可得而害。彼且爲嬰兒。亦與之爲嬰兒。彼且爲無町畦。亦與之爲無町畦。彼且爲無崖。亦與之爲無崖。達之入於無疵。呂惠卿云。因其性之所有而通。孟子於齊王是也。頑鈍之無知。非虛無之無知。放蕩之無不可。非隨順之無不可。無能之卑下。非不眩能之卑下。故同一嬰兒、無町畦、無崖。而其有疵無疵異矣。王闓運云。嬰兒猶有限也。町畦猶小閑也。無崖則大失畔限。此三者皆天殺之性。專欲自恣。逆則潰決。縱之自馴。乃可導於無疵。按。本章發明隨機誘導之理。與暴人居其勢甚危。若徒將順其意。則又近於阿拚。非正士所應出。故曰達之入於無疵。猶言導之使歸於正也。莊子此說。近於事君幾諫。晏子之儔也。若淳于髡以察言觀色爲務。非莊子所屑。汝不知夫螳螂乎。怒其臂以當車轍。不知其不勝任也。是其才之美者也。戒之愼之。積伐而美者以犯之。幾矣。郭云。夫螳螂之怒臂。非不美也。以當車轍。顧非敵耳。今知之所無奈何。而欲強當其任。即螳螂之怒臂也。積汝之才。伐汝之美。以犯此人。危殆之道。馬敘倫云。爾雅釋詁曰。幾。危也。汝不知夫養虎者乎。不敢以生物與之。爲其殺之之怒也。不敢以全物與

之。爲其決之之怒也。時其飢飽。達其怒心。虎之與人異類而媚養己者。順也。故其殺者逆也。馬敘倫云。決當作夬。說文。分也。按。恐生其殺決之心。故不以生物全物與之也。時其飢飽者。謂飼之以時也。達其怒心者。謂當其將怒。則導之和平。勿使竟怒也。此喻教人宜輔導其美。匡濟其惡。夫愛馬者以筐盛矢。以蜄盛溺。適有蚉䖟僕緣。而拊之不時。則缺銜毀首碎胸。意有所至。而愛有所亡。可不愼邪。郭云。矢溺至賤而以寶器盛之。愛馬之至也。王念孫云。僕。附也。言蚉䖟附緣於馬體也。成云。拊。拍也。不時。掩馬不意。郭云。掩其不備。故驚而至此。意至除患。率然拊之。以致毀碎。失其所愛矣。故當世接物。逆順之際。不可不愼也。按。此喻教人者宜當其時。學者乃受益。否則早遲不適。恐學者轉受其損。三章。

匠石之齊。至乎曲轅。見櫟社樹。其大蔽數千牛。絜之百圍。其高臨山。十仞而後有枝。其可以爲舟者旁十數。觀者如市。匠伯不顧。遂行不輟。弟子厭觀之。走

及匠石曰。自吾執斧斤以隨夫子。未嘗見材如此其美也。先生不肯視。行不輟。何邪。曰。已矣。勿言之矣。散木也。以爲舟則沈。以爲棺槨則速腐。以爲器則速毀。以爲門戶則液樠。以爲柱則蠹。是不材之木也。無所可用。故能若是之壽。

按。匠。木工。石其名也。字伯。櫟社樹。北堂書鈔禮儀部八十七引作社櫟樹。其大蔽數千牛。各本無數千二字。茲從成玄英引一本增。絜。文選過秦論注引司馬云。絜。匝也。百圍。李云。徑尺爲圍。蓋十丈也。千仞。小爾雅。四尺曰仞。陸云。七尺曰仞。或云八尺。按。各本作十仞。此從崔本。旁十數。俞樾云。旁。方也。方。且也。匠伯。崔本亦作匠石。厭。馬敘倫云。當作猒。說文。猒。飽也。液樠。李楨云。樠。說文。松心木。松心有脂。章炳麟云。樠借爲槾。汙漫也。

匠石歸。櫟社見夢曰。女將惡乎比予哉。若將比予於文木邪。夫柤梨橘柚果蓏之屬。實熟則剝。剝則辱。大枝折。小枝泄。此以其能枯其生者也。故不終其天年而中道夭。自掊擊於世

俗者也。物莫不若是。且予求無所可用久矣。幾死。乃今得之。爲予大用。使予也而有用。且得有此大也邪。且也若與予也皆物也。奈何哉其相物也。而幾死之散人。又惡知散木。郭云。凡可用之木爲文木。奚侗云。柤借爲樝。舊本均疊剝字。今本誤挩。章炳麟云。釋名。辱。衄也。言折衄也。俞樾云。泄借爲抴。謂牽引也。枯。各本作苦。此從崔本。馬敘倫云。枯是正字。按。幾死者。謂數有睥睨已者也。而今得之者。謂得託爲社。乃免於世人之睥睨也。爲予大用者。郭謂積無用乃爲濟生之大用。若有用。久見伐。人生於世。其究竟之目的果何在邪。愚者渾噩一生。無異於鹿豕。固不足道。賢知之士。勞其心力以求濟世。焦萃困苦以終其生。其於人厚矣。其於己何其薄也。蠶繭自縛。終不免於湯鑊。人生如此。亦復何樂。要在盡性任運。無求用於人。而人亦未嘗無所用之。是爲無用之大用。非功名之士所得輕議也已。釋文。而幾死之絕句。向同。一讀連下散人爲句。崔同。按。連下讀爲是。郭云。以戲匠石。王闓運云。而幾死之。謂奈何幾伐我也。按。王說非。宜從郭義。匠石覺而診其夢。弟子曰。趣取無用。則爲社何邪。曰。密。若無言。彼亦直寄焉以爲不知己者詬厲也。不爲社者且幾有剪乎。且也彼其所保與衆異。而以義譽之。不

亦遠乎。王念孫云。診借爲眕。古通。爾雅。眕。告也。此謂匠石告其夢於弟子。司馬、向謂占夢。非也。章炳麟云。密借爲謐。說文。謐。靜語也。一曰無聲也。此以一字斷句。若。汝也。田子方篇。默。女無言。詞例正同。彼亦直寄焉。郭云。社自來寄耳。非此木求之爲社也。以爲不知己者詬厲也者。宣云。偶託於社。使不知己者從而詬病。並無用爲用之義都自晦也。不爲社者且幾有翦乎。郭云。本自以無用爲用。則雖不爲社。亦終不近於翦伐之害。彼其所保與衆異者。朱桂曜云。保與抱通。謂懷抱於衆異。馬敘倫云。保借爲賨。亦通。而以義譽之者。王闓運云。以義。言以常理論也。按。櫟方以無用自全。故不可以世俗之見論之也。

南伯子綦遊乎商之丘。見大木焉有異。結駟千乘。將隱芘其所藾。子綦曰。此何木也哉。此必有異材夫。仰而視其細枝。則拳曲而不可以爲棟梁。俯而視其大根。則軸解而不可以爲棺槨。咶其葉則口爛而爲傷。嗅之則使人狂酲三日而不已。子綦曰。此果不材之木也。以至於此其大也。嗟乎。神人以此不材。馬敘倫云。有異二字。涉下文而衍。各本將隱作隱將。今從闕誤引張君房本乙。郭注。其枝所陰。可以隱芘千乘。是郭亦同張本也。藾。崔本作賴。向云。蔭也。軸解。吳摯甫云。軸借爲甹。廣雅。甹。空也。軸解。連綿詞。咶。說文作舓。同舐。以舌取食也。神人以此不材。馬敘倫云。以此。當讀爲似此。省文。

宋

有荆氏者。宜楸柏桑。其拱把而上者。求狙猴之杙者斬之。三圍四圍。求高名之麗者斬之。七圍八圍。貴人富商之家求樿傍者斬之。故未終其天年而中道之夭於斧斤。此材之患也。荆氏。司馬云。地名也。一曰里名。拱把。司馬云。兩手曰拱。一手曰把。奚侗云。杙。古作弋。與樴同。說文。弋。橜也。周禮牛人注。樴可以繫牛。李云。欲以栖戲狙猴也。郭慶藩云。名。大也。名山名川。即大山大川。按。麗借爲欐。釋名。欐。或謂之望。郝懿行謂望即宲也。說文。宲。棟也。此所謂麗。當即所謂宲棟也。樿傍。崔云。棺也。司馬云。棺之全一邊者。章炳麟云。樿傍爲棺。必有所據。尋說文。楄部。方木也。春秋傳曰。楄部薦榦。聲轉爲便房。漢書霍光傳。賜梓官便房。黃腸題湊。各一具。便房音小變則爲樿傍。然謂全一邊則非也。今人並名其木爲沙方。又樿傍之轉。故解之以牛之白顙者。與豚之亢鼻者。與人有痔病者。不可以適河。此皆巫祝以知之矣。所以爲不祥也。此乃神人之所以爲大祥也。郭云。巫祝解除。棄此三者。必妙選騂具。然後敢用。朱桂曜云。郭注訓解爲解除。非是。解之以。猶呂氏春秋之言解在乎也。有始篇、名類篇、去尤篇、聽言篇、謹聽篇、務本篇。皆有此語。亦猶墨子書中之言說在某也。按。朱說是也。適河。司馬云。謂沈人於河祭也。此皆巫祝以知之矣。以古通已。言巫祝於此已知不材者全矣。巫祝以其不可適河爲不祥。神人則

以能全生爲大祥也。四章。

支離疏者。頤隱於齊。肩高於頂。會撮指天。五管在上。兩髀爲脅。挫鍼治繲。足以餬口。鼓筴播精。足以食十人。上徵武士。則支離攘臂於其間。上有大役。則支離以有常疾不受功。上與病者粟。則受三鍾與十束薪。夫支離其形者。猶足以養其身。終其天年。又況支離其德者乎。

支離疏。司馬云。形體支離不全貌。疏其名也。會撮。司馬云。髻也。奚侗云。會借爲髻。髻之異文也。漢書師古注。撮。總取也。五管。李云。管。腧也。五藏之腧皆在上也。按。腧。素問作俞。謂人身之脈道也。繲。各本作繲。此從崔本。向本同。音綫。鼓筴。司馬云。鼓。簸也。小箕曰筴。播精如字。一音所字。則當作數。司馬云。簡米曰精。按。崔謂鼓筴爲揲蓍鑽龜。播精爲卜卦占兆。然揲鑽不能謂之爲鼓。精亦無卦兆之意。簸箕簡米。故可以食十人。若賣卜亦不足以食十人。崔說似誤。宜從司馬。近人或據文選注作鼓策播精。糈爲卜者所得酬。見史記日者傳及離騷。然糈亦不得言播。文選注恐是誤字。不可從。攘臂於其間。郭云。恃其無用。故不自竄匿也。以有常疾不受功。郭云。不任徭役故也。支離其德。郭云。神人無用於物而物各得自用。歸功名於群才。與物冥而無迹。故免人間之害。處常美之實。此支離其德也。王闓運云。

顏回者。諫諍之法也。葉公者。交際之準也。顏闔者。教化之道也。三者與人接之道盡矣。然不得已乃有此三者。若幸無事。莫若自全而無見材也。故櫟社之樹。有託而全。處富貴之善者也。商丘之木。支離之叟。處貧賤之善者也。

五章。

孔子適楚。楚狂接輿遊其門曰。鳳兮鳳兮。何如德之衰也。來世不可待。往世不可追也。天下有道。聖人成焉。天下無道。聖人生焉。方今之時。僅免刑焉。福輕乎羽。莫之知載。禍重乎地。莫之知避。已乎已乎。臨人以德。殆乎殆乎。畫地而趨。迷陽迷陽。無傷吾行。吾行卻曲。無傷吾足。

按。鳳喻孔子。章炳麟云。何如。何乃也。按。漢石經論語。何如作何而。而亦乃之借。來世不可待、往世不可追者。謂唐虞盛世。忽然已沒。而後世郅治之隆。又不知待至何年。遭逢衰世。昏上亂相。亡國破家相續。有生之類。蕉萃無如。是以發慨於此文也。胡遠濬云。有道則因而見。以致成物之智。無道則順而隱。以體生物之仁。按。無道生焉者。即苟全性命於亂世之意。胡以生爲上天生物之仁。論雖高似非莊意。郭云。不瞻前顧後。而盡當今之會。冥然與時事爲一。而後妙當可全。刑名可免。又云。足能行而放之。手能執而任之。聽耳之所聞。視目之所見。知止其所不知。

能止其所不能。用其自用。爲其自爲。恣其性内而無纖芥於分外。此無爲之至易也。無爲而性命不全者。未之有也。性命全而非福者。理未聞也。故夫福者。即向之所謂全耳。非假物也。豈有寄鴻毛之重哉。然知以無涯傷性。心以欲惡蕩眞。乃釋此無爲之至易。而知彼有爲之至難。棄夫自舉之至輕。而取夫載彼之至重。此世之常患也。舉其性内。則雖負萬鈞而不覺其重也。外物寄之。雖重不盈錙銖有不勝任者矣。爲内福也。故福至輕。爲外禍也。故禍至重。禍至重而莫之知避。此世之大迷也。章炳麟云。德。說文。升也。臨人以德。謂以登高臨人也。按。以高臨下。言矜傲也。畫地而趨。言局促也。朱桂曜云。郭訓迷陽爲亡陽。是也。亡陽猶望羊也。家語。曠如望羊。注。遠視也。此言四面仰望。辨察道途。無致誤入荆棘也。周禮考工梓人。卻行、仄行。連行、紆行。賈疏。紆。曲也。廣雅。卻。退也。蓋謂或退行。或曲行。務以避免荆棘。凜凜然處人間世之難也。　六章。

山木自寇也。膏火自煎也。桂可食。故伐之。漆可用。故割之。人皆知有用之用。而莫知無用之用也。

山木自寇者。即上文所舉柤梨楸柏。有用於人。爲人所伐。故謂之自寇。司馬謂木生斧柄還自伐。其說非也。膏火自煎者。司馬云。膏起火還自消也。崔謂山有木。故火焚。並兩事爲一。亦非。桂可食者。俞正燮云。古人鹽梅薑桂。所以和味。葯中有桂皮、桂心、桂枝。故云可食。是中土常木。不曾遠求交阯。亦非秋華之木犀。按。成玄英謂桂心辛香。故遭斫伐。似指木犀。亦非也。按。漆樹皮下有脂。可以髹物。破皮楔以竹管而承其脂。故云割。此章言世雖險艱。然亦以人多自逞其才。乃陷於禍患。不如以無用爲貴。王先謙云。喻意點清結局。與上接輿歌不連。歌有韵。此無韵。　七章。

德充符弟五

此篇論精神之修養。郭云。德充於内。物應於外。外内玄合。信若符命而遺其形骸也。按。符。諭也。文內大概舉兀者惡人爲例。外貌雖缺。內德自充。以示精神重而形骸輕。況形全

者。豈可不充其德。以深負得天之獨厚歟。

魯有兀者王駘。從之遊者與仲尼相若。奚侗云。兀借爲趴。趴爲跀之或體。說文。跀。斷足也。按。釋文又音界者。以篆書兀介字相似而譌也。王駘。人姓名也。郭云。弟子多少敵孔子。常季問於仲尼曰。王駘兀者也。從之遊者與夫子中分魯。立不教。坐不議。虛而往。實而歸。固有不言之教。無形而心成者邪。是何人也。按。王駘常季。皆寄言非實。常季。猶言常人中之幼穉者。謂其識之淺。釋文引或云孔子弟子。非也。虛而往實而歸。謂得性情之樂。而非言議之末也。楊文會云。仲尼行顯教。人所共知。王駘行密教。人所難見。故常季怪而問之。仲尼曰。夫子聖人也。丘也直後而未往耳。丘將以爲師。而況不若丘者乎。奚假魯國。丘將引天下而與從之。王引之云。直猶特也。馬敘倫云。爾雅。假。已也。已。止也。奚假。猶言何止。常季曰。彼兀者也。而王先生。其與庸亦遠矣。若然者。其用心也獨若之何。奚侗云。詩大雅。及爾出王。孔傳。王。往也。言使先

生往。朱駿聲云。庸借爲衆。

仲尼曰。死生亦大矣。而不得與之變。雖天地覆墜。亦將不與之遺。審乎無假。而不與物遷。命物之化而守其宗也。常季曰。何謂也。仲尼曰。自其異者視之。肝膽楚越也。自其同者視之。萬物皆一也。夫若然者。且不知耳目之所宜。而遊心乎德之和。物視其所一而不見其所喪。視喪其足。猶遺土也。

按。守不變之道者。可以外形骸。此王駘之所用心也。生死之苦。人之大事。然有根本之道。不與生死俱變。雖天地覆墜。亦不隨之遺失。儒家謂乾坤幾息。易始不見。亦猶是也。無假者。無妄也。眞也。眞謂道也。審乎無假之道。而不與物遷。執樞守中。遊心物外。生死可忘。何況形骸。人本萬物之一。地水火風所和合。與他物初無所異。自以爲靈秀所鍾毓者。常人之妄見也。故曰自其同者視之萬物皆一也。郭象謂天下無是無非。混而爲一。不知此論生死。非論是非。且莊子齊是非之意。亦非謂無是非。郭說誤也。楊文會云。依生滅門。作差別觀。依眞如門。作平等觀。二門不二。則不爲耳目所囿。而情與無情。煥然等觀矣。差別即平等。何得喪之有。內四大與外四大。無二無別。善忘我者也。

常季曰。彼爲己。以其知得其心。以其心得其常心。物何爲最之

哉。俞樾云。彼爲己三字。總冒下二句。郭讀失之。按。己爲人己之己。言彼特修己而已。何以人皆歸往之邪。故以此發問也。舊讀爲已止之已。或又訓爲此。皆失之。以其知得其心者。謂以知識求得心之現象也。以其心得其常心者。謂以心之現象進求得心之本體也。方潛云。以其知得其心。明心也。以其心得其常心。見性也。胡遠濬曰。知即釋氏所謂意識。心即含藏識。常心即眞如。說均可通。可知古今學術。皆是名言遷貿。其實多可相通者。仲尼曰。人莫鑑於流水而鑑於止水。唯止能止衆止。受命於地。唯松柏獨也正。在冬夏靑靑。受命於天。唯堯舜獨也正。在萬物之首。幸能正生。以正衆生。夫保始之徵。不懼之實。勇士一人。雄入於九軍。將求名而能自要者。而猶若是。而況官天地。府萬物。直寓六骸。象耳目。一知之所知。而心未嘗死者乎。彼且擇日而登假。人則從是也。彼且何肯以物爲事乎。郭云。夫止水之致鑑者。非爲止以求鑑也。故王駘之聚衆。衆自歸之。豈引物使從己邪。楊文會云。唯止能止衆止。就俗諦言之。一家仁一國興仁。一家讓一國興讓。就眞諦言之。一人發眞歸元。十方虛空盡皆消殞。各本唯松柏獨也下無正字。下句無堯字。又無在

萬物之首五字。今從闕誤引張君房本補。正生謂自得性命之正。以正衆生謂物性亦皆自正。相薰相習。非有所爲也。勇士求名。猶可以蓋九軍。況全德之人。與天同化。有不爲人所歸往乎。即一日克己。天下歸仁之意。保始之徵。胡遠濬云。徵。驗也。不懼之實。胡云。即孟子所謂浩然之氣。以之不動心者也。官天地。俞云。官即館之初文。直寓六骸象耳目。王闓運云。言如木偶象人。一知之所知者。按。即以無分別心而有分別用也。心未嘗死者。按。得其常心。不以死生變也。章氏謂大乘發心。唯在斷所知障。此既斷已。何有生滅與非生滅之殊哉。按。登假即登遐。謂王駘所志者遠。猶言方跳黃泉而登大皇。淪於不測、反於大通也。或訓爲死。非是。天子死謂之登假者。亦以升陟遐荒爲喩。非質言死也。人則從是也。是同之。言人自從之。非王駘有動衆之意也。　一章。

申徒嘉。兀者也。而與鄭子產同師於伯昏無人。李云。申徒氏。嘉名。無人。雜篇作瞀人。子產謂申徒嘉曰。我先出則子止。子先出則我止。郭云。羞與刖者並行。其明日。又與合堂同席而坐。子產謂申徒嘉曰。我先出則子止。子先出則我止。今我將出。子可以止乎。其未邪。且子見執政而不違。子齊執政乎。王闓運云。子產爲政。明上下。尚名法。故必欲兀者避執政。申徒嘉曰。先生之門。固有執政焉如此哉。子

而說子之執政而後人者也。王引之云。如此猶於此也。郭云。此論德之處。非計位也。馬敘倫云。而說讀若乃悅。也讀爲邪。郭云笑其矜說在位。欲處物先。聞之曰。鑑明則塵垢不止。止則不明也。久與賢人處則無過。今子之所取大者。先生也。而猶出言若是。不亦過乎。王先謙云。止猶集也。明鑑無塵。親賢無過。唐順之云。取大猶言尊信。宣云。取大求廣見識。郭云。事明師而鄙吝之心猶未去。乃眞過也。子產曰。子既若是矣。猶與堯爭善。計子之德。不足以自反邪。宣云。計子之素行必有過而後致兀。尚不足自反邪。申徒嘉曰。自狀其過。以不當亡者衆。不狀其過。以不當存者寡。王先謙云。狀猶顯白也。自顯言其罪過。以爲不至亡足者多矣。不顯言其罪過而自反。以爲不當存足者少也。按。令其顯言。則稱枉者多。即令其自反。而能認過者亦少。慨人之積習怙過飾非也。知不可奈何而安之若命。唯有德者能之。按。雖與禍會。致失其足。而不怨天尤人。非有德者不能。遊於羿之彀中。中央者。中地也。然而不中者。命也。按。衰世刑網既密。君相殘暴。人易陷於罪戾。故以羿彀爲喻。中者其常。不中者其偶。如是。唯有委之於命而已。人以

全足笑吾之不全足者衆矣。我怫然而怒。而適先生之所。則廢然而反。郭云。不知命而有斯笑。見其不知命而怒。斯又不知命。見至人之知命遺形。故廢向者之怒而復常。不知先生之洗我以善邪。吾之自悟邪。奚云。洗借爲先。先猶導也。吾之自悟邪一句。各本無。今從闕誤引張君房本補。吾與夫子遊十九年矣。而未嘗知吾兀者也。矣。從一本增。兀。又作介。今子與我遊於形骸之內。而子索我於形骸之外。不亦過乎。郭云。形骸外矣。其德內也。今子與我德遊耳。非與我形交而索我外好。豈不過哉。葛懷民云。內以心言。外以足言。王懋竑云。內外二字當互易。按。王說非是。子產蹵然改容更貌曰。子無乃稱。按。大宗師篇。仲尼蹵然。釋文。蹵。子六反。崔云。變色貌。王先謙云。乃者猶言如此。子無乃稱。謂子毋如此言也。大宗師篇。是自其所以乃。亦謂是自其所以如此也。郭云。已悟則厭其多言也。按。申徒嘉無足而德全。故忘貴賤。人治既衰。刑網至密。此人事之患也。天德既降。怨尤實多。此良心之責也。以此涉世。而欲免累難矣。外形骸。忘貴賤。此精神修養所以足貴。亦不得已之法也。二章。

魯有兀者叔山無趾。踵見仲尼。踵。郭云。頻也。崔云。無趾。故踵行。按。崔說勝。仲尼曰。

子不謹前。既犯患若是矣。雖今來何及矣。釋文。子不謹前絕句。一讀以謹字絕句。按。皆通。無趾曰。吾唯不知務而輕用吾身。吾是以亡足。按。古今來志士仁人。奮身救世。卒乃身敗名裂。爲世大僇者多矣。此輕用其身以亡其足之類也。龍、比殺身。商鞅車裂。淮陰侯族滅。鼂錯朝服而斬。柳州遠竄不反。荆公被訾爲拗。于謙夷滅。江陵死而籍沒。皆是也。可不戒哉。今吾來也。猶有尊足者存。吾是以務全之也。郭云。刖一足未足以虧其德。明夫形骸者逆旅也。按。尊足者存。謂精神也。夫天無不覆。地無不載。吾以夫子爲天地。安知夫子之猶若是也。按。責其不謹。是疑其果有罪矣。不知此乃人世之缺失。非關道德之有無。此之不達。惡足以論事。故謂其不及天地之公也。孔子曰。丘則陋矣。夫子胡不入乎。請講以所聞。無趾出。胡遠濬云。因務全之語。便意其務學。即欲告以所聞。狀學人迂態。意至詼詭。無趾出。不欲聞也。孔子曰。弟子勉之。夫無趾兀者也。猶務學以復補前行之惡。而況全德之人乎。王先謙云。前惡虧德。求學以補之。況無惡行而全德者乎。胡遠濬云。自無趾視之。本無惡行。何補之有。無趾語老聃曰。孔丘之於至

人其未邪。彼何賓賓以學子爲。彼且蘄以諔詭幻怪之名聞。不知至人之以是爲己桎梏邪。俞云。賓賓。猶頻頻也。賓聲頻聲之字。古相通。廣雅釋訓。頻頻。比也。胡遠濬云。頻頻學子者。卑近之意。按。學子猶言學者學人。言孔子究心於學人之事。何其卑近邪。郭注。謂學於老聃。恐非。諔詭即弔詭。按。字亦作俶詭。義與滑稽略同。老聃曰。胡不直使彼以死生爲一條。以可不可爲一貫者。解其桎梏。其可乎。按。如此即物論可齊。善惡之見自泯。無趾曰。天刑之。安可解。按。老莊尊生。故消搖無礙。孔孟救世。故不破世法。左支右絀若桎梏也。無趾謂孔爲天刑。雖孔子亦自謂天之僇民。孔孟蓋以出世之精神爲入世之作用。佛謂我不入地獄誰入地獄。其意正同。　三章。

魯哀公問於仲尼曰。衛有惡人焉曰哀駘它。釋文。惡。貌醜也。哀駘。朱桂曜云。疑即誒詒。達生篇。誒詒爲病。釋文。誒。一音哀。詒。吐代反。李音臺。司馬云。懈倦貌。李云。它。其名。按。它。曲背也。今字作駝。非其名也。丈夫與之處者思而不能去也。婦人見之。請於父母曰。與爲人妻。寧爲夫子妾者。十數而未止也。按。與爲人妻。各本作與人爲妻。從一本乙。未嘗有聞其唱者

也。常和人而已矣。無君人之位。以濟乎人之死。無聚祿以望人之腹。又以惡駭天下。和而不唱。知不出乎四域。且而雌雄合乎前。是必有異乎人者也。焦竑謂望當作朢。說文。月滿也。腹飽則滿。故以朢狀之。雌雄合乎前。李云。禽獸屬也。按。和而不唱。言人之至者。非由招致也。不能濟人之死。明物不由權勢而往。無以飽人。明非求食而往。惡駭天下。明不以形美故往。知不出乎四域。言不以學眩人。雌雄合乎前者。言才全則與物無害。故入獸不亂群。入鳥不亂行。而爲萬物之林藪。此注略本郭義。寡人召而觀之。果以惡駭天下。與寡人處。不至以月數。而寡人有意乎其爲人也。郭云。未經月已覺其有遠處。不至乎期年。而寡人信之。國無宰。而寡人傳國焉。悶然而後應。悶然。李云。不覺貌。郭云。寵辱不足以驚其神。氾若而辭。各本作氾而若辭。今從宋本乙。氾若猶言氾然。言無所係也。郭云。人辭亦辭。寡人醜乎。卒授之國。無幾何也。去寡人而行。寡人卹焉若有亡也。若無與樂是國也。是何人者也。醜。李云。慙也。卹。朱桂

曜云。卹有亡失義。徐無鬼篇。若卹若失。若亡其一。仲尼曰。丘也嘗遊於楚矣。遊。各本作使。今從亦本。仲尼無使楚事。作遊者是。適見㹠子食於其死母者。㹠。本又作豚。同。少焉眴若。皆棄之而走。不見己焉爾。不得類焉爾。所愛其母者。非愛其形也。愛使其形者也。俞樾云。眴借爲㝏。說文。驚詞也。馬其昶云。不見己。無知覺也。不得類。不似昔也。戰而死者。其人之葬也不以翣資。刖者之屨。無爲愛之。皆無其本矣。奚云。翣有三義。一爲棺飾。二爲樂器簨虡之飾。三爲扇。此皆不合。此借爲鋏。周禮縫人。翣柳。故書作挾櫝。大射儀。挾乘矢。注。古文挾皆作接。故從夾者可譌爲從妾也。鋏者。刀身劍鋒。武士所用。今其人既戰死而葬矣。又安所用鋏哉。資與齎同。持遺也。按。舊解翣資多支離。奚說最簡約。今姑用之。爲天子之諸御。不爪翦。不穿耳。取妻者止於外。不得復使。羅勉道云。禮記。三年之喪與新有昏者期不使。郭嵩燾云。不翦不穿。謂不加修飾而後本質見。止於外。謂不交涉他事而後精神專一。形全猶足以爲爾。而況全德之人乎。今哀駘它未言而信。無功而親。使人授己國唯恐其不受也。是

必才全而德不形者也。哀公曰。何謂才全。仲尼曰。死生存亡。窮達貧富。賢與不肖毀譽。飢渴寒暑。是事之變。命之行也。按。所舉死生等皆相對待之名。獨飢渴不然。故馬敘倫疑渴爲飽之譌。理或然也。日夜相代乎前。而知不能規乎其始者也。故不足以滑和。不可入於靈府。郭云。夫命行事變。不舍晝夜。推之不去。留之不停。故才全者。隨所遇而任之。夫始非知之所規。而故非情之所留。是以知命之必行。事之必變者。豈於終規始。在新戀故哉。雖有至知而弗能規也。逝者之往。吾奈之何哉。苟知性命之固當。則雖死生窮達。千變萬化。淡然自若而和理在身矣。靈府者。精神之宅也。章炳麟云。德充符所言靈府。即是阿羅邪識。庚桑楚所言靈臺。即是阿陀那識。阿羅邪譯言藏。阿陀那譯言持。義皆密合。使之和豫通而不失於兌。朱桂曜云。和豫通三字連讀。古書自有此例。奚侗云。詩皇矣。松柏斯兌。毛傳。兌易直。字亦作悅、脫。淮南本經訓。其行悅而順情。高注。悅。簡易也。史記禮書。凡樂始乎脫。索隱。脫猶疏略也。此處使之和豫通而不失於兌。言和悅閒豫。順適於物。而終不失之疏略也。使日夜無郤而與物爲春。是接而生時於心者也。是之謂才全。按。郤借爲隙。田子方篇正作隙。心知之作用。恆轉如瀑流。無一刻之閒。故曰日夜無郤。有心知而後有分別相。而後死生存亡之事變命行。紛然雜陳。莫知其始卒。猶萬卉當春而萌蘗也。故曰與物爲春。不僅萌蘗之如春也。當其極心思之所至。氣盛言宜。又若盛夏之繁茂

焉。及其琢削天眞。日以消殺而成秋冬。是念慮之興滅起伏而四時之氣具焉。故曰接而生時於心者也。郭云。順四時而俱化。故謂之爲才全也。何謂德不形。曰。平者水停之盛也。其可以爲法也。內保之而外不蕩也。德者成和之修也。德不形者物不能離也。郭云。天下之平。莫盛於停水。無情至平。故天下取正焉。內保其明。外無情僞。玄鑒洞照。與物無私。故能全其平而行其法也。王闓運云。修。外飾也。心先和豫。人見爲德耳。修之於外則德形矣。劉師培云。離疑麗假。或係雜譌。哀公異日以告閔子曰。始也吾以南面而君天下。執民之紀而憂其死。吾自以爲至通矣。今吾聞至人之言。恐吾無其實。輕用吾身而亡吾國。吾與孔丘非君臣也。德友而已矣。釋文。閔子。孔子弟子閔子騫也。馬其昶云。始也皇皇憂民之死。今乃知身之不免。何論於國。郭云。閑德充之風者。雖哀公猶欲遺形忘貴也。按。三代而下。豈無憂民之君。然而輕用其身以忘其國者。何其多也。若宋神宗、明莊烈。其顯例也。樹義既堅。議而至於辯。卒釀巨禍。前世若墨家非攻而講求戰備。蓋既有人己之辨。則不至於戰不止。所謂爲義偃兵。造兵之本也。近世若汎縏、納萃。多數平民。相爭相競。終釀巨禍矣。讀哀公告閔子之言。可不哀邪。

四章。

闉跂支離無脤說衛靈公。靈公說之。而視全人。其脰肩肩。甕盎大癭說齊桓公。桓公說之。而視全人。其脰肩肩。司馬云。闉、曲。跂、企也。無脤。名也。崔云。闉跂。偃者也。支離。傴者也。脤。脣同。按。無脤猶言缺脣。今世多有之。司馬以爲人名。似非也。李楨云。考工記梓人。數目顧脰。注。顧。長脰貌。與肩肩義合。知肩是省借。本字當作顧。李云。甕盎。大癭貌。說文。癭。瘤也。郭云。偏情一往。則醜者更好而好者更醜也。故德有所長而形有所忘。人不忘其所忘。而忘其所不忘。此謂誠忘。王先謙云。形宜忘。德不宜忘。反是乃眞忘也。故聖人有所遊。馬敘倫云。聖字疑衍。按。遊謂遊於世也。而知爲孽。約爲膠。德爲接。工爲商。胡遠濬云。心失而知。雜慮更生爲孽。信失而約。虛文要結爲膠。道失而德。據有於己爲接。樸失而工。炫有於人爲商。章云。孽借爲媒蘗之蘗。聖人不謀惡用知。不斲惡用膠。無喪惡用德。不貨惡用商。喪。失也。德。得也。四者。天鬻也。天鬻也者。天食也。釋文。鬻音育。養也。郭云。言自然而稟之。既受食於天。又惡用人。按。天謂天生。如五穀芻豢。人謂人爲。如丹砂石散。昔之方士。講求服食。多違自然。雖時或小效。終不若穀肉之爲常食

也。又按。徐無鬼篇。子綦曰。吾所與吾子遊者。遊於天地。吾與之邀樂於天。吾與之邀食於地。吾不與之爲事。不與之爲謀。不與之爲怪。吾與之乘天地之誠。而不以物與之相攖。與本章義相發明。有人之形。無人之情。有人之形。故群於人。無人之情。故是非不得於身。眇乎小哉。所以屬於人也。謷乎大哉。獨成其天。羣於人者。郭云。類聚羣分。自然之道。按。起居生活。不能異於恆人也。是非不得於身者。郭云。無情。故付之於物也。按。精神卓偉。忘人我齊是非也。崔云。類同於人。所以爲小。情合於天。所以爲大。王念孫云。謷與驐通。廣雅。驐。大也。

惠子謂莊子曰。人故無情乎。莊子曰。然。惠子曰。人而無情何以謂之人。莊子曰。道與之貌。天與之形。惡得不謂之人。按。道。自然也。天亦自然也。人之形貌。稟之自然。既有人之形貌。惡得不謂之爲人。惠子曰。既謂之人。惡得無情。按。惠子之意。情亦出乎自然。故云爾。莊子曰。是非吾所謂情也。吾所謂無情者。言人之不以好惡內傷其身。常因自然而不益生也。按。莊子所謂情。指後天之好惡。有人我是非。乃有好惡。乃情而非性。性與有生俱來。情由習染而著。不以好惡

內傷其身。猶言不以情害性。莊子他文。性與情多渾用。此獨分別。讀者不可不察也。抱德煬和。勿志勿助。以涵養其性眞。是故說言常因自然也。性眞與生俱來。不可增損。故復說言不益生也。惠子曰。不益生何以有其身。按。惠子之意。以性眞既不可增損。則身亦非己有。更何必寶愛之乎。莊子曰。道與之貌。天與之形。無以好惡內傷其身。按。此重言叱警之。今子外乎子之神。勞乎子之精。倚樹而吟。據槁梧而瞑。天選子之形。子以堅白鳴。釋文。瞑。音眠。崔云。據琴而睡也。馬敘倫云。選當作巽。說文。巽具也。王闓運云。天具其形也。非具子堅白之辨也。而以此自號。是所謂益生也。夫益猶損也。五章。

莊子詁義卷第三　　　　藹硯齋叢箸

淮陰　范耕研　伯子

大宗師弟六

宗者。可以爲主。師者。可以爲法。最足爲人所宗法者。其爲眞人乎。莊子所舉以爲標準之人格。忘物忘人。無我無法。自然之極則也。

知天之所爲。知人之所爲者。至矣。知天之所爲者。天而生也。知人之所爲者。以其知之所知。以養其知之所不知。終其天年而不中道夭者。是知之盛也。雖然。有患。夫知有所待而後當。其所待者特未定也。庸詎知吾所謂天之非人乎。所謂人之非天乎。且有眞人而後有眞知。

按。本篇意在明示標準之人格。而首嚴天人之辨。天者。自然。人者。人爲。物皆自然而生。故當順其自然。天之所爲。謂天之所稟賦也。夫人之所爲。謂人之所修持也。天人交融而生始遂。不然。則天人偏勝。而生不全矣。故以知天兼知人爲至也。人亦受生自然之中。與萬物同然。既有耳目心思。自非木石無知之比。極其所知。又不能盡知自然之眞際。徘徊兩者之間。進退皆失所據。莊子以爲以其所知。養所不知。以終其天年。養

者。任而不強。凡人養生。皆無所強。自然任運。無所用心也。故所知不以無涯自困。勞精疲神。以求多知。終喪其性命之情。莊子所謂殆也。世運既進。文化自開。則莊子亦必不固求無知。此所謂以知養不知也。繕性篇則謂之以知養恬。雖然。猶有所患。以其不能忘知也。胡遠濬云。道本不知其然。知天知人云者。特順俗以立二名。執之則又非也。故復遣之。世所云知。皆以應物。故曰有待。中土重人倫。故儒家嚴上下之分。印度苦種姓。故佛家倡平等之旨。歐土困貧富。故社會主義者。紛紛創制產之方。當其時地。皆足以救世。時地有異。亦莫不有窒碍。故曰知有所待而後當也。物萬變而無窮。知亦萬變以應之。故曰未定。納萃多數之黨。強欲推其所知以被於異國。此不明於未定之說也。人既未定矣。則天人之際。果何從以辨之乎。嗚呼。此誠無可奈何之事。過而弗悔。當而不自得。其眞人遺知之妙用邪。當機運用。無非自然。則天之與人。理歸無二。故謂天即人。謂人即天。泯合天人。掍同物我矣。如此之人。謂之眞人。如此之知。謂之眞知。眞人者。理想之人格。眞知者。知識之本體。皆不可企及。不可體驗者也。本篇大旨。略具於是。以下則就眞人而加以形容。以見忘生死任自然之境焉。

何謂眞人。古之眞人。不逆寡。不雄成。不謩士。若然者。過而弗悔。當而不自得也。若然者。登高不慄。入水不濡。入火不熱。是知之能登假於道也若此。

不逆寡。不慮寡效也。不雄成。不急成功也。不謩士。行所無事也。當而不自得。知之所知也。過而弗悔。養所不知也。天人交盡。利害何有於我哉。李威云。天地有寒暑險夷。人世安得無炎涼成敗。惟君子能盡我之常。而不受物之變。不濡不熱。蓋以喻此。按。假讀爲格。至也。郭云。言夫知之登至於道者。若此之遠也。王闓運云。故養生主之言以知爲殆者。所謂知非眞知也。登遐終也。道之始終在知也。按。登假即登遐。王說亦自可通。

古之眞人。其

寢不夢。其覺無憂。其食不甘。其息深深。眞人之息以踵。衆人之息以喉。屈服者其嗌言若哇。其耆欲深者其天機淺。

章炳麟云。大毗婆沙論三十七。問何等補特伽羅有夢。答。異生聖者皆得有夢。聖者從中豫流果乃至阿羅漢、獨覺。亦皆有夢。唯除世尊。所以者何。夢似顚倒。佛於一切顚倒習氣。皆已斷盡。故無有夢。如於覺時。心、心所法無顚倒。睡時亦爾。此正同大宗師說。諸夢者皆由顚倒習氣未盡耳。按。其覺無憂。即勇者不懼。即君子樂以忘憂。其食不甘。即君子食無求飽。即發憤忘食。一呼一吸爲息。司呼吸者肺。然常人呼吸。每不充盈肺之全部。肺之官能。因是日弱。血液循環。不足以榮衛百體。其害於生理也頗大。故養生之士。必使呼吸之氣。直達肺之深處。而後肺之功用乃全。故眞人之息深深也。然肺之深處。不過肺尖。過此即爲氣所不能達。雖在眞人。亦猶人耳。豈能以肝腸司息者。眞人之息以踵。釋文引王穆夜云。起息於踵。遍體而深。宣穎云。呼吸通於湧泉。其說與生理不合。且衆人之息雖不必深。豈得僅止於喉。屈服者二句。與上下文義不貫。恐是方士輩以其吐納之說。爲其息深深句作解。不知莊子祇謂其深深耳。豈必至踵哉。愚意此四句應刪。其寢不夢者。無妄想也。其覺不憂者。無恐懼也。其食不甘者。忘滋味也。其息深深者。調呼吸也。上二句謂心。下二句謂養身。眞人之工夫盡此矣。

古之眞人。不知說生。不知惡死。其出不訢。其入不距。翛然而往。翛然而來而已矣。不忘其所始。不求其所終。受而喜之。忘而復之。是之謂不以心捐道。

不以人助天。是之謂眞人。若然者。其心志。其容寂。其顙頯。凄然似秋。煖然似春。喜怒通四時。與物有宜而莫知其極。故聖人之用兵也。亡國而不失人心。利澤施乎萬世。不爲愛人。

按。出入喻生死。章炳麟云。訢借爲忻。說文。闓也。司馬法曰。善者忻民之喜。閉民之惡。距亦閉也。忻距相對爲文。儵。徐音叔。司馬云。疾貌。本一作翛。音蕭。向云。自然無心而自爾之謂。馬其昶云。受而喜之。虫臂鼠肝。無往不可也。忘而復之。安時處順。哀樂不入也。馬敘倫云。捐借爲緣。齊物論。聖人不緣道。與此意同。按。此節言眞人對生死之態度。王懋竑云。其心志。志應作忘。忘與寂。文義甚顯。釋文。頯。音逵。權也。向本作魌。云。魌然。大朴貌。凄然似秋。煖然似春。喜怒通四時。義與德充符篇日夜無郤而與物爲春、是接而生時於心者正同。與物有宜而莫知其極。義與德充符篇知不能規乎其始者正同。特彼文言始。此文言終。義實互補也。眞人之德。豈有不充。故前後所述同也。郭云。因人心之所欲亡而亡之。故不失人心也。夫白日登天。六合俱照。非愛人而照之也。故聖人之在天下。煖焉若春陽之自和。故蒙澤者不謝。凄乎若秋霜之自降。故凋落者不怨。

故樂通物。非聖人也。有親。非仁也。天時。非賢也。利害不通。非君子也。行名失己。非士也。忘身不眞。非役人也。若狐不偕、務光、伯

夷、叔齊、箕子、胥餘、紀他、申徒狄。是役人之役。適人之適。而不自適其適者也。馬敘倫云。列子仲尼篇。張湛注引樂下有窮字。是也。通物二字羨文。按。郭注謂聖人無樂。直莫之塞而物自通。是郭所見已同今本。馬説未可信。天時非賢也。郭云。時天者。未若忘時而自合之賢也。利害不通非君子也。郭云。不能一是非之塗而就利違害。則傷德而累當矣。行名失己非士也。按。行疑當作徇。形近而譌。亡身不眞非役人也。郭云。自失其性而矯以從物。受役多矣。安能役人。馬敘倫云。韓非説疑篇有狐不稽。偕稽音同。見紐。老子。常知稽式。河上本作楷式。是其例證。朱亦芹云。尸子曰。箕子胥餘。漆身爲厲。被髮佯狂。秦策。箕子接輿。漆身爲厲。被髮爲狂。與尸子語正同。是胥餘即接輿也。按。司馬以胥餘爲箕子名。似誤會尸子語也。王先謙云。莊子以全身爲大。故於伯夷一流人深致不滿。但務光申徒狄諸人。情事未詳。當時或有可以不死之道。至夷齊箕子。所係至重。不可一概而論。此所見與聖人異也。按。莊子雖以重生爲主。然所重者非屈辱之生也。故養生主有澤雉之喻。人間世有義命之戒。要在明心見性。以求得其所安。則若夷齊箕子。或餓或逃。固皆有其不得已。豈皆役人之役適人之適者哉。疑若狐不偕下數句。殆是亡身不眞非役人也句之注。誤入正文。詞義與駢拇篇者大同。彼篇已不足信。則此數語非出莊子之手審已。

古之眞人。其狀義而不朋。若不足而不承。與乎其觚而不堅也。張乎其虛而不華也。邴邴乎其似喜乎。崔乎其不得已乎。滀乎進我色也。與乎止我德也。廣乎其似世乎。謷乎其未

可制也。連乎其似好閉也。悗乎忘其言也。義而不朋。郭云。與物同宜而非朋黨。兪樾云。義讀爲峨。朋讀爲崩。言高大而不崩壞也。說亦可通。若不足而不承者。朱桂曜云。說文。承。受也。言雖不足而不受於外也。與乎其觚而不堅也。姚鼐云。觚堅字當互易。以韵考之。姚說近是。釋文引王云。觚。特立羣也。崔云。觚。棱也。張乎其虛而不華也。郭云。曠然無懷。乃至於實。邴邴乎其似喜乎。郭云。至人無喜。暢然和適。故似喜也。崔乎其不得已乎。郭云。動靜行止。常居必然之極。滀乎進我色也。司馬云。色。憤起貌。簡文云。聚也。按。憤滀。達生篇作忿滀。有鬱結不通之意。與乎止我德也。朱桂曜云。與與豫通。安舒也。廣乎其似世也。廣。各本作厲。今從崔本。云苞羅者廣也。兪云。世乃泰之借字。廣與泰義同。謷乎其未可制也。朱桂曜云。謷蓋敖之假字。謷與放同義。庚桑楚以放驚連文。郭注謂高放而自得。故不可禁制。連乎其似好閉也。胡遠濬云。閉應作閑。以韻考之。胡說或然也。悗乎忘其言也。釋文。王云。廢忘也。崔云。婉順也。以刑爲體。以禮爲翼。以知爲時。以德爲循。以刑爲體者。綽乎其殺也。以禮爲翼者。所以行於世也。以知爲時者。不得已於事也。以德爲循者。言其與有足者至於丘也。而人眞以爲勤行者也。故其好之也一。其弗好之也一。其一也一。其不一也一。其一與天爲徒。其不一與

人爲徒。天與人不相勝也。是之謂眞人。刑者治之體。任治之自殺。故雖殺而寬。禮者世之自行耳。順世之所行。故無不行。知者應時之動。非我唱委。必然之事。付之天下而已。德者自彼所循。非我與作。有足則自能行。皆可以至丘。有身則自能循。皆可以至德。順其自然而已。豈有意於勤行者。刑禮知德四者。皆世法也。眞人於此四者。勿忘勿助而已。勿助則世人疑其疏放也。勿忘則世人疑其勤行也。其實既非疏放。亦非勤行。一之而已矣。故曰其好之也一。其弗好之也一。能知其一。是與天爲徒也。不能知其一。是與人爲徒也。與天爲徒與人爲徒兩語。顏回之言也。解在人間世篇。其實天無彼我。人有是非。推其究極。咸歸空寂。天人雖殊。理無二致。故曰其一也一其不一也一。一者道也。非惟人不勝天。天亦無以勝人。故曰天與人不相勝也。

死生命也。其有夜旦之常。天也。人之有所不得與。皆物之情也。彼特以天爲父。而身猶愛之。而況其卓乎。人特以有君爲愈乎己。而身猶死之。而況其眞乎。胡遠濬云。其有夜旦之常之有。讀爲猶。是也。言死生猶旦暮。不可逃也。與。參與也。王闓運云。命與天皆非人所與。人不可與而謂之天命。然則非天命。乃物情也。按。父不能必生我。其生者。自然耳。而人猶知愛其父。而況其卓者乎。卓。大也。謂道也。愈乎己。謂愈乎無君也。言君無足貴。特愈於無君而已。已。猶止也。舊注已以爲人已之已。失之。而況其眞乎。眞謂眞君。承上有君言之。故省君字。眞君謂心也。此節言人於生死既不得與。惟有任之。而求有聞於道。有明於心。乃爲眞人之工夫也。本章止此。下皆譌文錯簡。宜從刪削。

泉涸。魚相與處於陸。相呴以濕。相

濡以沫。不如相忘於江湖。與其譽堯而非桀也。不如兩忘而化其道。王懋竑云。泉涸以下一節。疑爲錯簡。與上下文義皆不相貫通。按。王說是也。泉涸至江湖。又見天運篇。彼文又脫末二句。應從此補。解見彼文。夫大塊載我以形。勞我以生。佚我以老。息我以死。故善吾生者。乃所以善吾死也。王懋竑云。大塊六句。又見後子祀章。其爲錯簡重出無疑也。解見彼章。夫藏舟於壑。藏山於澤。謂之固矣。然而夜半有力者負之而走。昧者不知也。藏小大有宜。猶有所遯。若夫藏天下於天下。而不得所遯。是恆物之大情也。特犯人之形而猶喜之。若人之形者。萬化而未始有極也。其爲樂可勝計邪。故聖人將遊於物之所不得遯而皆存。俞云。山非可藏。亦非可負。疑當作汕。詩。南有嘉魚。毛傳。汕。汕樔也。箋云。今之撩罟也。舟山皆以漁者言。奚云。淮南淑眞訓。昧作寐。文義較長。郭云。不知與化爲體。而思藏之使不化。則雖至深至固。各得其所宜。而無以禁其日變也。故夫藏而有之者。不能止其遯也。

無藏而任化者。變不能變也。無所藏而都任之。則與物無不冥。與變化無不一。故無外無內。無死無生。體天地而合變化。索所遯而不得矣。此乃常存之大情。非一曲之小意。按。天下篇述老子之言有云。無藏也故有餘。此節正發明其理。言以不藏爲藏也。然與上下文義不甚貫通。故疑爲錯簡。特犯人之形數句。又下文之錯簡。說詳後文。善夭善老。善始善終。人猶效之。又況萬物之所係。而一化之所待乎。馬敍倫云。善夭至待乎。疑爲後文錯簡。與可勝計邪連接。按。馬說是也。說詳子祀章。夫道。有情有信。無爲無形。可傳而不可受。可得而不可見。自本自根。未有天地。自古以固存。神鬼神帝。生天生地。在太極之先而不爲高。在六極之下而不爲深。先天地生而不爲久。長於上古而不爲老。狶韋氏得之以挈天地。伏戲氏得之以襲氣母。維斗得之終古不忒。日月得之終古不息。堪坏得之以襲崑崙。馮夷得之以遊大川。肩吾得之以處大山。黃帝得之

以登雲天。顓頊得之以處玄宮。禺強得之立乎北極。西王母得之坐乎少廣。莫知其始。莫知其終。彭祖得之上及有虞。下及五伯。傅說得之以相武丁。奄有天下。乘東維、騎箕尾而比於列星。其生無父母。死登假三年而形遯。此言神之無能明者也。

其生無父母下數句。各本無。崔本有。按。夫道有情有信。無爲無形。即齊物論所謂可行己信、而不見其情、有情而無形。而略變其文。然彼文指心知神識。故可言有情。此處指道。故不可謂有情也。心知不可徑知。而可以體察。故曰可行己信。道則不可謂有信。此數語蓋襲諸齊物論而誤者。道可傳而不可受。亦本屈原語而誤者。屈原言道可受兮不可傳。謂可以心受而不可以言傳也。以傳受二字互易。於理難通。郭注謂傳而宅之。亦附會不可信。莊子旨在齊物。與周易家陰陽二元之說不合。故內篇中引易語極罕。而此明言太極。殆非莊子語也。且上言太極。下言六極。必有一誤。六極亦不知何指。長生久視、氣母、維斗、西王母。皆方士習用語。其下列舉鬼神人物爲說。似放自老子天得一以寧一段。文字益加恢詭。殆近黃庭玉笥。與莊子內篇詞義不類。殆後學不達莊旨所妄增。其方士之流亞邪。釋文所引。多本山海經、星經、漢武內傳。皆不足信。今不復錄。　一章。

南伯子葵問乎女偊曰。子之年長矣。而色若孺子。何

也。曰。吾聞道矣。釋文。葵。李云。葵當爲綦。聲之誤也。女偊。一云。是婦人也。孺。李云。弱子也。南伯子葵曰。道可得學邪。曰。惡。惡可。子非其人也。夫卜梁倚有聖人之才。而無聖人之道。我有聖人之道。而無聖人之才。吾欲以教之。庶幾其果爲聖人乎。不然。以聖人之道。告聖人之才。亦易矣。吾猶守而告之。按。才謂先天之稟賦。道謂後天之修養。天人相資。乃可成聖。儒家以孔子爲天縱。殆非莊子所信。奈何道士輩以神仙之說。附合莊子。何其去之遠也。參日而後能外天下。已外天下矣。吾又守之七日而後能外物。已外物矣。吾又守之九日而後能外生。已外生矣。而後能朝徹。朝徹而後能見獨。見獨而後能無古今。無古今而後能入於不死不生。外天下者。謂無空間觀念也。外物者。謂一切物體皆不足攖其心也。外生者。謂忘我也。朝徹。猶言頓悟。見獨。謂人所不見。己獨能見。無古今。謂無時間觀念。人之生死。不過時間之流轉。既能無古今。則

生死之念因之滅絕。乃能證知不死不生之境。是莊子已證入無餘涅槃矣。此節所釋。略本章太炎講演。

殺生者不死。生生者不生。其爲物無不將也。無不迎也。無不毀也。無不成也。其名曰攖寧。攖寧也者。攖而後成者也。

蘇輿云。殺生二語。申釋上文。絕貪生之妄覬。故曰殺生。安性命之自然。故曰生生。死生順受。是不死不生也。章炳麟云。詩。百兩將之。傳。將。送也。莊子每以將迎對文。即送迎也。按。道本自然。無所用心。故無送迎無成毀也。德清云。攖寧者。塵勞雜亂。困橫拂鬱。撓動其心曰攖。言學道之人。全從逆順境界中做出。直到一切境界不動其心。寧定湛然。故曰攖寧。郭嵩燾云。趙岐孟子注攖。迫也。物我生死之見迫於中。將迎成毀之機迫於外。而一無所動其心。謂之攖寧。故曰攖而後成。

南伯子葵曰。子獨惡乎聞之。曰。聞諸副墨之子。副墨之子聞諸洛誦之孫。洛誦之孫聞之瞻明。瞻明聞之聶許。聶許聞之需役。需役聞之於謳。於謳聞之玄冥。玄冥聞之參寥。參寥聞之疑始。

副墨借爲倍墨。猶言背書默書。洛誦借爲絡誦。猶言回環朗誦。瞻明者。視而明之。謂不出聲。但以目閱而已。聶許。疑即讘諤。說文。讘。多言也。諤。妄言也。需役。疑即嚅吺。玉篇。嚅。多言也。說文。吺。多言也。於謳皆歌也。齊物論前者唱于。于於同也。副墨洛誦瞻明。並文字之事。聶許需役於謳。並語言之事。玄冥皆黑色。謂其黯闇不明也。

參廖謂其參差謬誤也。疑始借爲癡佁。無知無識之貌也。人類進化。由愚而智。而有語言文字。然文字有限。不足以達語言。語言亦有限。不足以達意志。是以文字語言所表。每每失其意想之本眞。此誠無可奈何之事。然欲求道問學。舍文字語言亦無他下手處。是以莊子逆探其初。所謂歸眞反樸。擺落言詮。而非眞以癡佁爲極致。而世之解者。多誤會莊旨。以爲莊子誠愚。無乃爲莊子笑邪。本章發明修道之次第。忘物忘人。遣我遣法。至矣盡矣。然必有才而後能受其道。則閱人世根器有利鈍也。又必究其學而後能知疑始。則謂頓漸二教不可偏廢也。莊子之立言如此。豈眞狂肆哉。 二章。

子祀子輿子犁子來四人相與語曰。孰能以無爲首。以生爲脊。以死爲尻。孰知死生存亡之一體者。吾與之友矣。四人相視而笑。莫逆於心。遂相與爲友。成玄英云。人起自虛無。故以無爲首從無生有。生則居次。故以生爲脊。死最居後。故以死爲尻。死生離異。同乎一體。能達斯趣。所遇皆適。豈有存亡欣惡於其間。誰能知此。是我與爲友也。

俄而子輿有病。子祀往問之。曰。偉哉。夫造物者將以予爲此拘拘也。曲僂發背。上有五管。頤隱於齊。肩高於頂。句贅指天。陰陽之氣有沴。其心閒而無事。跰𨇤而鑑於井。

曰。嗟乎。夫造物者又將以予爲拘拘也。偉。向云。美也。拘拘。司馬云。體拘攣也。淮南精神訓高注。拘拘爲好貌。然曲僂發背。陰陽有沴。受病如此。焉得爲好。高注非也。句贅。李云。項椎也。其形似贅。言其向上也。沴。郭云。陵亂也。跰𨇤。司馬云。病不能行。故跰𨇤也。即盤跚。足不良於行也。或訓爲輕疾貌。不知心雖閒適無事。然足實病。豈能輕疾。或說非也。崔以自偉哉至鑑於井爲子祀自說病狀。下爲子輿詞。按。崔說非。此節乃子祀問病而子輿答之。下子祀再問。子祀曰。女惡之乎。曰。亡。予何惡。浸假而化予之左臂以爲雞。予因以求時夜。浸假而化予之右臂以爲彈。予因以求鴞炙。浸假而化予之尻以爲輪。以神爲馬。予因而乘之。豈更駕哉。郭云。浸。漸也。夫體化合變。則無往而不因。無因而不可也。且夫得者時也。失者順也。安時而處順。哀樂不能入也。此古之所謂縣解也。而不能自解者。物有結之。且夫物不勝天久矣。吾又何惡焉。成云。得者。生也。失者。死也。養生主篇亦有按時處順語。與此大同。世人縣係於生死。不能自脫。惟哀樂不入者。乃能解其縣。然則縣解仍由自解。非借外力爲助。其不能自解者。皆外物有以結之也。人生

天地之間。不過萬物之一。豈能勝天。則吾於生死得失。更何所惡者。俄而子來有病。喘喘然將死。其妻子環而泣之。子犁往問之。曰叱避。無怛化。按。叱其妻子令避去。毋驚將化人也。釋文。怛。驚也。成說。化應作吒。怛吒。驚痛之意。說亦可通。但須改字說。不及舊說。倚其戶與之語曰。偉哉造化。又將奚以汝爲。將奚以汝適。以汝爲鼠肝乎。以汝爲蟲臂乎。子來曰。父母於子。東西南北唯命之從。陰陽於人不翅於父母。彼近吾死。而我不聽。我則捍矣。彼何罪焉。王引之云。翅與啻同。馬敘倫云。近。借爲祈。按。祈。報也。捍。本作悍。此從亦本。捍。說文云。扞忮也。忮。很也。很不聽從也。郭云。自古或有能違父母之命者。未有能違陰陽之變而距晝夜之節者也。死生猶晝夜耳。未足爲遠也。時當死。亦非所禁。而橫有不聽之心。則適足捍逆於理以速其死。按。彼謂陰陽。亦即自然。陰陽報我以死。而我不聽。豈可得哉。不聽謂道引服食以求長生。然世豈果有仙人者。有道者不然。養生盡年。不自損益。及夫精華既竭。褰裳而去。何爲而捍然不聽哉。夫大塊載我以形。勞我以生。佚我以老。息我以死。故善吾生者乃所以善吾死也。形生老死四者。相踵而至。爲人所不

可避。人胥知生之樂。未知生之苦。知老之憊。未知老之逸。知死之惡。未知死之息。形與生不可避也。則載我與勞。亦不可避也。佚與息人所願也。則老與死亦未嘗不可願也。純任自然。所以善吾生如是。則吾死亦善而不苦矣。王闓運云。民之愛生者矣。而聖人欲與之言佚老息死之道。則將狂惑而不信也。惟教之以日用飲食之質。君臣父子之常。則其生善而中道夭矣。今大冶鑄金。金踊躍曰。我且必爲鏌鋣。大冶必以爲不祥之金。今一犯人之形。而曰人耳人耳。夫造化者必以爲不祥之人。馬敍倫云。本篇前文。有特犯人之形而猶喜之。若人之形者。萬化而未始有極也。其爲樂可勝計邪。善夭善老。善始善終。人猶效之。又況萬物之所係而一化之所待乎五十五字。當在此下。今一以天地爲大鑪。以造化爲大冶。惡乎往而不可哉。奚云。犯。借爲範。郭云。人耳人耳。唯願爲人也。亦猶金之踊躍。世皆知金之不祥。而不能任其自化。夫變化之道。靡所不遇。今一遇人形。豈故爲哉。生非故爲。時自生耳。務而有之。不亦妄乎。又云。人形乃是萬化之一遇耳。未獨喜也。無極之中。所遇者皆若人耳。豈特人形可喜而餘物無樂邪。又云。人皆知金之有係爲不祥。故明己之無異於金。則所係之情可解。可解則無不可也。俄然寐。蘧然覺。按。俄。本作成。今從亦本。俄。頃也。蘧通遽。匆遽也。發然汗出。各本脫此句。從崔、向本補。向云。無係則津液通也。崔云。榮衛和通。不以化爲懼也。按。本章發明生死一致之理。生死爲陰陽所操縱。何必哀樂。且哀樂不入者。更足以已病。則更何必以生死攖心哉。與齊物論說略同也。三章。

子桑戶、孟子反、子琴張三人相與友。曰。孰能相與於無相與。相爲於無相爲。孰能登天遊霧。撓挑無極。相忘以生。無所終窮。三人相視而笑。莫逆於心。遂相與友。莫然。與。崔云。親也。郭云。夫體天地。冥變化者。雖手足異任。五藏殊官。未嘗相與而百節同和。斯相與於無相與也。未嘗相爲而表裏俱濟。斯相爲於無相爲也。若乃役其心志以恤手足。運其股肱以營五藏。則相營愈篤而外內愈困矣。故以天下爲一體者。無愛爲於其間也。忘其生則無不忘矣。故能隨變任化。無所窮竟。朱桂曜云。撓挑。即趬跳也。撓挑無極。猶言跳躍於無極之中。與上句登遊。義正相通也。按。登遊撓挑。皆譬詞非實。不可以神仙說附會之也。莫然。舊屬下讀。非是。此言友誼之淡定也。有間。而子桑戶死。未葬。孔子聞之。使子貢往侍事焉。或編曲。或鼓琴。相和而歌曰。嗟來桑戶乎。嗟來桑戶乎。而已反其眞。而我猶爲人猗。子貢趨而進曰。敢問臨尸而歌。禮乎。二人相視而笑曰。是惡知禮意。曲。李云。蠶薄。王闓運云。編曲以藁葬也。按。嗟來。嘆詞也。以來爲詞。莊子多有之。禮記。嗟來食。亦以嗟來連文。與此同意

。非召之使來也。猗。崔云。詞也。郭云。人哭亦哭。俗內之迹也。齊生死。忘哀樂。臨尸能歌。方外之至也。夫知禮意者。必遊外以經內。守母以存子。稱情而往直也。若乃矜乎名聲。牽乎形制。則孝不任誠。慈不任實。父子兄弟。懷情相欺。豈禮之大意哉。王闓運云。二子躬殯殮。親葬虞。而其詞有餘思焉。有過於禮。無不及事。而子貢但以歌爲怪。則必爲衰經擗踊而徒飾於外。故未足以知禮意也。子貢反。以告孔子曰。彼何人者邪。修行無有而外其形骸。臨尸而歌顏色不變。無以命之。彼何人者邪。孔子曰。彼遊方之外者也。而丘遊方之內者也。外內不相及。而丘使女往弔之。丘則陋矣。奚云。論語。且知方也。鄭注。方。禮法也。王闓運云。道同也三子無意於世。故遊方外。孔子欲爲世法。故遊方內。內則以禮自檢。自同凡人。故不相爲謀。彼方且與造物者爲人。而遊乎天地之一氣。彼以生爲附贅縣疣。以死爲決疣潰癰。夫若然者。又惡知死生先後之所在。假於異物。託於同體。忘其肝膽。遺其耳目。反覆終始。不知端倪。芒然彷徨乎塵垢之外。消搖

乎無爲之業。彼又惡能憒憒然爲世俗之禮。以觀衆人之耳目哉。王引之云。爲人。猶言爲偶。中庸。仁者。人也。鄭注。讀如相人偶之人。公食大夫禮注。每曲揖及當碑揖。相人偶。是人與偶同義。淮南原道篇。與造化者爲人。義同。齊俗篇。上與神明爲友。下與造化爲人。是其明證。王世貞云。假於異物。便是圓覺地水火風之論。按。中土哲人。每以爲天地萬物由於一氣所化生。故謂其遊於一氣。託於同體也。能知此者。乃可以齊死生。忘哀樂也。王闓運云。此假言生死之理耳。知道者不惡生死。若果以生爲贅疣。則求死矣。求死與求生。其惑一也。且自古惡生者皆絶焦申徒狄之徒。役人之役。賤之甚者。而又何決疣潰癰之快乎。以子貢未達生死。故破其惑而已。子貢曰。然則夫子何方之依。孔子曰。丘。天之戮民也。雖然。吾與汝共之。馬其昶云。爾雅。戮。病也。戮民。猶言勞人。孔子欲爲世法。故云爾。郭云。子貢不聞性與天道。故見其所依而不見其所以依也。夫所以依者。不依也。世豈覺之哉。吾與汝共之者。言雖爲世所桎梏。但爲與汝共之耳。明己恆自在外也。子貢曰。敢問其方。孔子曰。魚相造乎水。人相造乎道。相造乎水者。穿池而養給。相造乎道者。無事而生定。故曰。魚相忘乎江湖。人相忘乎道術。胡遠濬云。造。適也。生讀爲性。按。天道不可須臾離者也。百姓日用而不知。雖不知邪而無害於道。此道之所以周備精全。無不覆幬也。禮法者。雖出於人治邪。固道之一端。性命之所自具

。爲人所不克離。智者知之。愚者昧焉。賢者安之。不肖者拘焉。知而安者。是相造乎道也。故曰無事而性定。相忘於道術也。昧而拘者。鹿鹿於塵垢之中。受世之桎梏而不敢脫。以求觀衆人之耳目。不亦大可閔乎。孔子安內而不非外。知外而不訾內。故以相忘爲極致。世俗之士。斤斤焉以禮法自矜。皆不知禮意者也。

子貢曰。敢問畸人。曰。畸人者。畸於人而侔於天。故曰。天之小人。人之君子。人之君子。天之小人也。畸人。司馬云。不耦也。不耦於人。謂闕於禮教也。按。眞知道者忘內外。今囿於天而不知人。是不耦也。不耦。猶言不全不備。畸零之人。是畸人殆非美名。而舊注乃謂其天性各足。帝王道成。則是至人矣。何必更稱之爲畸人邪。恐非莊旨也。王先謙云。人之君子。天之小人。應作天之君子。人之小人。其說近是。　四章。

顏回問仲尼曰。孟孫才其母死。哭泣無涕。中心不慼。居喪不哀。無是三者。以善處喪蓋魯國。固有無其實而得其名者乎。回一怪之。孟孫才。李云。三桓後。才其名也。崔云。才。或作牛。按。各本脫處字。從宋本補。李楨云。釋名釋言語。蓋。加也。應帝王篇。功蓋天下。義同。胡遠濬云。一。語助也。仲尼曰。夫孟孫氏盡之矣。進於知矣。唯簡之而不得。夫已有所簡矣。按。盡謂盡得禮意。蓋不僅知禮而已。故曰進於知矣。與養生主篇進乎技矣。語意略同。舊訓簡爲簡

擇。似誤。宣茂公、姚姬傳皆以簡約爲說。宣云。簡者。略於事。世俗相因。不得獨簡。故未免哭泣居喪之事。然已無涕。不慼不哀。是已有所簡矣。姚云。常人束於生死之情。以爲哀痛。簡之而不得。不知於性命之眞已有所簡矣。馬敘倫云。說苑修文篇。孔子曰。可也簡。簡者。易野也。易野者。無禮文也。此簡字文義正同。說皆可通。

孟孫氏不知所以生。不知所以死。不知就先。不知就後。若化爲物。以待其所不知之化已乎。且方將化。惡知不化哉。方將不化。惡知已化哉。吾特與汝其夢未始覺者邪。

胡遠濬云。若。順也。順化爲事。王先謙云。蟲臂鼠肝。不知之化也。王闓運云。不知生死先後。謂生孝死哀。循任自然而忘其儀文之末也。人生在萬化之中。何容避就爲按。末以夢覺喻生死。與齊物論九章義略同。明生死齊同。喪儀之不足重。要在得禮意耳。

且彼有駭形而無損心。有旦宅而無情死。孟孫氏特覺。人哭亦哭。是自其所以乃。

郭云。以變化爲形之駭動耳。故不以死生損累其心。王闓運云。旦宅同怛咤。喪禮示人有終。有怛咤之悲。不以情殉之死。故毀不滅性。樂正子春四日不食。悔不用情於母也。蘇輿云。孟孫氏特覺句絕。言我汝皆夢而孟孫獨覺。人哭亦哭。是其隨人發哀。章炳麟云。乃借爲然。如此也。按。黎刻古逸叢書本。乃作宜。郭注。人哭亦哭。正自是其所宜也。是郭本亦作宜。

且也相與吾之耳矣。庸詎知吾所謂吾之乎。

章炳麟云。吾與虞同。古作吾作虞。今則作娱。言直以

哭爲娛戲乎。古本有處喪之歌。按。章氏謂吾借爲娛。是也。蓋明於生死者。本無哀樂。然人哭亦哭。相與爲娛而已。然吾之所謂娛者。豈眞娛哉。形似於娛而非娛也。故曰誰能明了吾所娛之乎。閔世人不達生死。則哀樂皆不得其正也。舊注多誤。

且汝夢爲鳥而厲乎天。夢爲魚而沒於淵。不識今之言者。其覺者乎。其夢者乎。鳶飛魚躍。覺夢同觀。無往而不自得也。此與齊物論莊周化蝶同喻。造適不及笑。獻笑不及排。安排而去化。乃入於寥天一。四句頗費解。崔本更多數語。愈不可通。諸家注亦牽強。姚姬傳別爲一章。殆亦以其與上下文不貫也。惟馬其昶較勝。馬謂此四句乃舉懽欣以證哀戚之當任其自然也。蓋孟孫氏人哭亦哭。一循自然。哭乎不得不哭。止乎不得不止。是直與物化有不自知者。若造適者自然而笑。獻笑者自然而排。故安於推移。與化俱化。乃入寥天一。上不及排之排。借爲誹。謂誹諧也。下安排之排。謂推移也。寥天一。謂寂寥與天爲一也。漁父篇。謂處喪以哀。無問其禮矣。禮者。世俗之所爲也。眞者。所以受於天也。自然不可易也。故聖人法天貴眞。不拘於俗。愚者反此。此正與孟孫才相證。知莊子反對禮儀。非不哀其親之死也。本章論禮以意爲重。承上章禮意一語而深言之。五章。

意而子見許由。許由曰。堯何以資汝。郭云。資者。給濟之謂。意而子曰。堯謂我汝必躬服仁義而明言是非。許由曰。而奚爲來軹。崔云。軹。詞也。按。與只同。夫堯既已黥汝以仁義。而劓汝以是非

矣。汝將何以遊夫搖蕩恣睢轉徙之塗乎。郭謂搖蕩恣睢轉徙之塗爲自得之場。無係之塗。各家多從之。其説恐誤。夫消搖美詞也。搖蕩非美詞也。況恣睢乎。此殆所謂世爲仁義是非所淆亂。民不得安其居。故謂之搖蕩恣睢轉徙也。世亂如此。汝將何以往遊之哉。意而子曰。雖然。吾願遊於其藩。許由曰。不然。夫盲者無以與乎眉目顏色之好。瞽者無以與乎青黃黼黻之觀。按。爲俗禮所惑。則不知禮意。爲仁義是非所黥劓。則不知仁義是非之眞。喻如盲瞽。意而子曰。夫无莊之失其美。據梁之失其力。黃帝之亡其知。皆在鑪捶之間耳。庸詎知夫造物者之不息我黥而補我劓。使我乘成以隨先生邪。馬敍倫云。无莊據梁。疑即毛嬙杞梁。按。兩名音各相轉。一爲美人。一爲勇士。文義正合。馬説近是。鑪捶猶言鍛鍊。美色勇力聖知。雖皆足以害道。然苟能自鍛鍊。未嘗不可遣除之。喻仁義是非雖同黥劓。然不足以害大道。仁義是非。皆世法也。苟能遣除。即不害於大道。可知莊子雖任天而不廢人事矣。王闓運云。乘成。登於道也。許由曰。噫。未可知也。我爲汝言其大略。吾師乎。吾師乎。韲萬物而不爲義。澤及萬世

而不爲仁。長於上古而不爲老。覆載天地、刻彫衆形而不爲巧。此所遊已。按。師即大宗師之師。標準之人格也。故許由呼而嘆美之。韲。司馬云。碎也。韲萬物即是義。而不自以爲義。澤萬世即是仁。而不自以爲仁。故郭注謂皆自爾耳。亦無愛爲於其間也。可知莊子非惡仁義。特惡世之斤斤焉以爲仁爲義者耳。日新故不爲老。自然故不爲巧。遊於不爲而師於無師也。王闓運云。得其意則不硋與世遊也。此明攖於物則不大也。　六章。

顏回曰。回益矣。仲尼曰。何謂也。曰。回忘仁義矣。曰。可矣。猶未也。他日復見曰。回益矣。曰。何謂也。曰。回忘禮樂矣。曰。可矣。猶未也。他日復見曰。回益矣。曰。何謂也。曰。回坐忘矣。仲尼蹵然曰。何謂坐忘。顏回曰。墮肢體。黜聰明。離形去知。同於大通。此謂坐忘。仲尼曰。同則無好也。化則無常也。而果其賢乎。丘也請從而後也。按。老子謂爲學日益。爲道日損。損之又損。以至於無爲。無爲而無不爲

。顏回所謂益矣者。以損之爲益也。郭云。仁者。兼愛之迹。義者。成物之功。愛之非仁。仁迹行焉。成之非義。義功見焉。存夫仁義。不足以知愛利之由無心。故忘之可也。但忘功迹。故猶未玄達也。禮者。形體之用。樂者。樂生之具。忘其具。未若忘其所以具也。夫坐忘者。奚所不忘者。既忘其迹。又忘其所以迹。內不覺其一身。外不識有天地。然後曠然與變化爲體而無不通也。朱桂曜云。淮南道應篇亦有此文。許注。坐忘。言坐自忘其身以至道也。奚侗云。同於大通。大。當作化字之誤。下文同則無好也。化則無常也。即分釋此兩句。淮南道應訓正作洞於化通。馬敘倫云。郭注亦有變化云云。是郭本亦作化通也。按。一心行乎仁義而不自知。是忘物也。一心存乎敬愛而不自知。是忘我也。物己之見無有。而所行所存隨感而應。是坐忘也。章炳麟云。非與仁冥。不能忘仁。非與禮冥。不能忘禮。所見一毫不盡。不能坐忘。故曰同則無好也。化則無常也。郭云。無物不同。則未嘗不適。未嘗不適。何好何惡。同於化者。唯化所適。故無常也。七章。

子輿與子桑友。而霖雨十日。子輿曰。子桑殆病矣。裹飯而往食之。按。莊子雖以死爲息。然不以死爲可羨。養生盡年。循化任運。故裹飯往食以救其病。不欲其便息也。至子桑之門。則若歌若哭。鼓琴曰。父邪母邪。天乎人乎。有不任其聲而趨舉其詩焉。子輿入曰。子之歌詩。何故若是。按。史記屈原傳云。夫天者人之始也。父母者人之本也。人窮則反本。故勞苦倦極。未嘗不呼天也。疾痛慘怛。未嘗不呼父母也。子桑以宗師之德。而困病欲死。孰使之然哉。能不呼天呼父母邪。情同離騷。蓋自怨生也。而郭注猶嫌其有情。然則

閭里畊畝間無告窮民。將坐視其死。而不許略吐其苦。稍盡其情邪。郭氏之注。何其戾也。崔云。不任其聲。憊也。趨舉其詩。無音曲也。按。子輿聞其歌詩之哀怨。故問其所苦而慰之。

曰。吾思夫使我至此極者而弗得也。父母豈欲吾貧哉。天無私覆。地無私載。天地豈私貧我哉。求其爲之者而不得也。然而至此極者。命也夫。

按。子桑有大宗師之德。而窮困於世至病憊欲死。蓋善生充德。乃內聖之事。己所可必者也。至人世變幻。禍福無常。己所不可必者也。不可必者。祗有歸之於命。此非謂人以安命乃正。閔人世之不平。眞見之切而感之深也。夫天生萬物以養人。惟有此數。一人多食。則必有受其飢者。一人多衣。則必有受其寒者。是子桑之病豈無由哉。此能仁大慈所以倡平等。而非富貴不仁者所能知耳。郭注乃謂物皆自然。無爲之者。然則子桑天生窮命。固應餓死邪。何其立言之憯刻不仁一至於此哉。以此解莊。可謂厚誣莊子矣。此義不明於世。是以暴君亂民。接踵於世。悍然不自知其非。而恤貧之政。竟無有措之意者。職此由也。不亦哀哉。世謂莊子遺世獨立。獨善其身。豈其然者。八章。

應帝王第七

應帝王者。治世之精神也。雖無帝王之位。而與帝王之德相應。故曰應帝王也。莊子以超軼之見。了天人。達性命。區區治世之功。豈足以塵其心知。無如人既受生入世。即無以離世而獨立。而世既衰亂。又不克一蹴而返於理想之域。無帝無王。無貴無賤。泯然同化。則至治矣。是必有以治之方。不至弟靡波流。一往而不可救。此莊子救世之苦心哉。然其治亦有異於他人之治矣。他人之治。有心之治。莊子之治。無心之治。故曰無爲而治。無爲而無不爲。莊子論天人性命之理。有非老子所可範圍者。至論治世。則無以大異。蓋老子本周柱下之史。深觀古今治亂所由。立南面君人之術。治世之極則也。雖以莊子之造深詣微。至應帝

王亦無以逾之。亦因是也。天人性命。其精微也。治世之術。其粗迹也。故應帝王列在內篇之末。輕之也。

齧缺問於王倪。四問而四不知。向云。事在齊物論中。按。齊物論只是三問三不知。古三四皆積畫。因而致誤。齧缺因躍而大喜。行以告蒲衣子。蒲衣子曰。而乃今知之乎。有虞氏不及泰氏。有虞氏其猶藏仁以要人。亦得人矣而未始出於非人。泰氏其臥徐徐。其覺于于。一以己爲馬。一以己爲牛。其知情信。其德甚眞。而未始入於非人。泰氏。司馬云。上古帝王也。李云。大庭氏。或謂即太皞伏羲氏。司馬云。徐徐。安隱貌。于于。無所知貌。劉師培云。情。借爲誠。按。本章明帝王當先忘我。有虞氏所以不及泰氏者。泰氏能忘我。有虞氏尚不免有我也。藏仁以要人者。藏仁謂懷仁而不矜是也。要人則猶有濟人之心非也。故曰未始出於非人。非人者。天也。未嘗出於天。言不自天出。則非自然任運。非治之極也。泰氏不然。安隱無知。隨人牛馬。言爲人民服勞而不辭。無虛憍。無僞飾。豈尚以要人爲心哉。任運自然。並天而忘之。故曰未始入於非人。非人。天也。未嘗入於天。並天而忘之也。一章。

肩吾見狂接輿。狂接輿曰。日中始何以語汝。肩吾曰。

朱桂曜云。日猶往。

告我君人者以己出經式義度。人孰敢不聽而化諸。日。漢書淮南王傳。日得幸上有子。師古注。日謂往日。王念孫云。舊讀出經絕句。度人絕句。皆誤。此應以義度爲句。人字屬下讀。義儀古通。經式義度。皆謂法度也。姚鼐云。此正儒者絜矩之道。狂接輿曰。是欺德也。其於治天下也。猶涉海鑿河而使蚉負山也。按。治天下者無爲而無不爲。苟私心制法。轉不足以制天下。法制愈繁。則人之玩法也愈巧。故謂之欺德。言上下以此相欺也。猶言愚民政策。老子云。民不累死。奈何以死懼之。喻如涉海而鑿爲河。又如使蚉負山。皆言勞而無功。夫聖人之治也。治外乎。正而後行。確乎能其事者而已矣。治外乎者。言治不在外。在全其性分之內而已。正而後行者。言各正其性命之分也。確乎能其事者。言不爲其所不能也。此注略本郭義。且鳥高飛以避矰弋之害。鼷鼠深穴乎神丘之下。以避熏鑿之患。而曾二蟲之無知。說文。矰。隿射矢也。李訓爲罔。誤。神丘。謂社壇之類。人所致敬。故可避薰鑿也。制法徒以駭世。鳥鼠尚知避禍。況人類乎。亦將逃世避法。見制法不足以爲知也。二章。

天根遊於殷陽。至蓼水之上。適遭無名人而問焉。曰。

請問爲天下。無名人曰。去。汝鄙人也。何問之不豫也。按。豫與與通。參與也。言汝鄙人。何爲與人家國之事。舊注漸豫、豫悅皆誤。俞曲園訓爲厭。亦非。予方將與造物者爲人。人。偶也。說見前。厭則又乘夫莽眇之鳥。以出六極之外。而遊無何有之鄉。以處壙埌之野。言將作消搖之遊。義詳消搖遊篇。汝又何帠以治天下感予以之心爲。帠。崔本作爲。段玉裁云。據此。則帠蓋〻〻之譌。按。說文。爲。古文作〻〻。段說是也。孫詒讓謂帠爲叚字。何叚。猶言何假何暇。亦通。又復問。無名人曰。汝遊心於淡。合氣於漠。順物自然而無容私焉。而天下治矣。按。心者。神識之所寄。氣者。萬物之所使。遊心於淡。合氣於漠。猶言天地並生。萬物爲一。說詳齊物論篇三章。

陽子居見老聃曰。有人於此。嚮疾彊梁。物徹疏明。學道不勌。如是者可比明王乎。朱桂曜云。嚮亦疾也。羽獵賦。蠁曶如神。注。疾也。蜀都賦。翕響揮忽。注。奄忽之間也。章云。物爲易之誤。書。平在朔易。五帝紀作辨在伏物。姚云。嚮疾三句。即勇智仁三達德。老聃曰。是於聖人也。胥易技係。

勞形怵心者也。孫詒讓云。胥即諝。有才智也。按。易。治也。胥易。謂以才智供人之役。與以技見係無殊。同爲勞形怵心。不足爲明王。且也虎豹之文來田。猨狙之便執斄之狗來藉。如是者可比明王乎。來田。李云。虎豹以皮有文章見獵也。田。獵也。按。便。捷也。斄。李云。音狸。按。李之意謂斄借爲狸也。狸。野貓也。故狗能執之。如讀本字。則是旄牛。龐然大獸。狗即彊力。焉能執旄牛。故知定是借字也。藉。崔云。繫也。王先謙云。猿狗以能致繫二語。亦見天地篇。陽子居蹵然曰。敢問明王之治。老聃曰。明王之治。功蓋天下而似不自己。化貸萬物而民弗恃。有莫舉名。使物自喜。立乎不測。而遊於無有者也。郭云。天下若無明王。則莫能自得。今之自得。實明王之功也。然功在無爲而還任天下。天下皆得自任。故似非明王之功。夫明王皆就足物性。故人人皆云我自爾。而莫知恃賴於明王。按。此即耕田鑿井。帝力何有。不識不知。順帝之則。蕩蕩乎民無能名之義。淮南原道訓。大不可極。深不可測。高注。測。盡也。立乎不測。猶言立乎不盡。與下文遊於無有相對。極言無爲而治。本章明爲而弗有。成而弗恃之理。一切聰明才知。不足以治天下。徒然自累而已。四章。

鄭有神巫曰季咸。知人之死生存亡。禍福壽夭。期以歲

月旬日若神。鄭人見之皆棄而走。神巫。李云。女曰巫。男曰覡。皆棄而走。郭云。不憙自聞死日也。列子見之而心醉。歸以告壺子曰。始吾以夫子之道爲至矣。則又有至焉者矣。心醉。向云。迷惑於其道也。壺子曰。吾與汝既其文。未既其實。而固得道與。衆雌而無雄。而又奚卵焉。而以道與世亢。必信。夫故使人得而相汝。嘗試與來。以予示之。成云。與。授也。既。盡也。吾比授汝。始盡文言。於其妙理。全未造實。汝固執文字。謂言得道邪。王先謙云。列子。既其文作無其文。張湛引向秀云。實由文顯。道以事彰。有道而無事。猶有雌無雄耳。今吾與汝。雖深淺不同。無文相發。未盡我道之實也。此言聖人之唱必有感而後和。按。兩說各明一義。並錄以參觀。而又奚卵焉。郭云。言列子之未懷道也。王先謙云。而。汝也。信讀曰伸。言汝之道尚淺。而乃與世亢以求必伸。故使人得而窺測之。明日。列子與之見壺子。出而謂列子曰。嘻。子之先生死矣。弗活矣。不以旬數矣。吾見怪焉。見溼灰焉。宣云。言無氣燄。列子入。泣涕沾襟以告壺子。壺子

曰。鄉吾示之以地文。萌乎不誫不止。是殆見吾杜德機也。嘗又與來。地文。列子注引向云。塊然若土也。崔云。文猶理也。不誫不止。亦本作不震不止。此從崔本。朱桂曜云。萌猶芒也。齊物論。人之生也固若是芒乎。郭注。不知所以然而然。故曰芒也。萌乎不誫不止。蓋言不動不止。不知所以然而然也。杜德機者。按。杜。塞也。德。得也。機。讀若幾。列子正作幾。下同。幾者。動之微。吉凶之先見者也。無得無失。若槁木死灰。故疑其死也。喻國無政令。明日。又與之見壺子。出而謂列子曰。幸矣。子之先生遇我也。有瘳矣。全然有生矣。吾見其杜權矣。說文無痊字。全即痊也。杜權。宣云。杜閉中覺有權變。列子入。以告壺子。壺子曰。鄉吾示之以天壤。名實不入。而機發於踵。是殆見吾善者機也。嘗又與來。朱桂曜云。天壤與上地文相對。本當言天文地壤。今故易之以示形神之渾化耳。淮南精神訓。壺子持以天壤。高注。言精神天之有也。形體地之有也。死自歸其本。故曰持天壤矣。向郭並以名實爲名利。淮南精神訓亦有此語。高注。名。爵號之名。實。幣帛貨財之實。不入者。心不恤也。按。機發於踵者。謂天機玄應。自下而上。於杜閉中示以權變。故巫謂其生也。善者機。疑當作善生機。言善全其生。與杜德、衡氣兩詞同例。若善者則殊不類。學者詳之。此喻國事振奮。明日。又與之見壺子。出而謂列子曰。子

之先生不齊。吾無得而相焉。試齊。且復相之。釋文。齊。側皆反。本又作齋。下同。按。齊之義詳人間世篇。列子入。以告壺子。壺子曰。吾鄉示之以太沖莫勝。是殆見吾衡氣機也。鯢桓之潘爲淵。止水之潘爲淵。流水之潘爲淵。淵有九名。此處三焉。嘗又與來。

章炳麟云。莫勝。列子黃帝篇作無朕。張注引向云。居太沖之極。浩然泊心。玄同萬方。莫見其迹。郭云。故勝負莫得厝其間也。郭蓋讀勝爲如字。似誤。衡氣機者。衡。平也。氣。質也。莊子中累用氣字。殆指和合成形之物質。若佛家所謂地水火風。歐人所謂水炭磷鐵等十餘元素者近之。人間世篇。無聽之以心而聽之以氣。心有知。氣無知也。至樂篇。非徒無形也。而本無氣。形已成人身。氣尚非人身也。此衡氣云者。渾然四大而已。不能測其果爲人抑果非人也。故曰太沖無朕。言無迹可尋也。喻國無爲而治。鯢桓。司馬云。二魚名。簡文云。鯢。鯨魚也。桓。盤桓也。崔本作鯢拒。云魚所處之方穴也。諸說紛錯。莫詳孰是。潘。本作審。今從崔本。崔云。回流所鍾之域也。俞曲園謂正應作瀋。說文。大波也。作潘者省文。作審者借字也。成云。水體無心。動止隨物。或鯨鯢盤桓。或凝湛止住。或波流湍激。雖多種不同。而玄默無心。其致一也。馬敘倫云。三淵以擬修持之方。僞列子不達此旨。雜用淮南爾雅。具成九淵。遂絕文義。

明日。又與之見壺子。立未定。自失而走。釋文。失如字。徐音逸。馬敘倫云。失即逸之初文。壺子曰。追之。列子追之不及。反。以報

壺子曰。已滅矣。已失矣。吾弗及矣。壺子曰。鄉吾示之以未始出吾宗。吾與之虛而委蛇。不知其誰何。因以爲弟靡。因以爲波隨。故逃也。未始出吾宗。郭云。雖變化無常。而常深根寧極也。虛而委蛇。釋文。至順之貌。郭云。無心而隨物化也。不知其誰何。向郭云。汎然無所係也。弟靡。徐音頹靡。波隨。本作波流。今從崔本。郭云。變化頹靡。世事波流。無往而不因也。列子注引向云。至人其動也天。其靜也地。其行也水流。其湛也淵嘿。淵嘿之與水流。天行之與地止。其於不爲而自爾一也。今季咸見其尸居而坐忘。即謂之將死。見其神動而天隨。即謂之有生。苟無心而應感。則與變升降。以世爲量。然後足爲物主而順時無極耳。豈相者之所覺哉。按。本章在明帝王當虛己無爲。立於不測。不可使人得相其端。以開機智。其取喻如此。而詞多比況。難得正解。而大意可知。略與老子國之利器不可以示人之義同。然後列子自以爲未始學而歸。三年不出。爲其妻爨。食豕如食人。郭云。忘貴賤也。於事無與親。方言。與。雔也。言無分親疏。雕琢復朴。郭云。去華取實。塊然獨以其形立。郭云。外飾去也。紛而封戎。一以是終。紛。崔云。亂貌。封戎。本作封哉。今從崔本。章炳麟云。封戎。猶蒙戎龍茸也。宣云。道無復加也。五章。

無爲名尸。無爲謀府。無爲事任。無爲知主。體盡無

窮。而遊無朕。盡其所受乎天。而無見得。亦虛而已。至人之用心若鏡。不將不迎。應而不藏。故能勝物而不傷。尸。主也。無爲名譽之主。因物付物。各自當其名也。無爲謀慮之府。使物各自謀也。無爲事任。付物使各自任也。不運知以主物。則物各自主其知也。體悟眞源。冥會無窮。晦迹韜光。何有朕兆。全所受於天而無自以爲得之見。亦虛而已。不虛則不能任群實也。至人之用心。鑑物而無情。來即應。去即止。故雖天下來照而無勞形之累。以上參用郭、成說。不迎。本作不逆。從宋本改。按。莊子之意。特不可爲尸府任主耳。而名謀事知。固不可竟去之也。若鏡之於物。特不藏之。然未嘗不應。此正老子無爲而無不爲之旨。苟竟不爲。則是木石而非鏡。何以收應物之效哉。　六章。

南海之帝爲儵。北海之帝爲忽。中央之帝爲渾沌。儵與忽時相遇於渾沌之地。渾沌待之甚善。儵與忽謀報渾沌之德。曰。人皆有七竅。以視聽食息。此獨無有。嘗試鑿之。日鑿一竅。七日而渾沌死。儵。音叔。簡文云。儵忽取神速爲名。渾沌以和合爲貌。神速譬有爲。和合譬無爲。竅。說文。孔也。七日而渾沌死。崔云。言不順自然。強開耳目也。郭云。爲者敗之。按。本章言人事日繁。天眞漸喪。喻政令煩而國亂。　七章。

莊子詁義卷第四　　　　藷硯齋叢箸

淮陰　范耕研　伯子

外篇駢拇弟八

焦竑云。內篇命題。各有深意。外雜但取篇首字名之。而大義亦存焉。按。外雜各篇。多學莊者之言。前人論之詳矣。惟詞不純粹。義多舛駁。然亦間有精語。不盡膚率。蓋雜出衆手。造詣不同。亦時有莊生緒言廁列其間。不盡僞託。讀者宜分別觀之。不可以其列在外雜而輕忽視之。外雜之分。各家本不同。意爲先後。烏足爲定論者。

駢拇枝指。出乎性哉。而侈於德。附贅縣疣。出乎形哉。而侈於性。駢拇。司馬云。謂足拇指連第二指也。枝指。三蒼云。手有六指也。贅疣。釋名云。橫生一肉屬體著也。釋文引王云。性者。受生之質。德者。全生之本。駢指受生而有。不可多於德。贅疣形後而生。不可多於性。此四者以況才智德行。多方乎仁義而用之者。列於五藏哉。而非道德之正也。按。方讀爲旁。多方即下文多駢旁枝之省文。五藏。素問云。肝心脾肺腎爲五藏。仁義禮智信。儒家謂之五常。此變言五藏者。以下文有常言之語。故此處不以五常稱仁義也。是故駢於足者連無用之肉也。枝於手者樹無用之指也。多方駢枝於五藏之情者。淫僻於仁義之行。而多

方於聰明之用也。馬敘倫云。駢枝二字羨文。王先謙云。淫。過也。過詭於正。故曰淫僻。是故駢於明者。亂五色。淫文章。青黃黼黻之煌煌非乎。而離朱是已。章炳麟云。而讀爲如。下同。離朱。司馬云。黃帝時人。孟子作離婁。多於聰者。亂五聲。淫六律。金石絲竹黃鐘大呂之聲非乎。而師曠是已。師曠。司馬云。晉賢大夫。善音律。枝於仁者。擢德塞性。以收名聲。使天下簧鼓以奉不及之法非乎。而曾史是已。王念孫云。塞與擢義不相類。塞當爲搴。形近而誤。擢搴皆謂拔取之也。廣雅。搴。取也。拔也。方言作攓。云。取也。南楚曰攓。說文作㩞。云。拔取也。淮南俶眞篇。俗世之學。擢德攓性。又曰。今萬物之來。擢拔吾性。攓取吾情。皆其證。釋文。簧謂笙簧也。鼓。動也。曾史。曾參史鰌也。曾參行仁。史鰌行義。駢於辯者。纍瓦結繩。竄句遊心於堅白同異之閒。而敝跬譽無用之言非乎。而楊墨是已。纍瓦。崔如字。一云瓦當作丸。崔云。聚無用之語。如瓦之纍。繩之結也。竄。爾雅云。微也。一云藏也。司馬云。竄句謂邪說微隱。穿鑿文句也。王先謙云。竄易文句。遊蕩心思於堅白同異閒也。按。王氏勝。敝跬。釋文引一云。分外用力之貌。孫詒讓謂即蹩躠。馬敘倫謂支離。皆以敝跬二字屬讀。與下譽之義難通貫。郭嵩燾以跬譽二字屬讀。半步爲跬。跬譽猶言近譽。謂

敝精勞神於一時之譽也。似勝舊說。故此皆多駢旁枝之道。非天下之至正也。按。旁與方同。並也。多駢謂多駢拇。旁枝謂並枝指。彼正正者。不失其性命之情。正正。俞樾云。承上文言。應作至正。按。宣公說同。爲俞氏所本。故合者不爲駢。而枝者不爲跂。奚云。枝跂互譌。跂。說文。足多指也。能通性命之情。則雖合不以爲駢。雖跂不以爲枝也。郭注誤。長者不爲有餘。短者不爲不足。是故鳧脛雖短。續之則憂。鶴脛雖長。斷之則悲。故性長非所斷。性短非所續。無所去憂也。郭云。物各任性。各自有正。不可以此正彼而損益之。知其性分非所斷續而任之。則無所去憂而憂自去也。宣云。率其本然自無憂。何待去。馬其昶云。漢書。主皆藏去以爲榮。師古曰。去亦藏也。按。馬氏蓋以去憂爲藏憂之意。即今弆字。說文所無。與郭宣不同。亦似可通。意仁義其非人情乎。彼仁人何其多憂也。釋文。意如字。蘇輿云。仁人。宣本作仁義。郭注。恐仁義非人情而憂之者。眞可謂多憂也。似所見本亦作仁義。按。蘇氏說非是。仁人乃有憂之可言。若仁義乃抽象之名。何可謂其多憂。宣本涉上而誤。未可據改。且夫駢於拇者。決之則泣。枝於手者。齕之則啼。奚云。拇當作足。上文駢於足。枝於手。可證。二者或有餘於數。或不足

於數。其於憂一也。不安於本然。故有有餘不足之心。皆足令人多憂。今世之仁人。蒿目而憂世之患。不仁之人。決性命之情而饕貴富。故意仁義其非人情乎。自三代以下者。天下何其囂囂也。蒿目。司馬云。亂也。宣云。愁視則睫蒙如蒿。俞樾云。蒿乃睢之叚借。從高與從隺音者。古多通。如鶮之與鶴。確之與碻。說文。睢。目明。又望也。仁人之憂天下。必爲之睢然遠望。朱駿聲云。蒿借爲眊。說文。目少精也。按。俞朱說勝。奚云。囂借爲嗷。說文。衆口愁也。且夫待鉤繩規矩而正者。是削其性者也。待繩約膠漆而固者。是侵其德者也。屈折禮樂。呴俞仁義。以慰天下之心者。此失其常然也。按。屈折。謂周旋也。禮樂以周旋曲度爲節。故曰屈折。禮樂呴俞。謂嫗撫也。仁義以嫗撫爲用。故曰呴俞。仁義皆僞也。故謂失其常然。天下有常然。常然者。曲者不以鉤。直者不以繩。圓者不以規。方者不以矩。附離不以膠漆。約束不以纆索。故天下誘然皆生。而不知其所以生。同焉皆

得。而不知其所以得。故古今不二。不可虧也。王念孫云。誘然。出衆之貌。馬其昶云。誘與褎通。爾雅。誘。進也。漢書。褎然爲舉首。注。褎。進也。則仁義又奚連連如膠漆纆索。而遊乎道德之間爲哉。使天下惑也。連連。司馬云。謂連續。郭云。仁義連連。祇足以惑物。使喪其眞。王先謙云。此尊道德而斥仁義。夫小惑易方。大惑易性。何以知其然邪。自虞氏招仁義以撓天下也。天下莫不奔命於仁義。是非以仁義易其性與。王先謙云。易方謂迷於所向。易性謂失其眞性。俞云。招。舉也。釋文。撓。亂也。奔命謂奔馳以從之。故嘗試論之。自三代以下者。天下莫不以物易其性矣。小人則以身殉利。士則以身殉名。大夫則以身殉家。聖人則以身殉天下。故此數子者。事業不同。名聲異號。其於傷性以身爲殉一也。殉。崔云。殺身從之曰殉。按。名、利、家、天下。皆非人性所本有。而彼數子殺身從之。故曰傷性。臧與穀二人相與牧羊。而

俱亡其羊。問臧奚事。則挾策讀書。問穀奚事。則博塞以遊。二人者事業不同。其於亡羊均也。釋文。張揖云。婿婢之子謂之臧。崔本穀作穀。云孺子曰穀。策本作筴。此從崔本。李云。竹簡。塞。博之類也。王先謙云。策當讀如左傳繞朝贈策之策。驅羊鞭也。伯夷死名於首陽之下。盜跖死利於東陵之上。二人者所死不同。其於殘生傷性均也。奚必伯夷之是而盜跖之非乎。天下盡殉也。彼其所殉仁義也。則俗謂之君子。其所殉貨財也。則俗謂之小人。其殉一也。則有君子焉。有小人焉。若其殘生損性。則盜跖亦伯夷已。又惡取君子小人於其間哉。郭云。天下皆以不殘爲善。今均於殘生。則雖所殉不同。不足復計也。且夫屬其性乎仁義者。雖通如曾史。非吾所謂臧也。釋文。屬謂係屬。成云。臧。善也。按。下同。屬其性於五味。雖通如俞兒。

非吾所謂臧也。釋文。司馬云。俞兒。古之善識味人也。屬其性乎五聲。雖通如師曠。非吾所謂聰也。屬其性乎五色。雖通如離朱。非吾所謂明也。吾所謂臧者。非仁義之謂也。臧於其德而已矣。吾所謂臧者。非所謂仁義之謂也。宣云。此句疑言味而譌。任其性命之情而已矣。吾所謂聰者。非謂其聞彼也。自聞而已矣。吾所謂明者。非謂其見彼也。自見而已矣。胡遠濬云。聞彼見彼云者。深慨奔命於仁義者。並不知有仁與義。但就人所謂仁義。吾從而謂之而已。陸西星云。自聞自見者。喪其耳。忘其目。收聽返視而復歸於樸也。夫不自見而見彼。不自得而得彼者。是得人之得。而不自得其得者也。適人之適。而不自適其適者也。郭云。此舍己效人者也。雖效之若人。而已已亡矣。夫適人之適而不自適其適。雖盜跖與伯夷。是同爲淫僻也。按。本篇以伯夷爲殉名。盜

跖爲殉利。比類同譏。曾無區判。不知伯夷之死。豈竟殉名。以暴易暴。世不知非。作歌寄怨。不肯辱生。採薇餓死。豈得已哉。安於義命。固莊子處人間世之道也。至若盜跖殉利。死於東陵。有何不得已邪。今乃抑伯夷而躋盜跖。蓋亦異乎內篇之旨矣。此篇不出莊生之手。而爲後人附益。審已。余愧乎道德。是以上不敢爲仁義之操。而下不敢爲淫僻之行也。蘇輿云。篇首謂淫僻於仁義之行。末復以仁義淫僻平列。踳駁顯然。且云余愧乎道德。莊子焉肯爲此謙語乎。

馬蹄弟九

伯樂治馬。失馬眞性。聖人治天下。失民常性。不如無知無欲而民性得矣。此一篇大旨。蓋不出老子無爲之義。然老子尚有無不爲義。此未道及。則於老義亦偏而不全也。

馬蹄可以踐霜雪。毛可以禦風寒。齕草飲水。翹足而陸。此馬之眞性也。雖有義臺路寢。無所用之。足。崔本作尾。文選江賦注引作翹尾而踛。與崔本同。陸。司馬云。跳也。章炳麟云。陸訓跳者。古祗作圥。說文。鼀。其行圥圥。又云。夌。越也。从夊从圥。圥亦跳也。義借爲峩。高也。崔云。路寢。正室。王先謙云。雖極居處之壯麗。非馬性所適也。及至伯樂曰。我善治馬。燒之剔之。刻之雒之。連之以羈馽。編之以皁棧。馬之死者十二三矣。飢之渴之。

馳之驟之。整之齊之。前有橛飾之患。而後有鞭筴之威。而馬之死者已過半矣。釋文。伯樂。姓孫。名陽。善馭馬。司馬云。燒謂燒鐵以爍之。剔謂剪其毛。刻謂削其甲。雒謂羈雒其頭也。皁。丁邑反。徐云。絆也。皁。櫪也。崔云。馬閑也。棧。編木作櫺似牀。曰棧。以禦濕也。橛。司馬云。銜也。飾。司馬云。排銜也。謂加飾於馬鑣也。郭云。夫善御者。將以盡其能也。盡能在於自任。而乃走作驅步。求其過能之用。故有不堪而多焉。若乃任駑驥之力。適遲疾之分。雖則足迹接乎八荒之表。而衆馬之性全矣。而或者聞任馬之性。乃謂放而不乘。聞無為之風。遂云行不如臥。何其往而不返哉。斯失乎莊生之旨遠矣。陶者曰。我善治埴。圓者中規。方者中矩。匠人曰。我善治木。曲者中鉤。直者應繩。夫埴木之性。豈欲中規矩鉤繩哉。然且世世稱之曰。伯樂善治馬。而陶匠善治埴木。此亦治天下者之過也。治天下者失民之性。其過與伯樂陶匠等。吾意善治天下者不然。不失民之常性。以不治治之。乃善治也。彼民有常性。織而衣。耕而食。是謂同德。一而不黨。命曰天放。成云。物各自足。故同德。宣云。渾一無偏。任天自在。故至德之

世。其行塡塡。其視顚顚。崔云。塡塡。重遲貌。顚顚。專一貌。當是時也。山無蹊隧。澤無舟梁。萬物群生。連屬其鄉。連屬其鄉。謂行不出井里。即老子所謂老死不相往來之意。然老子生春秋之際。兼併未盛。故寄心於小國寡民之治。莊子生當戰國。豈堪復作此想。故疑此段後學所竄。禽獸成群。草木遂長。郭云。足性而止。是故禽獸可係羈而遊。鳥鵲之巢可攀援而闚。郭云。與物無害。故物馴也。無吞夷之欲。故物全也。夫至德之世。同與禽獸居。族與萬物並。惡乎知君子小人哉。同乎無知。其德不離。同乎無欲。是謂素樸。素樸而民性得矣。郭云。知則離道以善也。欲則離性以飾也。故老子曰。常使民無知無欲。及至聖人。蹩躠爲仁。踶跂爲義。而天下始疑矣。澶漫爲樂。摘僻爲禮。而天下始分矣。方以智云。踶跂即漢書之忮懻。朱駿聲云。摘僻即擗仄之意。李云。澶漫。猶縱逸也。故純樸不殘。孰爲犧樽。白玉不毁。孰爲珪璋。道德不廢。安取仁

義。性情不離。安用禮樂。五色不亂。孰爲文采。五聲不亂。孰應六律。此即發揮老子大道廢有仁義之理。夫殘樸以爲器。工匠之罪也。毀道德以爲仁義。聖人之過也。夫馬陸居則食草飲水。馬敘倫云。陸疑羙文。喜則交頸相靡。怒則分背相踶。馬知已此矣。靡。李云。摩也。一云愛也。踶。李云。蹋也。胡遠濬云。已。止也。夫加之以衡扼。齊之以月題。而馬知介倪闉扼鷙曼詭銜竊轡。故馬之知而態至盜者。伯樂之罪也。釋文。衡。轅前橫木。縛軛者也。扼。叉馬頸者也。月題。司馬、崔云。馬額上當顱如月形者也。馬敘倫云。介者。兀之譌。兀爲扤之省。說文。扤。動也。孫詒讓云。倪借爲輗。李云。闉。曲也。鷙。抵也。朱駿聲云。鷙借爲𨏄。說文。抵也。曼爲䡘省。說文。衣車蓋也。崔云。詭銜竊轡。戾銜橛。盜鞎轡也。成云。態。姦詐也。按。態疑即是能字之誤。夫赫胥氏之時。民居不知所爲。行不知所之。含哺而熙。鼓腹而遊。民能以此矣。郭云。此民之眞能也。及至聖人。屈折禮樂。以匡天

下之形。縣跂仁義。以慰天下之心。章炳麟云。跂借爲庪。釋天。祭山曰庪縣。郭注云。或庪或縣。置之於山而民乃始踶跂好知。爭歸於利。不可止也。此亦聖人之過也。踶跂卽忮懻。說已見前。

胠篋第十

本篇主義在反對世俗之所謂知。蓋知有眞知。有俗知。知恬交養。定能生慧。此眞知也。私知小慧。害性傷生。此俗知也。此兩者決非同物。故本篇特爲指明世俗之所謂知。以別於眞知。養生主謂人生有涯。求知則殆。似乎莊子對於知識一概反對者。此篇雖學莊者之詞。然實可見莊子對知識之本意也。王夫之謂此篇不過引申老子聖人不死大盜不止之說。而鑿鑿言之。蓋學莊者憤激之詞。然詞雖憤激。而意實痛切。夫聖人分別善惡。本以淑世。而爲惡者卽能並善之名而竊之。則世俗之所謂善者不足爲善。而惡者不足爲惡明矣。何其言之沈痛也。讀者其勿以爲外篇而忽之。

將爲胠篋探囊發匱之盜。而爲守備。則必攝緘縢。固扃鐍。此世俗之所謂知也。然而巨盜至。則負匱揭篋擔囊而趨。唯恐緘縢扃鐍之不固也。然則鄉之所謂知者。不乃爲大盜積者也。胠。李起居反。徐起法反。司馬云。從旁開爲胠。按。卽今俗語撬字也。胠與撬同屬溪母雙聲。攝。李云。結也。縢向、崔本作縢。云約也。鐍。李云

紐也。姚範云。不乃猶言無乃。王先謙云。也與邪同。故嘗試論之。世俗之所謂知者。有不爲大盜積者乎。所謂聖者。有不爲大盜守者乎。何以知其然邪。昔者齊國鄰邑相望。雞狗之音相聞。罔罟之所布。耒耨之所刺。方二千餘里。闔四竟之內。所以立宗廟社稷。治邑屋州閭鄉曲者。曷嘗不法聖人哉。釋文。屋。周禮。夫三爲屋。州。五黨爲州。二千五百家也。閭。五比爲閭。二十五家也。鄉。五州爲鄉。萬二千五百家也。馬敘倫云。曲借爲丘。司馬法。四井爲丘。周禮小司徒同。闕誤引張君房本。聖人作聖智。下十聖人字同。然而田成子一旦殺齊君而盜其國。所盜者豈獨其國邪。並與其聖知之法而盜之。釋文。田成子。齊大夫陳恆也。齊君。簡公也。春秋哀公十四年。陳恆殺之於舒州。故田成子有乎盜賊之名。而身處堯舜之安。小國不敢非。大國不敢誅。十二世有齊國。釋文。自敬仲至莊子。九世知齊政。自太公和至威王。三世爲齊侯。故云十二世也。姚鼐云。自田常至王建十世。上合桓子釐子爲十二世。田

氏自桓子始大。故合言十二世。此篇是先秦時文字。大約外篇雜篇多非莊子所爲。此人蓋有慨於始皇。故言最憤激。則是不乃竊齊國。並與其聖知之法。以守其盜賊之身乎。嘗試論之。世俗之所謂至知者。有不爲大盜積者乎。所謂至聖者。有不爲大盜守者乎。何以知其然邪。昔者龍逢斬。比干剖。萇弘胣。子胥靡。故四子之賢而身不免乎戮。釋文。剖謂割心也。胣。崔云。裂也。淮南子曰。萇弘鈹裂而死。靡。宣云。爛之於江中也。郭云。言暴亂之君。亦得據君人之威以戮賢人而莫之敢亢者。皆聖法之由也。向無聖法。則桀紂焉得守斯位而放其毒。使天下側目哉。故跖之徒問於跖曰。盜亦有道乎。跖曰。何適而無有道邪。奚云。適。往也。呂覽作啻。誤。夫妄意室中之藏。聖也。入先。勇也。出後。義也。知可否。知也。分均。仁也。五者不備而能成大盜者。天下未之有也。郭云。五者所以禁盜而反爲盜資也。由是觀之。善人不得聖人之道

不立。跖不得聖人之道不行。天下之善人少而不善人多。則聖人之利天下也少而害天下也多。郭云。信哉斯言。斯言雖信。而猶不可亡聖者。猶天下之知未能都亡。故須聖道以鎮之也。群知不亡而獨亡於聖知。則天下之害又多於有聖矣。然則有聖之害雖多。猶愈於亡聖之無治也。雖愈於亡聖。故未若都亡之無害也。甚矣。天下莫不求利而不能一亡其知。何其迷而失知哉。

故曰。脣竭則齒寒。魯酒薄而邯鄲圍。聖人生而大盜起。掊擊聖人。縱舍盜賊。而天下始治矣。夫川竭而谷虛。丘夷而淵實。聖人已死。則大盜不起。天下平而無故矣。聖人不死。大盜不止。雖重聖人而治天下。則是重利盜跖也。孫詒讓云。戰國策韓策。竭作揭。鮑注云。揭猶反也。素問五藏生成論云。多食酸則肉胝䐢而脣揭。王冰注云。脣皮揭舉也。釋文。邯鄲趙國都也。楚宣王朝諸侯。魯恭公後至而酒薄。宣王怒。欲辱之。恭公不受命。不辭而還。宣王乃發兵與齊攻魯。梁惠王嘗欲擊趙。而畏楚救。楚以魯爲事。故梁得圍邯鄲。言事相由也。亦是感應。許愼注淮南云。楚會諸侯。魯趙俱獻酒於楚王。魯酒薄而趙酒厚。楚之主酒吏求酒於趙。趙不與。吏怒。乃易奏之。楚王以趙酒薄。故圍邯鄲也。按。兩說不同。然許所述事因徑直。不及陸說之委曲。此本證聖盜異類而互爲因果。等是附會。不如從陸。郭云。夫竭脣非以寒齒而齒寒。魯酒薄非

以圍邯鄲而邯鄲圍。聖人生非以起大盜而大盜起。此自然相生。必至之勢也。夫聖人者。天下之所尚也。若乃絕其所尚而守其素朴。棄其禁令而代以寡欲。此所以掊擊聖人而我素朴自全。縱舍盜賊而彼姦自息也。故古人有言曰。閑邪孝誠。不在善察。息淫去華。不在嚴刑。此之謂也。向云。事業日新。新者爲生。故者爲死。故曰聖人已死也。乘天地之正。御日新之變。得實而損其名。歸眞而忘其塗。則大盜息矣。聖人不死。言守故而不日新。牽名而不造實也。大盜不止。不亦宜乎。

爲之斗斛以量之。則並與斗斛而竊之。爲之權衡以稱之。則並與權衡而竊之。爲之符璽以信之。則並與符璽而竊之。爲之仁義以矯之。則並與仁義而竊之。

向云。此皆所以明苟非其人。雖法無益。

何以知其然邪。彼竊鉤者誅。竊國者爲諸侯。諸侯之門。而仁義存焉。則是非竊仁義聖知邪。

按。孟子有一鉤金之語。此竊鉤謂竊金之微。舊訓鉤爲帶。似非。王引之謂存焉當作焉存。焉。於是也。言仁義於是乎存焉。古書如此句法甚多。王說未諦。盜跖篇亦作存焉。不作焉存。可證。焉蓋結語詞。故史記省之。語詞不入韵。亦古書通例。

故逐於大盜。揭諸侯。竊仁義。並斗斛權衡符璽之利者。雖有軒冕之賞弗能勸。斧鉞之威弗能禁。此重利

盜跖而使不可禁者。是乃聖人之過也。郭云。夫跖之不可禁。由所盜之利重也。利之所以重。由聖人之不輕也。故絕盜在賤貨。不在重聖也。故曰。魚不可脫於淵。國之利器不可以示人。郭云。魚失淵則爲人禽。利器明則爲盜資。故不可示人。胡遠濬云。得時之宜以爲民用者。謂之利器。彼聖人者。天下之利器也。非所以明天下也。故絕聖棄知。大盜乃止。擿玉毀珠。小盜不起。焚符破璽。而民朴鄙。掊斗折衡。而民不爭。殫殘天下之聖法。而民始可與論議。擢亂六律。鑠絕竽瑟。塞瞽曠之耳。而天下始人含其聰矣。滅文章。散五采。膠離朱之目。而天下始人含其明矣。毀絕鉤繩而棄規矩。攦工倕之指。而天下始人有其巧矣。故曰。大巧若拙。孫詒讓云。攦與擺通。天地篇。則是聖人交臂歷指。說文。櫪。撕押指也。王懋竑云。故曰以下六字衍文。按。六字蓋是舊注誤入正文者。削曾

史之行。鉗楊墨之口。攘棄仁義。而天下之德始玄同矣。彼人含其明。則天下不鑠矣。人含其聰。則天下不累矣。人含其知。則天下不惑矣。人含其德。則天下不僻矣。彼曾、史、楊、墨、師曠、工倕、離朱者。皆外立其德。而以爚亂天下者也。法之所無用也。成云。言數子皆標名於外。炫燿群生。宣云。以正法言之皆當去。按。篇首明言世俗之所謂知。則棄絕者。皆非眞知。讀者於此不可不辨。子獨不知至德之世乎。昔者容成氏。大庭氏。伯皇氏。中央氏。栗陸氏。驪畜氏。軒轅氏。赫胥氏。尊盧氏。祝融氏。伏羲氏。神農氏。當是時也。民結繩而用之。甘其食。美其服。樂其俗。安其居。鄰國相望。雞狗之音相聞。民至老死而不相往

來。若此之時。則至治已。今遂至使民延頸舉踵曰。某所有賢者。贏糧而趣之。贏。廣雅云。負也。此謂贏通爲攍也。則內棄其親。而外去其主之事。王先謙云。內棄其親若吳起。外去其主若虞卿。足跡接乎諸侯之境。車軌接乎千里之外。則是上好知之過也。上誠好知而無道。則天下大亂矣。何以知其然邪。夫弓弩畢弋機變之知多。則鳥亂於上矣。鉤餌網罟罾笱之知多。則魚亂於水矣。削格羅落罝罘之知多。則獸亂於澤矣。章云。削借爲箾。以竿擊人也。馬敘倫云。格借爲閣。爾雅釋宮。杙長者謂之閣。落借爲牢。漢書鼂錯傳。爲虎落。即虎牢也。釋文。罘。本又作罦。爾雅云。鳥罟謂之羅。兔罟謂之罝。罬謂之罦。罦。覆車也。知詐漸毒頡滑堅白解垢同異之變多。則俗惑於辯矣。郭慶藩云。荀子非十二子篇。知而險。議兵篇。是漸之也。正論篇。上凶險則下漸詐矣。知詐漸毒四字。義同。皆謂欺詐也。釋文。一云。頡滑。不正之語也。馬其昶云。解垢。即喫垢。集韻。喫垢。力諍也。故天下每每大亂。罪在

於好知。每每。李云。猶昏昏也。按。每每。猶累累。不一端之義。舊說恐非。故天下皆知求其所不知。而莫知求其所已知者。皆知非其所不善。而莫知非其所已善者。是以大亂。求所不知。知新也。求所已知。溫故也。不溫故而欲知新。是舍本而逐末也。非所不善。從俗之所非而非之也。非所已善。能矯俗之誤也。不矯俗而從俗。故謂之大亂。故上悖日月之明。下爍山川之精。中墮四時之施。馬敘倫云。施讀爲迻。惴耎之蟲。肖翹之物。莫不失其性。甚矣夫好知之亂天下也。奚云。惴耎當作喘蝡。謂喘息蝡動之蟲。梢謂木無枝柯。喬謂小枝上繚。肖翹即梢喬。謂有枝無枝之木。自三代以下者是已。舍夫種種之民。而說夫役役之佞。釋夫恬惔無爲。而說夫哼哼之意。哼哼已亂天下矣。李云。種種。謹慤貌。役役。鬼黠貌。奚云。哼即諄。說文。告曉之孰也。後漢卓茂傳。勞心諄諄。與恬惔無爲正相反。

在宥第十一

聞在宥天下。不聞治天下也。在之也者。恐天下之淫其性也。宥之也者。恐天下之遷其德也。天下不淫其性。不遷其德。有治天下也哉。文選。謝靈運從宋公戲馬臺詩注引司馬云。在。察也。宥。寬也。蘇輿云。在不當訓察。察之則固治之矣。在。存也。存諸心而不露是善非惡之迹。以使民相安於渾沌。正胠篋篇含字之旨。按。存而不論。寬而不迫。任天下之自治。使民相安於無事也。或說宥借爲右。助也。人君之於天下。特左右之而已。毫無用心於其間也。或說宥借爲囿。苑有垣也。謂範圍之。使不橫逸。與不遷其德義正合。說皆可通。識者詳之。昔堯之治天下也。使天下欣欣焉人樂其性。是不恬也。桀之治天下也。使天下瘁瘁焉人苦其性。是不愉也。夫不恬不愉非德也。非德也而可長久者。天下無之。釋文。瘁。病也。廣雅云。憂也。成云。恬。靜也。愉。樂也。人大喜邪毗於陽。大怒邪毗於陰。陰陽並毗。四時不至。寒暑之和不成。其反傷人之形乎。釋文。毗。司馬云。助也。一云並也。義不甚切。故俞曲園引爾雅毗劉之毗。訓爲傷。然喜氣發揚。非傷陽也。怒氣鬱結。非傷陰也。俞說似亦未諦。按。毗本從比得聲。比

有近義。此謂喜近於陽。怒近於陰。亦即偏於陰陽也。性有所偏。自易致疾。即人間世篇所謂陰陽之患也。使人喜怒失位。居處無常。思慮不自得。中道不成章。於是乎天下始喬詰卓鷙。而後有盜跖曾史之行。崔云。喬詰。意不平也。卓鷙。行不平也。馬敘倫云。盜當爲桀。傳寫譌也。下文曰。下有桀跖。上有曾史。可證。故舉天下以賞其善者不足。舉天下以罰其惡者不給。郭云。慕賞乃善。故賞不能供。畏罰乃止。故罰不能勝。故天下之大。不足以賞罰。自三代以下者。匈匈焉終以賞罰爲事。彼何暇安其性命之情哉。奚云。匈匈。喧嘩也。字當作訩。說文。訟也。胡遠濬云。終下疑脫日字。而且說明邪。是淫於色也。說聰邪。是淫於聲也。說仁邪。是亂於德也。說義邪。是悖於理也。說禮邪。是相於技也。說樂邪。是相於淫也。說聖邪。是相於藝也。說知邪。是相於疵也。釋文。說。音悦。郭云。當理無悦。悦之則致淫悖之患矣。相。助也。章炳麟云。相猶

相羊。猶消搖也。按。藝謂六藝。天下將安其性命之情。之八者。存可也。亡可也。天下將不安其性命之情。之八者。乃始臠卷傖囊而亂天下也。司馬云。臠卷。不伸舒之狀也。傖囊。崔本作戕囊。云猶搶攘。奚云。臠借爲孿。説文。係也。孿束卷曲。即不伸舒之狀。傖囊。當作槍攘。晉灼注漢書。槍攘。亂貌也。而天下乃始尊之惜之。甚矣天下惑也。豈直過也而去之邪。按。去讀爲弆。藏也。謂不但過而藏之。更珍貴之如此也。乃齊戒以言之。跪坐以進之。鼓歌以儛之。吾若是何哉。故君子不得已而臨莅天下。莫若無爲。無爲也而後安其性命之情。郭云。無爲者。非拱默之謂也。直各任其自爲。則性命安矣。不得已者。非迫於威刑也。直抱道懷朴。任乎必然之極。而天下自賓也。故貴以身於爲天下。則可以託天下。愛以身於爲天下。則可以寄天下。蘇輿云。身下兩於字當衍。四語見老子。故君子苟能無解其五藏。無擢其聰明。按。解。散也。擢。拔也。五藏。謂仁義也。尸居而龍見。淵默

而雷聲。王先謙云。不動而如神。不言而名章。按。或說尸古文作𡰣。其義爲伏。尸居。猶言伏處。神動而天隨。郭云。神順物而動。天隨理而行。從容無爲而萬物炊累焉。按。炊。本或作吹。萬物炊累。猶言吹萬不同耳。王益吾氏謂陽春和煦。如萬物層累而炊熟之。似望文生義也。吾又何暇治天下哉。姚鼐云。馬蹄胠篋及在宥之首二章。皆申老子之說。然非老子之文。

一章。

崔瞿問於老聃曰。不治天下。安臧人心。臧。善也。安臧人心。言何以使人心向善。老聃曰。女愼無攖人心。攖。司馬云。引也。崔云。羈落也。成云。攖撓。說各不同。皆可通。人心排下而進上。上下囚殺。人心每損人以自利。在其下者。則排抑之。在其上者。則進亢之。是以上下盡憔悴也。章云。囚殺猶噍殺。亦即憔悴。舊讀如字。誤。淖約柔乎剛彊。廉劌雕琢。其熱焦火。其寒凝冰。按。消搖遊。淖約若處子。李云。淖約。柔弱貌。與剛彊相對。言人心有彊有弱也。其中柔乎二字。本綽約之注。誤入正文者。王先謙云。廉稜。劌利。雕琢。刻削也。亦謂人心有尖利有刻削者也。人心燥急。則熱如焦火。戰惕則寒如凝冰。皆人心現象之不同。與齊物論所舉略近。而其中間以柔乎二字。殊覺不詞。故知其衍。自郭注已謂能綽約則剛者柔。是其譌誤久矣。其疾俛仰之間。而再撫四海之外。按。此言心思周流之疾。其居也淵而靜。其動也縣而天。奚云。淵而靜應作靜而淵。按。淵與

天爲韵。奚說似可信。縣借爲玄。而借爲如。言人心動靜不同。其靜也如淵。其動也如天。僨驕而不可係者。其唯人心乎。僨。廣雅。僵也。郭云。僨驕者。不可禁之勢也。按。此言人心起伏無常。不可檢制。昔者黃帝始以仁義攖人之心。堯舜於是乎股無胈。脛無毛。以養天下之形。愁其五藏以爲仁義。矜其血氣以規法度。然猶有不勝也。郭慶藩云。釋言。矜。苦也。矜其血氣。猶孟子言苦其心志。堯於是放讙兜於崇山。投三苗於三峗。流共工於幽都。此不勝天下也夫。施及三王。而天下大駭矣。王先謙云。古注夫字下屬。今以屬上。釋文。施。崔云。延也。下有桀跖。上有曾史。而儒墨畢起。於是乎喜怒相疑。愚知相欺。善否相非。誕信相譏。而天下衰矣。大德不同。而性命爛漫矣。王先謙云。德本玄同。而此有不同之迹。馬敘倫云。爛漫借爲讕謾。天下好知而百姓求竭矣。王先謙云。上窮其知。百姓不能供其求。章炳麟云。求竭。雙聲連語。即膠葛。今作糾葛。亦通。於是乎釿

鋸制焉。繩墨殺焉。椎鑿決焉。吳汝綸云。殺當爲設。天下脊脊大亂。罪在攖人心。釋文。脊脊。音藉。相踐藉也。王先謙謂與藉藉同。本亦作肴肴。廣雅。肴。亂也。故賢者伏處大山嵁巖之下。而萬乘之君憂慄乎廟堂之上。釋文。大山。音泰。亦如字。俞云。嵁當爲湛。文選封禪文李注。湛。深也。山以大言。巖以深言。郭云。攖天下之心。使奔馳而不可止。故中知以下。莫不外飾其性以眩惑衆人。惡直醜正。蕃徒相引。是以任眞者失其據。而崇僞者竊其柄。於是主憂於上。民困於下矣。今世殊死者相枕也。桁楊者相推也。刑戮者相望也。而儒墨乃始離跂攘臂乎桎梏之間。意。甚矣哉。其無愧而不知恥也甚矣。釋文。殊。廣雅云。斷也。桁楊。崔云。械夾頸及脛者。皆曰桁楊。王念孫云。離跂。自異於衆之意。王先謙云。意。同噫。吾未知聖知之不爲桁楊接槢也。仁義之不爲桎梏鑿枘也。司馬云。接槢。械楔。成云。鑿。孔也。以物內孔中曰枘。郭云。桁楊以接槢爲管。桎梏以鑿枘爲用。焉知曾史之不爲桀跖嚆矢也。奚云。嚆當爲藁。周禮藁人注。鄭司農云。讀若芻藁之藁。箭幹謂之藁。藁矢並擧。字非一物。與上接槢鑿枘同。故曰。絕聖棄知而天下大治。按。本章言治天下不可攖人心。而極

之於絕聖棄知。其釋人心。變幻無常。甚多精語。足補齊物論所未備。然亦專就末世人心險惡者言之。非人心之常態。故語亦多激。二章。

黃帝立爲天子十九年。令行天下。聞廣成子在於空同之上。故往見之。曰。我聞吾子達於至道。敢問至道之精。吾欲取天地之精。以佐五穀。以養民人。吾又欲官陰陽以遂羣生。爲之奈何。姚鼐云。黃帝爲醫藥。故云取天地之精。以佐五穀。黃帝歷象日月星辰。故云官陰陽。廣成子曰。而所欲問者。物之質也。而所欲官者。物之殘也。釋文。廣雅云。質。正也。言黃帝所欲問者至道之精。而所官者萬物之餘。笑其所志者大而其所行者細。自而治天下。雲氣不待族而雨。草木不待黃而落。日月之光益以荒矣。而佞人之心翦翦者。又奚足以語至道。釋文。雲氣不待族而雨。司馬云。族。聚也。未聚而雨。言澤少。草木不待黃而落。司馬云。言殺氣多也。章炳麟云。荒借爲普。說文。日無色也。翦翦。郭、司馬云。善辯也。一曰。佞貌。馬敍倫云。此借爲諓。說文。善言也。又戔下引周書曰。戔戔。巧言也。與佞義合。黃帝退捐天

下。築特室。席白茅。閒居三月。復往邀之。廣成子南首而臥。黃帝順下風膝行而進。再拜稽首而問曰。聞吾子達於至道。敢問治身奈何而可以長久。馬其昶云。此即大學壹是皆以脩身爲本之意。非謂不治天下也。凡莊生之言治道類如此。蓋痛戰國之徒尚詐力耳。廣成子蹶然而起。曰。善哉問乎。來。吾語女至道。至道之精。窈窈冥冥。至道之極。昏昏默默。無視無聽。抱神以靜。形將自正。必靜必淸。無勞女形。無搖女精。乃可以長生。目無所見。耳無所聞。心無所知。女神將守形。形乃長生。愼女內。閉女外。多知爲敗。郭云。窈冥昏默。皆了無也。夫莊老之所以屢稱無者。何哉。明生物者無物而物自生耳。自生耳非爲生也。又何有爲於己生乎。忘視而自見。忘聽而自聞。則神不擾而形不邪也。任其自動。故閒靜而不夭也。按。內謂神也。外謂耳目也。絕思慮。止見聞。所以全眞守分也。內外交引。病在於知。故總戒之。我爲女遂於大明之上矣

。至彼至陽之原也。爲女入於窈冥之門矣。至彼至陰之原也。王先謙云。遂。徑達也。至人智照如日月。故名大明。有感而動。故曰遂於大明之上。無感之時。深根凝湛。故曰入於窈冥之門。天地有官。陰陽有藏。姚鼐云。天地有官。不必爲歷象以明之。陰陽有藏。不必爲醫藥以救之。郭云。但當任之。愼守女身。物將自壯。宣云。物即道也。守身則道得其養。將自成也。我守其一以處其和。胡遠濬云。一謂形與神一。老子云抱一。又云守中。義皆同。和者。陰陽調燮之謂。不假強爲而莫不中節。故我修身千二百歲矣。吾形未嘗衰。按。此章累言長生。又云千二百歲。雖屬譬喻。然究非情實。殆後世方士之流。有所竄亂。非莊本意也。黃帝再拜稽首曰。廣成子之謂天矣。廣成子曰。來。余語女。彼其物無窮而人皆以爲有終。彼其物無測而人皆以爲有極。按。無測猶言無盡。說詳應帝王篇立於不測句注。王先謙云。道如循環。然而人以爲沒則已焉。道本無盡。而人以爲有盡。得吾道者。上爲皇而下爲王。失吾道者。上見光而下爲土。姚鼐云。皇王。乃天地上下惟吾獨尊之意。非人爵也。按。本章前論治天下。故以皇王爲喻。馬敘倫謂皇王皆言盛旺。雖引證周詳。意似不及姚。上見光而下見土者。即執著四大。不能空諸所有之意。舊說多鑿

。今夫百昌皆生於土。而反於土。百昌。司馬云。猶百物。馬敘倫云。昌借爲暢說文。草茂也。姚鼐云。百昌生土反土。言土之未嘗窒道。人自見土不見道耳。知道者見其爲道而非土。郭云。土。無心者也。生於無心。故當反守無心而獨往也。故余將去女。入無窮之門。以遊無極之野。吾與日月參光。吾與天地爲常。當我緡乎。遠我昬乎。人其盡死而我獨存乎。司馬云。緡昬。並無心之謂也。郭云。以死生爲一體。則無往而非存。三章。

雲將東遊。過扶搖之枝。而適遭鴻蒙。鴻蒙方將拊髀雀躍而遊。馬敘倫云。遊當作汓。今通作泅。拊髀雀躍。泅之狀也。雲將見之。倘然止。贄然立。曰。叟何人邪。叟何爲此。鴻蒙拊髀雀躍不輟。對雲將曰。遊。雲將曰。朕願有問也。鴻蒙仰而視雲將曰。吁。雲將曰。天氣不和。地氣鬱結。六氣不調。四時不

節。今我願合六氣之精。以育羣生。爲之奈何。鴻蒙拊髀雀躍掉頭曰。吾弗知。吾弗知。雲將不得問。又三年。東遊過有宗之野。而適遭鴻蒙。宗。本作宋。釋文。宋如字。國名也。本作宗者非。吳汝綸云。作宗者是。扶搖有宗。皆寓言也。雲將大喜。行趨而進曰。天忘朕邪。天忘朕邪。再拜稽首願聞於鴻蒙。馬其昶云。爾雅。天及公侯同詁爲君。今稱人曰公曰君。天亦猶是也。鴻蒙曰。浮遊不知所求。猖狂不知所往。遊者鞅掌以觀無妄。朕又何知。馬敍倫云。詩北山。或王事鞅掌。鞅掌。乃急遽之義。按。周易有无妄卦。舊解有數義。一以爲不妄。一以爲無望。程傳從不妄義。以謂无妄誠也。誠者天之道。言宇宙自然現象。相成相濟。無不合宜。故謂之爲无妄。以觀無妄者。即觀察此自然美備之宇宙也。上三句即消搖遊。下一句即三問三不知之義。雲將曰。朕也自以爲猖狂。而民隨予所往。朕也不得已於民。今則民之放也。願聞一言。不得已於民者。宣云。謝之不去。民之放者。胡遠濬云。放。依也。鴻蒙曰。亂天之經。逆物之情。

玄天弗成。成云。亂天常道。逆物眞性。即譎詐方起。自然之化不成。解獸之羣。而鳥皆夜鳴。災及草木。禍及正蟲。正。本作止。釋文云。本亦作昆。崔本作正。孫詒讓云。止。當從崔本作正。大戴記四代篇。蜚征作。墨子非樂篇。蜚鳥貞蟲。正征貞同。按。孫說是也。淮南說山訓。貞蟲之動以毒螫。注。貞。細腰如蜂。蜾蠃之屬。無牝牡之合曰貞。後人不明正蟲即貞蟲。故譌爲止。改爲昆耳。意。治人之過也。釋文。意。本又作噫。下皆同。雲將曰。然則吾奈何。鴻蒙曰。意。毒哉。僊僊乎歸矣。按。毒。疑當作每。說文。屮盛上出貌。姚鼐云。僊僊乎。識雲將有浮動意。故令其歸休也。雲將曰。吾遇天難。願聞一言。鴻蒙曰。意。心養。按。心養。猶言養心。謂任其自然。勿忘勿助。汝徒處無爲。而物自化。成云。徒。但也。墮爾形體。吐爾聰明。王引之云。吐當作咄。咄與黜同。俞云。吐當爲杜。按。兩說皆通。未知孰是。倫與物忘。大同乎涬溟。章云。倫借爲侖。說文。侖。思也。司馬云。涬溟。自然氣也。宣云。與浩氣同體。解心釋神。莫然無魂。郭云。坐忘任獨。按。莫然。寂定貌。萬物云云。各復其根。成云。云云。衆多也。蘇輿云。老子作芸芸。自然貌。宣云。根謂無妄之本眞。按。指生死之原理。亦即道也。各復其根而不知。渾渾

沌沌。終身不離。若彼知之。乃是離之。無問其名。無闚其情。物固自生。生死之理。本爲人所不知。所謂未知生焉知死也。知止於其所不知。是知也。世人終身流轉於生死之中。不可解脱。而特不得其朕。可形已信而不見其形。有情而無形。其曰一也道、曰氣者。皆強名也。亦惟有不識不知順帝之則而已。故曰物固自生也。義與齊物論略同。雲將曰。天降朕以德。示朕以默。躬身求之。乃今也得。再拜稽首。起。辭而行。四章。

世俗之人皆喜人之同乎己。而惡人之異於己也。同於己而欲之。異於己而不欲者。以出乎衆爲心也。夫以出乎衆爲心者。曷嘗出乎衆哉。因衆以寧所聞。不如衆技衆矣。馬敘倫云。自世俗之人以下。疑非在宥篇文。因衆以寧所聞二句。疑有脱誤。按。外雜各篇。章自爲義。不必相貫。與内篇不同。則馬氏謂非此篇文者。似以内篇體例相衡。其説誤也。喜同惡異。即長梧所説同異是非之義。出衆爲心。即昭文師曠好異於彼之義。均詳齊物論篇。王先謙云。並無獨見。但因聞衆論。遂執一而安之。則反不如能集衆技者之信爲衆矣。而欲爲人之國

者。此攬乎三王之利。而不見其患者也。此以人之國僥倖也。幾何僥倖而不喪人之國乎。其存人之國也無萬分之一。而喪人之國也。一不成而萬有餘喪矣。夫三代之治。各因其時。時地差異。而拘守成法。未有不蒙其害者。鑽木稱燧於夏后之世。必爲夏后笑矣。導川決瀆於殷周之世。必爲湯武笑矣。夏尚忠。殷尚敬。周尚文。質文遞變而不相襲。斯固皆嘗收一時之效者也。況以出衆爲心而不如衆技者邪。乃欲以一己之見。治人之國。此誠以人之國爲僥倖也。有以生物之病試其醫藥者。世尚以爲不仁。況以人爲試。以國爲戲邪。莊子生縱橫之世。目覩當時百家衆技。皆以其有爲不可加。上說下教。強聒而不已。冀世主之一聽而行其說。而不知其害之多而益鮮也。多數汎係之黨。亦如是矣。吾甚願莊子斯義。廣布於世。庶幾稍救斯弊也。悲夫。有土者之不知也。夫有土者。有大物也。有大物者。不可以物。物而不物。故能物物。明乎物物者之非物也。豈獨治天下百姓而已哉。按。此數句各家說不同。此從俞讀。不可以物者。言不可以小物自限也。物而不物。言能用物而不爲物所用也。故能物物者。言能用物也。同一物字。有主動被動之異。古人不以爲嫌者。或音有長短。讀者自曉。今音讀譌變。遂無區別耳。與公羊伐人見伐之例相同。出入六合。遊乎九州。獨往獨來。是謂

獨有。獨有之人。是之謂至貴。按。此即大宗師篇女偊所謂見獨之義。彼篇欲明內聖之功。故極之於不死不生。此僅言持世之用。故以獨有爲至貴。說詳大宗師篇。大人之教。若形之於影。聲之於響。有問而應之。盡其所懷。爲天下配。處乎無嚮。行乎無方。挈汝適復之撓撓。以遊無端。出入無旁。與日無始。頌論形軀合乎大同。大同而無己。無己惡乎得有有。覩有者昔之君子。覩無者天地之友。郭云。百姓之心。形聲也。大人之教。影響也。大人之於天下何心哉。猶影響之隨形聲耳。問而應之。使物之所懷各得自盡。無嚮。寂以待物也。無方。隨物轉化也。撓撓。自動也。提挈萬物。使復歸自動之性。即無爲之至也。按。影響。即應帝王篇至人之用心若鏡之義。大同無己。即消搖遊篇至人無己之義。昔之君子。謂三代明聖。天地之友。即與天地並生萬物一體之義。焦竑云。老莊盛言虛無之理。非其廢世教也。彼知有物者不可以物物。而覩無者斯足以經有。是故建之以常無有。不然。聖賢之業。責之膠膠擾擾之衷。其將能乎。舜之無爲而治。禹之行所無事。非不治不行也。昧者欲以廢事爲無爲。是鬱閉而幾水之清也。失之遠矣。五章。

賤而不可不任者物也。卑而不可不因者民也。匿而不可

不爲者事也。按。匿借爲慝。害人事多奸慝。舊訓藏誤。麤而不可不陳者法也。遠而不可不居者義也。親而不可不廣者仁也。節而不可不積者禮也。中而不可不高者德也。馬敘倫云。中者得也。一而不可不易者道也。馬敘倫云。易借爲迻。神而不可不爲者天也。故聖人觀於天而不助。成於德而不累。出於道而不謀。會於仁而不恃。薄於義而不積。應於禮而不諱。俞云。諱與違通。接於事而不辭。齊於法而不亂。恃於民而不輕。因於物而不去。物者莫足爲也。而不可不爲。不明於天者不純於德。不通於道者無自而可。不明於道者。悲夫。何謂道。有天道。有人道。無爲而尊者天道也。有爲而累者人道也。主者天道

也。臣者人道也。天道之與人道也。相去遠矣。不可不察也。

按。本章列舉物事等十項。以明君無爲臣有爲之義。宣茂公謂其意膚文雜。不似莊子之筆。或後人續貂耳。實則外雜各篇。多屬莊徒所爲。固不獨本章然也。此章雖淺近。然與無爲無不爲旨亦不悖。惟內篇皆持一元之說。此獨分道爲二。曰天道。曰人道。雖道無不在。而人爲之事。豈可以之與天道並稱。是理雖無礙。而語不圓融。其非莊子自著審已。六章。

莊子詁義卷第五　　蠹硯齋叢箸

淮陰　范耕研　伯子

天地第十二

天地雖大。其化均也。萬物雖多。其治一也。人卒雖衆。其主君也。君原於德而成於天。故曰玄古之君天下。無爲也。天德而已矣。按。人卒。猶人士也。莊子書人卒字累見。注者隨文異訓。皆誤。陸西星謂玄古邃古也。或以玄字斷句。非是也。胡遠濬謂天德疑是玄德之譌。後文玄德正解此。理或然也。夫均者。公而不偏也。一者。全而不分也。日月不離。四時不忒。天地之均化也。飛潛動植。生老病死。萬物之一治也。君主比之。亦均亦一。使天下之人。自化自治。則平等自由之極致也。何有貴賤上下之箝制哉。昏上亂相之弊。可以免矣。是則道家無爲之義。雖說有君主。而與近世立憲之國端拱無權之事。正相合也。

以道觀言而天下之君正。以道觀分而君臣之義明。以道觀能而天下之官治。以道汎觀而萬物之應備。按。道者。承上均化一治言之。言以均一之精神觀世也。以道觀言者。言。名也。以道觀分者。分。位也

。衡以名分。而君名應正。臣義應明可知。君而荒淫暴橫。則失所以爲君矣。臣而犯上作亂。則失所以爲臣矣。以道觀能而百工之事治。以道汎觀而萬物之生安。即所謂人盡其才。物盡其性之義也。故通於天者道也。順於地者德也。行於萬物者義也。上治人者事也。能有所藝者技也。技兼於事。事兼於義。義兼於德。德兼於道。道兼於天。故通於天者至義也三句。各本作故通於天地者德也。行於萬物者道也二句。今從闕誤引江南古藏本改。吳摯父云。兼借爲謙。損也。謂前者貶後者也。舊注謂本末兼則俱暢。不及吳說。故曰。古之畜天下者。無欲而天下足。無爲而萬物化。淵靜而百姓定。記曰。通於一而萬事畢。無心得而神服。本章申述老子我好靜而民自正之義。君無爲尚德義。臣有爲尚事技。與前篇末段義近。宣氏謂前篇末章爲後人續貂。則此篇亦殆非莊子自作也。

一章。

夫子曰。夫道覆載萬物者也。洋洋乎大哉。君子不可以不刳心焉。夫子。司馬云。莊子也。一云。老子也。宣云。孔子也。下言夫子問於老聃可知。按。刳心。猶言究心。言道甚重要。學者不可以不究心。舊說以謂洗去有心之累。似非也。無

爲爲之之謂天。無爲言之之謂德。愛人利物之謂仁。不同同之之謂大。行不崖異之謂寬。有萬不同之謂富。故執德之謂紀。德成之謂立。循於道之謂備。不以物挫志之謂完。君子明於此十者。則韜乎其事心之大也。沛乎其爲萬物逝也。按。天、德、仁、大、寬、富。無爲之事也。紀、立、備、完。有爲之事也。釋文。韜。藏也。馬敘倫云。借爲滔。說文。水漫漫。大貌。奚云。呂覽論人篇。事心乎自然之塗。高注。事。治也。事心。即上文刳心之義。逝。往也。郭云。德澤滂沛。任萬物之自往也。若然者。藏金於山。藏珠於淵。不利貨財。不近貴富。不樂壽。不哀夭。不榮通。不醜窮。不拘一世之利以爲己私分。不以王天下爲己處顯。顯則明。萬物一府。死生同狀。章炳麟云。拘與鉤同。天運篇。一君無所鉤用。釋文。鉤。取也。不拘一世之利以爲己私分者。郭云。皆委之萬物也。按。即禮運所謂貨惡其棄於地不必爲己之義。不以王天下爲己處顯。郭云。忽然不覺榮之在身也。按。即消搖遊窅然喪其天下之義。舊讀顯則明爲句。范無隱連下爲句。似勝。言顯然

可以證明萬物一府死生同狀之理也。一府同狀。說均詳齊物論篇。本章前明無爲無不爲。後明忘物忘己。二章。

夫子曰。夫道淵乎其居也。漻乎其淸也。金石不得無以鳴。故金石有聲。不考不鳴。萬物孰能定之。按。此論道體。道體者無聲無形。非人智所能及知。與近人所稱宇宙本原之理者略近。有此動力。而後宇宙萬物乃能由之發生。然非人有以感之。則形聲亦無以顯。是道與萬物。果孰爲因孰爲果哉。喩如聲樂。陸西星云。金石本有能聲之理。而非聲之者以感之。則亦無自而鳴。而聲之者。吾人之天機。自然之覺性也。即是而觀。道俱兩在。鳴者是道。考者是道。孰能定之。以爲定在金石。不考何以不鳴。以爲定在考者。他聲當同金石。以爲定在空虛。考之何以無聲。如此徵問。人須深思而自得之。是則金石與聲。因果難知。推之他物。莫不如是。形之與生。心之於知。何獨不然。故曰萬物孰能定之也。

夫王德之人。素逝而恥通於事。立之本原而知通於神。故其德廣。章炳麟云。逝借爲哲。同从折聲也。說文。哲。知也。按。素。質也。恥疑是心之誤。以知爲質。而心乃能通於萬事。本原。謂道也。道立而後心乃能神其用。此言心之作用原於知。知之本原在於道也。如是者其德乃廣。德之言得也。蓋自然存在者道也。人所作用者得也。故曰其德廣也。

其心之出。有物采之。章云。說文無採。舊作採誤。郭說爲采擇。亦非。此謂心既現起。即有種種似物似色爲其綺飾。愚夫分別而作物想。則爲妄計。

故形非道不生。生非德不明。存形窮生。立德明道。

非王德者邪。蕩蕩乎。忽然出。勃然動。而萬物從之乎。此謂王德之人。按。前以聲喻。此以形言。生由於形。猶聲由於金石也。然金石有聲。不考不鳴。故形雖含生。非德不箸。德者。心知之作用也。人心飄忽。操之則存。舍之則亡。宇宙萬有。皆由心造。故曰忽然出勃然動而萬物從之也。視乎冥冥。聽乎無聲。冥冥之中。獨見曉焉。無聲之中。獨聞和焉。故深之又深而能物焉。神之又神而能精焉。宣云。道不在形聲。又不在寂滅。按。宇宙萬法。皆由心造。世人迷罔。執著為有。惟知道者。知其冥冥。然物質雖無。心量非無。故冥冥無聲之中。獨能見曉聞和。佛氏所謂自證與證自證也。是知莊子雖說虛說無。而不落斷滅之見。與佛氏唯心勝義。正相契合。故稱之曰深曰神也。郭象謂窮其源而後能物物。極至順而後能盡妙。正形容心境之至深至神也。故其與萬物接也。至無而供其求。時騁而要其宿。章云。至無者。即二無我所現圓成實性也。供其求者。即示現利生也。時騁者。即不住涅槃也。要其宿者。即不墜生死也。按。至無而供其求。即虛心應物。時騁而要其宿。即遊行自在。大小長短修遠。郭云。皆恣而任之。會其所極而已。宣云。修遠當作遠近。吳摯甫云。六字當是郭注誤入正文者。按。吳說近是。○三章。

黃帝遊乎赤水之北。登乎崑崙之丘。而南望還歸。遺其

玄珠。使知索之而不得。使離朱索之而不得。使喫詬索之而不得也。乃使罔象。罔象得之。黃帝曰。異哉。罔象乃可以得之乎。按。赤水寄言。非實地。不必鑿求。喫詬。司馬云。多力也。郭崧燾云。集韵。喫詬。力諍也。罔象。各本作象罔。此從黎刻古逸叢書本。玄珠喻道。知謂智。離朱謂明。喫詬謂力。罔象喻無心。此謂無心者乃能得道之眞。苟有作爲。不能見道。四章。

堯之師曰許由。許由之師曰齧缺。齧缺之師曰王倪。王倪之師曰被衣。堯問於許由曰。齧缺可以配天乎。郭云。謂爲天子。吾藉王倪以要之。許由曰。殆哉圾乎天下。釋文。圾。本又作岌。郭、李云。危也。齧缺之爲人也。聰明叡知。給數以敏。其性過人。成云。叡。聖也。給。捷也。敏。速也。釋文。數。音朔。按。數亦速也。郭云。聰敏過人。使人跂之。屢傷於民也。而又乃以人受天。宣云。非純乎天者。按。乃借爲仍。或說。借爲能。彼審乎禁過。而不知過之所由生。郭云。過生於聰知。而又役知以禁之。其過彌甚矣。故曰。無過

在去知。不在於強禁。與之配天乎。彼且乘人而無天。王先謙云。若令爲天子。彼且尊任人。而無復自然之性。方且本身而異形。王先謙云。顯分人己。方且尊知而火馳。孫詒讓云。火乃兆之誤。說文兆。分也。外物篇。火馳而不顧。火亦兆之誤。兆馳。猶儳馳。方且爲緒使。宣云。爲細事所役。方且爲物絯。釋文。廣雅云。絯。束也。宣云。爲物所拘。方且四顧而物應。宣云。酬接不暇。按。因其用知。故外物咸來赴之。遂生諸煩惱也。即本篇下文所謂物將往投迹者衆也。方且應衆宜。王先謙云。事事求合。方且與物化。郭云。與物相逐而不能自得於內。而未始有恆。馬敘倫云。恆借爲桓。說文。竟也。夫何足以配天乎。雖然。有族有祖。可以爲衆父。而不可以爲衆父父。按。衆父喻臣。衆父父喻君。謂齧缺道卑。僅可爲臣。以供役使。不可使端拱南面以爲君也。父各私其子。祖則平視諸孫。無有差別。以喻配天之公。韓信將兵。高帝將將。亦謂才有大小也。治。馬其昶云。治字句絕。言治爲亂之率也。亂之率也。北面之禍也。南面之賊也。按。言尊知知極。上下咸蒙其害。五章。

堯觀乎華。華封人曰。嘻。聖人。請祝聖人。使聖人

壽。堯曰。辭。使聖人富。堯曰。辭。使聖人多男子。堯曰。辭。封人曰。壽富多男子。人之所欲也。女獨不欲。何邪。堯曰。多男子則多懼。富則多事。壽則多辱。是三者非所以養德也。故辭。封人曰。始也我以女爲聖人邪。今然君子也。章云。然以雙聲。借爲乃。天生萬民。必授之職。多男子而授之職。則何懼之有。富而使人分之。則何事之有。夫聖人鶉居而鷇食。鳥行而無迹。按。謂衣食住行。皆任自然。迹本作彰。藝文類聚聖部引作迹。奚云。與郭注合。是也。且食迹亦相叶也。天下有道則與物皆昌。天下無道則修德就閒。按。與物皆昌者。聖人作而萬物覩也。修德就閒者。儉德避難。不可榮以祿也。千歲厭世。去而上僊。乘彼白雲。至於帝鄉。姚鼐云。上僊是秦以後人語。按。此四句方士口脗。封人方謂顯晦任運。三祝無殃。豈復企羨仙去哉。後人竄入。審已。三患莫

至。身常無殃。則何辱之有。封人去之。堯隨之曰。請問。封人曰。退已。退已本作已止之已。闕誤引江南古藏本作人已之已。是也。本章明壽富多男不足爲累。見任物付物之妙用。世人羨三祝而欲之。堯知其爲患而辭之。其見固高於世人矣。然欲之與辭。皆緣於有我。故封人告之以退已也。退已猶言無已。人能忘我。何患之有。六章。

堯治天下。伯成子高立爲諸侯。堯授舜。舜授禹。伯成子高辭爲諸侯而耕。禹往見之。則耕在野。禹趨就下風。立而問焉。曰。昔堯治天下。吾子立爲諸侯。堯授舜。舜授予。而吾子辭爲諸侯而耕。敢問其故何也。子高曰。昔堯治天下。不賞而民勸。不罰而民畏。今子賞罰而民且不仁。德自此衰。刑自此立。後世之亂自此始矣。夫子闔行邪。無落吾事。悒悒乎耕而不顧。釋文。闔。本亦作盍。落猶

廢也。俋俋。李云。耕貌。字林云。勇壯貌。按。此章明有爲不及無爲。郭云。弊起於堯而釁成於禹。況後世之無聖乎。寄遠迹於子高。其實則未聞也。而釋文引通變經。謂老子從天地開闢以來。一千二百變。後世得道爲伯成子高。信方士之誕詞。昧哲人之喻旨。其識見之卑。去子玄何遠也。　七章。

泰初有無無。有無名。一之所起。有一而未形。物得以生謂之德。未形者有分。且然無閒謂之命。流動而生物。流。本作留。釋文謂或作流。茲從之。物成生理謂之形。形體保神。各有儀則謂之性。性修反德。德至同於初。同乃虛。虛乃大。合喙鳴。喙鳴合與天地爲合。其合緡緡。若愚若昏。是謂玄德。同乎大順。泰初。釋文引易說云。氣之始也。姚鼐云。言其始非特有不可言。並無亦不可言。是故云有無無。諸家解皆失句讀。郭象云。一者。有之初。至妙者也。至妙。故未有物理之形耳。夫一之所起。起於至一。非起於無也。然莊子之所以屢稱無於初者。何哉。初者。未生而得生。得生之難。而猶上不資於無。下不待於知。突然而自得此生矣。又何營生於已生以失其自生哉。夫無不能生物。而云物得以生。乃所以明物生之自得。任其自得。斯可謂德也。按。此章明萬物化生之理。有初之妙。本無名也。強名之曰一。一之所起。謂氣也。萬物皆由一氣所化生。此爲中土哲人共信之理。故莊子亦引用

之。至樂篇云。察其始而本無生。非徒無生也。而本無形。非徒無形也。而本無氣。雜乎芒忽之間。變而有氣。氣變而有形。形變而有生。則知此章所謂一者。正相當於至樂篇之所謂氣。又知北遊篇第一章。亦明此理。文尤顯露。解在彼章。可參觀也。而說者謂無謂質。一謂心。似非也。然有氣之先。必有一並氣而無之時代。氣尚無有。何有於名。故曰有無無。有無名。及其既有氣矣。然尚渾然一體。未有各別之形也。故曰有一而未形。及乎形色既別。萬類森羅。皆各有所得。是謂之德。德者得也。得。動字。德。名字。當其未形固無別也。所得既異。而貴賤高下分焉。或得之而爲日星。則麗乎天。或得之而爲山川。則鎭乎地。或得之而爲人。則靈秀。或得之而爲物。則動植。或爲聖賢。或爲下愚。或爲王公。或爲氓隸。此孰使之然哉。何其不克自爲主也。是謂之命。由是而進化流行。肇生萬物。有形有性而莫知其所以然。然而反觀於初。亦不過各有所得。同屬一氣之流轉而已。惟知道者明乎此理。然後能與天地並生。萬物一體也。是謂玄德。同乎大順。凡此所論。亦是古代儒道陰道陽各家所同。非爲獨造。而近人某君。乃謂此爲莊子中至要之篇。可謂誤矣。馬其昶云。喙鳴謂聲息也。猶史記之喙息也。合喙鳴。萬物一體也。舊解此句多支離。以此爲簡要。八章。

夫子問於老聃曰。釋文。夫子。仲尼也。按。以下文呼丘名知之。有人治道若相放。馬敘倫云。放方謗古通。論語。子貢方人。鄭本作謗。是其例證。按。謂人之治道者常互謗也。可不可。然不然。按。以不可爲可。不然爲然。即所謂兩可之詞也。如呂覽所載鄧析之類。辯者有言曰。離堅白。若縣寓。按。堅白同具於石。而辯者離之。謂其相去之遠。若天地之縣絕也。故曰離堅白若縣寓。寓同宇。謂上下四方也。若公孫龍之類。若是則可謂聖人乎。老聃曰。是胥易技係勞形

怵心者也。執狸之狗成思。猨狙之便自山林來。狸。本作留。此從一本。此數語亦見應帝王篇。成思。彼篇作來田。此誤。解在彼篇。此從省。丘。予告若。而所不能聞與而所不能言。按。若而皆汝也。不能聞不能言。謂道也。凡有首有趾無心無耳者。按。謂植物。衆有形者。按。汎指萬物。與無形無狀而皆存者。按。謂心知。盡無。按。萬法皆心所造。愚夫執著爲有。故應遣除之。其動止也。其死生也。其廢起也。此又非其所以也。有治在人。胡遠濬云。動止、死生、廢起。即齊物論所謂方生方死、方可方不可。非其所以。即所謂聖人不由。有治在人。即所謂寓諸庸。忘乎物。忘乎天。其名爲忘己。忘己之人。是之謂入於天。按。此即人間世篇所謂坐忘。

九章

將閭葂見季徹曰。魯君謂葂也。曰。請受教。辭不獲命。既已告矣。未知中否。請嘗薦之。吾謂魯君曰。必

服恭儉。拔出公忠之屬。而無阿私。民孰敢不輯。季徹局局然笑曰。若夫子之言。於帝王之德。猶螳蜋之怒臂以當車軼。則必不勝任矣。釋文。輯。爾雅曰。和也。局。大笑之貌。軼。音轍。馬敘倫云。局借爲噱。軼當爲轍。且若是則其自爲處危。王先謙云。非自安之道。其觀臺多。郭慶藩云。其觀臺多四字爲句。言使民觀象受法。其事繁也。物將往投迹者衆。舊讀至臺字、往字、衆字爲句。誤。馬其昶讀至危字、多字、衆字爲句。是也。今從馬讀。王先謙云。舉足投迹者衆。君且不勝其煩。非帝王修德安人之道。

將閭葂覤覤然驚曰。葂也汒若於夫子之所言矣。雖然。願先生之言其風也。釋文。覤。許逆反。驚懼之貌。朱駿聲云。覤蓋虩之誤。王先謙云。汒若。猶茫然也。俞樾云。風讀爲凡。猶云言其大凡也。風本从凡聲。故得通用。

季徹云。大聖之治天下也。搖蕩民心。使之成教易俗。舉滅其賊心。而皆進其獨志。若性之自爲。而民不知其所由然。按。本章論治天下。在使民成教易俗。若性之自爲。不在煩擾多事。雖然成教易俗進其獨志。與服恭儉無阿私其差甚微。而乃甲此乙彼者。其意蓋謂一有爲一無爲耳。詞既簡

質。不能明義。是以令人疑之也。若然者。豈兄堯舜之敎民溟涬然弟之哉。孫詒讓云。兄即今況字。謂比況也。弟乃夷之誤。平等之義。按。孫說是也。舊注謂不肯多謝堯舜而推之爲兄。說甚支離可笑。溟涬。混茫貌。淮南本經訓。江淮通流。四海溟涬。注。無岸畔也。論衡談天篇。溟涬濛澒。氣未分之貌也。韵會。溟涬。大水混茫貌。以解此句。正合。蓋謂堯舜敎民混然平等也。字亦作涬溟。在宥篇云。大同乎涬溟。郭謂與物無際是也。而於此處注云。甚貴之謂。前後違戾。殆爲兄弟字所誤。遂望文生訓耳。涬。户頂反。从幸得聲。或本作涬。大誤。欲同乎德而心居矣。郭云。居者。不逐於外也。十章。

子貢南遊於楚。反於晉。過漢陰。見一丈人。方將爲圃畦。鑿隧而入井。按。古代之井。蓋陂塘之類。觀易謂井有鮒。本書秋水篇謂井有魚。可證。故鑿隧通之以道水。抱甕而出灌。搰搰然用力甚多而見功寡。子貢曰。有械於此。一日浸百畦。用力甚寡而見功多。夫子不欲乎。爲圃者卬而視之曰。奈何。曰。鑿木爲機。後重前輕。絜水若流。數如溢湯。其名爲槔。釋文。卬。音仰。本又作仰。流。本作抽。司馬、崔本作流。數。所角反。溢。本作泆。或作溢。李云。疾速如湯沸溢也。槔。本又作橋。李

云。桔槔也。奚侗云。文選江文通雜體詩注、御覽七六五、闕誤引張君房本。槔上皆有桔字。爲圃者忿然作色而笑曰。吾聞之吾師。有機械者必有機事。有機事者必有機心。機心存於胸中。則純白不備。純白不備則神生不定。神生不定者道之所不載也。吾非不知。羞而不爲也。郭云。夫用時之所用者。乃純備也。斯人欲修純備。而抱一守古。失其旨也。按。純白謂本性純粹潔白。不備謂有殘損。生讀爲性。不定謂馳騖無主。子貢瞞然慙。俯而不對。奚侗云。瞞。說文。平目也。於此文義不合。文選謝惠連雪賦注引作懣然慚。並引說文曰。懣。煩也。蒼頡曰。悶也。有閒。爲圃者曰。子奚爲者邪。曰。孔丘之徒也。爲圃者曰。子非夫博學以擬聖。於于以蓋衆。馬其昶云。於于。當從淮南子俶眞訓作華誣。獨弦哀歌以賣名聲於天下者乎。吳汝倫云。獨弦哀歌賣名聲等字。非周秦人語。汝方將忘汝神氣。墮汝形骸。而庶幾乎而身之不能治。而何暇治天下乎。舊說而庶幾乎句絕。按。庶幾。願詞也。應讀至而身之不能治爲句。

子往矣。無乏吾事。釋文。乏。廢也。子貢卑陬失色。項項然不自得。行三十里而後愈。章云。卑陬即顰蹙。釋文。項項。本又作旭旭。李云。自失貌。其弟子曰。向之人何爲者邪。夫子何故見之變容失色。終日不自反邪。曰。始吾以爲天下一人耳。郭云。謂孔子也。不知復有夫人也。吾聞之夫子。事求可。功求成。用力少見功多者。聖人之道。郭云。聖人之道。即用百姓之心耳。今徒不然。王念孫云。徒猶乃也。執道者德全。德全者形全。形全者神全。神全者聖人之道也。託生與民並行。而不知其所之。汒乎淳備哉。功利機巧必忘夫人之心。郭云。此乃聖王之道。非夫人道也。子貢聞其假修之說而服之。未知純白者之同乎世也。若夫人者。非其志不之。非其心不爲。雖以天下譽之。得其所謂。謷然不顧。以天下非

之。失其所謂。儻然不受。天下之非譽無益損焉。是謂全德之人哉。郭云。此宋榮子之徒。未足以爲全德。子貢之迷沒於此人。即若列子之心醉於季咸也。成云。儻然。無心貌。我之謂風波之民。言汲汲皇皇於世事。反於魯以告孔子。孔子曰。彼假修渾沌氏之術者也。按。假讀爲遐。遠也。一說。假。借也。郭云。以其背今向古。羞爲世事。故知其非眞渾沌也。識其一。不知其二。治其內而不治其外。郭云。徒識修古抱灌之朴。而不知因時任物之易也。胡遠濬云。渾沌氏之極詣。內得環中。而外以隨成。漢陰丈人執於忘機。則是初事此術者。故斥之如此夫明白入素。無爲復朴。體性抱神。以遊世俗之間者。汝將固驚邪。成云。心智明白。會於質素之本。無爲虛淡。復於淳朴之原。郭云。此眞渾沌也。故與世同波而不自失。則雖遊於世俗而泯然無迹。豈必使汝驚哉。俞云。固讀爲胡。胡固皆从古聲。故得通用。汝將胡驚邪。言汝與眞渾沌遇則不驚也。郭注正得其意。且渾沌氏之術。予與汝何足以識之哉。郭云。在彼爲彼。在此爲此。渾沌玄同。孰識之哉。所識者常識其迹耳。按。由此章觀之。知莊子意在與世並進。而不以復古爲貴。特不斤斤以進化自憙耳。而世或疑莊子爲反對機械。何其不考也。

十一章。

諄芒將東之大壑。適遇苑風於東海之濱。苑風曰。子將奚之。曰。將之大壑。曰。奚爲焉。曰。夫大壑之爲物也。注焉而不滿。酌焉而不竭。吾將遊焉。釋文。諄芒。李云。望之諄諄。察之芒芒。或云。霧氣也。苑。本亦作宛。苑風。李云。小貌。謂遊世俗也。一云。扶搖大風也。按。大壑謂海。海量宏深。以喻大道。苑風曰。夫子無意於橫目之民乎。願聞聖治。諄芒曰。聖治乎。官施而不失其宜。因時因地。名得其宜。拔舉而不失其能。舉賢與能。野無遺才。畢見其情事。而行其所爲。情無不達。事無不爲。行言自爲而天下化。躬行其言。自然被化。手撓頤指。四方之民莫不俱至。頤。本作顧。此從亦本。政令輕簡。民自來歸。此之謂聖治。願聞德人。曰。德人者居無思。行無慮。因任自然。不以外物擾其心也。不藏是非美惡。無差別心。四海之內共利之之謂悅。人皆蒙其福利。是之謂悅。共給之爲安。人皆足其生養。乃名爲安。

怊乎若嬰兒之失其母也。儻乎若行而失其道也。（釋文。字林云。怊。悵也。）（王先謙云。民仰賴之如此。）財用有餘而不知其所自來。飲食取足而不知其所從。（人之財用飲食。皆天所生。各取所需。日用而不竭。雖貴賤異勢。窮達異宜。而皆有以養。故曰有餘。曰取足。然造化氤氳之理。爲人所不能盡曉。故又曰不知所從來也。）此謂德人之容。願聞神人。曰。上神乘光。與形滅亡。（光明故四達。形滅故無碍。）此謂照曠。（郭云。無我而任物。空虛無所懷者。非闇塞也。姚鼐云。晉人諱昭。皆書作照。右軍法帖皆爾。不知者乃因照字作解。可笑也。按。郭注非闇塞。正解昭字也。）致命盡情。（命即上文且然有間設之命之命。情即齊物論篇有情而無形之情。）天地樂而萬事銷亡。（與天地同樂。則妄計不起。而萬事可盡遣。）萬物復情。（皆復其本眞。）此之謂混冥。（混冥。無迹也。十二章。）

門無鬼與赤張滿稽觀於武王之師。（王先謙云。謂孟津之役。）赤張滿稽曰。不及有虞氏乎。故離此患也。（王先謙云。不及有虞之揖讓。故遭離征伐之患。）門無鬼曰。天下均治。而有虞氏治之邪。其亂而後治之與。（郭云。言二聖俱以亂故治之

則揖讓之與用師。直是時異耳。未有勝負於其間也。胡云。均平也。赤張滿稽曰。天下均治之爲願。而何計以有虞氏爲。郭云。均治則願各足矣。復何爲計有虞氏之德而推以爲君。有虞氏之藥瘍也。釋文。瘍。李云。頭創也。言創以喻亂。求虞氏藥治之。禿而施髢。病而求醫。髢。司馬云。髮也。宣云。不禿何用髢。不病何用醫。孝子操藥以修慈父。其色燋然。孫詒讓云。修借爲羞。鄉飲酒禮。乃羞無算爵。鄉飲酒義作修爵無數。是其例。釋詁。羞。進也。按。燋。借爲憔。聖人羞之。宣云。不如養親使不病也。至德之世不尚賢。不使能。郭云。賢當其位。非尚之也。能者自爲。非使之也。上如標枝。郭云。出物上而不自高。民如野鹿。郭云。放而自得。端正而不知以爲義。相愛而不知以爲仁。實而不知以爲忠。當而不知以爲信。郭云。率性自然。非由知也。蠢動而相使不以爲賜。郭云。用其自動。故動而不謝。是故行而無迹。事而無傳。郭云。任其自行。故無迹也。各止其分。故不傳教於彼也。按。此章論天下均治之爲願。不以亂而後治爲貴。十三章。

孝子不諛其親。忠臣不諂其君。臣子之盛也。君父最親。質而無文。親

之所言而然。所行而善。則世俗謂之不肖子。君之所言而然。所行而善。則世俗謂之不肖臣。而未知此其必然邪。滈朴漸漓。諛諂遂盛。故世謂之不肖也。然亦人情之所應爾。未可厚非。世俗之所謂然而然之。所謂善而善之。則不謂之道諛之人也。然則俗故嚴於親而尊於君邪。王念孫云。道即諂。荀子不苟篇。非諂諛也。賈子先醒篇。君好諂諛而惡至言。韓詩外傳引並作道諛。道與諂。一聲之轉。按。世俗之所是非。特群衆習染積久而成。未必爲眞是非。世人習焉不察。以爲固然。不有特立獨行之士。孰敢顯爲違戾。隨順世俗。與諂諛何異。諂諛君親。人知其非。諂諛世俗。則人不知其非。是則習俗之移人。其力有過於君親者已。此莊生之所致慨也。謂己道人則勃然作色。謂己諛人則怫然作色。而終身道人也。終身諛人也。合譬飾辭聚衆也。是終始本末不相坐。垂衣裳。設采色。動容貌以媚一世。而不自謂道諛。與夫人之爲徒。通是非。而不自謂衆人。愚之至也。人日處於習俗之中。不知其非。豈惟不知其非。且從而

贊之。晉人則以晉俗爲善。楚人則以楚語爲美。嗜蛇鼠者以爲勝於芻豢。尚荼毘者以爲淨於棺槨。是皆習俗爲之耳。而皆自以爲是。衆口一詞。是因果本末不相應也。衣裳采色容貌。皆隨俗趨舍。婘然媚世而不自謂道諛。亦可謂不知推矣。媚世者與人爲徒也。與人爲徒無以異衆。即是衆人。而儼然自謂有異於人。愚而不安於愚。是愚之至也。知其愚者非大愚也。知其惑者非大惑也。大惑者終身不解。大愚者終身不靈。知者謂順俗而知其非。違衆而合於道。是雖惑不惑也。大惑大愚者不然。無論從違皆心無所主。是以不解不靈也。三人行而一人惑所適者。猶可致也。按。致同至。惑者少也。二人惑則勞而不至。惑者勝也。而今也以天下惑。予雖有祈嚮。不可得也。不亦悲乎。世之知者少而愚者多。雖有先覺不足以醒群氓。此其所以可悲也。章云。詩大雅傳。祈。報也。釋詁。祈。告也。釋言。祈。叫也。嚮即今鄉導字。凡鄉導主報道路。故曰祈嚮。左傳有祈招祈望。義並同。大聲不入於里耳。折楊皇荂則嗑然而笑。大聲。司馬云。謂咸池六英之樂也。荂。本又作華。音花。李云。折楊皇華。皆古歌曲也。嗑。笑聲也。按。此即宋玉曲高和寡之喻。是故高言不止於衆人之心。至言不出。俗言勝也。郭云。此天下所以未曾用聖而常自用也。以二垂鍾惑而所適不得矣。二垂鍾。本作二缶鍾。

此從司馬本。馬其昶云。垂。邊也。二垂者。歧路也。王仲宣詩所謂路垂者也。按。鍾。聚也。歧路令人生惑。故不知其所適從也。此即楊朱多歧亡羊之喻。

而今也以天下惑。予雖有祈嚮。其庸可得邪。知其不可得也而強之。又一惑也。故莫若釋之而不推。不推。誰其比憂。厲之人夜半生其子。遽取火而視之。汲汲然唯恐其似己也。

釋文。厲。音賴。郭云。惡人也。按。天下既惑。又不信予之祈嚮。此亦無可如何之事。孔子困窮。耶穌見殺。皆緣於救世之惑。而莊子所謂又一惑也。然不有孔耶。世何由醒。哀已。然欲明道者。亦非強人以從己也。惟有任其衍進。不強爲之推挽。益趨利避害。人情類然。是予雖不推。世又誰肯自與憂暱近邪。所謂不推誰其比憂也。故以厲人生子爲喻。亦即郭注所謂迷者自思復。厲者自思善。故我無爲而天下化也。此章論媚世矯世皆非。以自化爲貴。十四章。

百年之木。破爲犧尊。青黃而文之。其斷在溝中。斷謂鑿尊所餘。棄於溝中。比犧尊於溝中之斷。則美惡有間矣。其於失性一也。跖與曾史行義有間矣。然其失性均也。劉師培云。跖上脱桀字。成疏亦有桀字。應補。且

夫失性有五。一曰五色亂目。使目不明。二曰五聲亂耳。使耳不聰。三曰五臭薰鼻。困惾中顙。困惾。李云。刻賊不通也。四曰五味濁口。使口厲爽。郭慶藩云。大雅思齊箋。厲。病也。廣雅。爽。傷也。五曰趣舍滑心。使性飛揚。此五者皆生之害也。而楊墨乃始離跂。離謂離於道。跂謂枝於理。自以爲得。非吾所謂得也。夫得者困。可以爲得乎。則鳩鴞之在於籠也。亦可以爲得矣。且夫趣舍聲色以柴其內。柴即砦寨塞字。言人爲聲色所惑。猶爲柴所隔閡。下同。皮弁鷸冠搢笏紳修以約其外。修字未詳。約。束縛也。內支盈於柴柵。外重纆繳。睆睆然在纆繳之中。睆睆。李云。窮相貌。而自以爲得。則是罪人交臂歷指。按。歷借爲櫪。說文。櫪。撕柙指也。段注。如今之拶指。而虎豹在於囊檻。亦可以爲得矣。此章論仁義失性。與馬蹄篇略同。十五章。

天道第十三

天道運而無所積。故萬物成。帝道運而無所積。故天下歸。聖道運而無所積。故海内服。釋文。積。謂滯積不通。郭云。此三者。皆恣物之性而無所牽滯也。按。内聖外王皆以天道爲法。服。讀若七十子之服孔子。明於天。通於聖。六通四辟於帝王之德者。其自爲也。昧然無不靜者矣。辟借爲闢。説文。開也。六四皆虚數。釋文謂指六氣四方。拘鑿矣。昧謂晦迹韜光。聖人之靜也。非曰靜也善。故靜也。王先謙云。非以靜爲善而學之。萬物無足以鐃心者。故靜也。奚云。鐃。借爲撓嬈字。説文。撓。擾也。嬈。苛也。一曰擾也。郭云。斯乃自得也。水靜則明燭鬚眉。平中準。奚云。準下應有繩字。大匠取法焉。水靜猶明。而況精神。聖人之心靜乎。王懋竑云。精神二字疑衍。天地之鑒也。萬物之鏡也。夫虛靜恬淡寂漠無爲者。天地之本而道德之至。本。各本作平。依藝文類聚引改。奚侗云。刻意篇至作

質。至乃質之假。史記蘇秦傳。趙得講於魏至公子延。索隱曰。至當作質。是其例證。文選陸士龍詩注。質。淳樸也。虛靜恬淡。寂漠無爲。所以爲淳樸也。按。下文有樸素而天下莫能與之爭美。正與此文質字相應。故帝王聖人休焉。宣云。息心。休則虛。虛則實。實則備矣。備。本作倫。馬敘倫云。闕誤引江南古藏本作備。虛則靜。靜則動。動則得矣。靜則無爲。按。此句靜字上應有虛字。無爲也則任事者責矣。郭云。夫無爲也。則群才萬品。各任其事而自當其責。故曰巍巍乎舜禹之有天下而不與焉。此之謂也。無爲則俞俞。俞俞者憂患不能處。年壽長矣。釋文。廣雅云。俞俞。喜也。宣云。外患不能居於其心。故神豫壽長夫虛靜恬淡寂漠無爲者。萬物之本也。明此以南鄉。堯之爲君也。明此以北面。舜之爲臣也。按。老莊之旨。君無爲。臣有爲。君臣異任以成其治。今乃謂明此以北面。則君臣皆無爲矣。則孰有爲哉。以此疑也。以此處上。帝王天子之德也。以此處下。玄聖素王之道也。成玄英云。有其道而無其爵。所謂玄聖素王也。姚鼐云。素王十二經是後人語。此亦可疑。以此退居而閒遊。江海山林之士服。以此進爲而撫世。則功大名

顯而天下一也。郭云。夫無爲之體大矣。天下何所不爲哉。故主上不爲冢宰之任。則伊尹靜而司尹矣。冢宰不爲百官之所執。則百官靜而御事矣。百官不爲萬民之所務。則萬民靜而安其業矣。萬民不易彼我之所能。則天下之彼我靜而自得矣。故自天子以下至於庶人。下及昆蟲。孰能有爲而成哉。靜而聖。動而王。無爲也而尊。樸素而天下莫能與之爭美。夫明白於天地之德者。此之謂大本大宗。與天和者也。所以均調天下。與人和者也。郭云。夫順天所以應人也。故天和至而人和盡也。與人和者謂之人樂。與天和者謂之天樂。成云。俯同塵俗。仰合自然。釋文。樂音洛。按。古音樂哀樂同字。此亦兼兩義。莊子曰。吾師乎。吾師乎。𩐋萬物而不爲戾。澤及萬世而不爲仁。長於上古而不爲壽。覆載天地刻彫衆形而不爲巧。王先謙云。六語又見大宗師篇。彼文戾作義。義者。秋殺有似暴戾也。按。彼文作許由語。此以爲莊子。是所引乃莊子書。則此章出後人手審已。此之謂天樂。故曰。知天樂者。其生也天行。其死也物化。靜而與陰同德。動而與陽同

波。按。莊子內篇無道陰陽之說者。以此疑也。故知天樂者無天怨。無人非。無物累。無鬼責。故曰。其動也天。其靜也地。郭云。動靜雖殊。無心一也。一心定而王天下。其鬼不祟。其魂不疲。王懋竑云。鬼當作魄。按。此即老子其鬼不神。其神亦不傷人之說。一心定而萬物服。言以虛靜推於天地。通於萬物。此之謂天樂。天樂者聖人之心。以畜天下也。按。畜。養也。聖人無爲。使天下人皆得其樂。以此養天下也。一章。

夫帝王之德。以天地爲宗。以道德爲主。以無爲爲常。無爲也則用天下而有餘。有爲也則爲天下用而不足。郭云。有餘者。閒暇之謂也。不足者。汲汲然欲爲物用也。欲爲物用。故可得而臣也。及其爲臣。亦有餘也。故古之人貴夫無爲也。上無爲也。下亦無爲也。是下與上同德。下與上同德則不臣。

按。謂僭王。下有爲也。上亦有爲也。是上與下同道。上與下同道則不主。按。謂侵官。上必無爲而用天下。下必有爲爲天下用。此不易之道也。郭云。主上無爲於親事而有爲於用臣。臣能親事。主能用臣。各當其能。則天理自然。非有爲也。雖舜禹爲臣。猶稱有爲。故對上下。則君靜而臣動。比古今。則堯舜無爲而湯武有事。夫在上者。患於不能無爲而代人臣之所司。使咎繇不得行其明斷。后稷不得施其播殖。則群才失其任而主上困於役矣。故絻旒垂目而付之天下。天下皆得其自爲。斯乃無爲而無不爲者也。按。老莊所謂無爲而無不爲。渾然一體。不見迹象。此處乃以之分屬君臣。義成兩橛。似失老莊之意。而與法家今用法術之說略近。他篇亦多似此之言。特此章詞尤顯露。故歐公謂全不似莊子也。故古之王天下者。知雖落天地。不自慮也。辯雖彫萬物。不自說也。能雖窮海內。不自爲也。章云。落。即今包絡字。彫借爲周。天不產而萬物化。地不長而萬物育。郭云。所謂自爾。帝王無爲而天下功。王念孫云。爾雅。功。成也。故曰莫神於天。莫富於地。按。神謂變異多。富謂蘊藏深。莫大於帝王。按。老子謂城中有四大。王居一焉。故曰帝王之德配天地。按。同乎無爲。此乘天地。馳萬物。

而用人群之道也。二章

本在於上。末在於下。要在於主。詳在於臣。按。無爲故要約。有爲故周詳。三軍五兵之運。德之末也。賞罰利害。五刑之辟。敎之末也。按。辟。法也。禮法度數。形名比詳。治之末也。釋文。比較詳審。鐘鼓之音。羽旄之容。樂之末也。哭泣衰經。隆殺之服。哀之末也。此五末者。須精神之運。心術之動。然後從之者也。馬其昶云。莊子論治道。精實如此。文中子云。虛玄長而晉室亂。非老莊之罪也。按。明乎本末先後而天道人事並盡矣。孰謂莊子明於天而不知人哉。末學者。古人有之。而非所以先也。君先而臣從。父先而子從。兄先而弟從。長先而少從。男先而女從。夫先而婦從。夫尊卑先後。天地之行也。故聖人取象焉。天尊地卑。神

明之位也。春夏先。秋冬後。四時之序也。萬物化作。萌區有狀。盛衰之殺。變化之流也。顧炎武云。萌區。即禮記樂記篇之區萌。月令。句者畢出。芒者盡達。古讀句如拘。萌即芒也。馬敘倫云。說文。區。踦區。藏匿也。區謂草木之在地中者。區之與句。猶歐之與欪矣。按。天尊地卑。聖人取象。純屬儒家思想。且明襲繫辭。以此爲疑也。夫天地至神。而有尊卑先後之序。而況人道乎。宗廟尚親。朝廷尚尊。鄉黨尚齒。行事尚賢。大道之序也。按。此即三達尊而益以尚親。墨子明鬼。出於清廟之守。又尚同尚賢。此殆莊子後學採墨家遺說以附益者。語道而非其序者。非其道也。語道而非其道者。安取道哉。哉字原脱。奚侗據闕誤文如海本補。是故古之明大道者。先明天而道德次之。道德已明而仁義次之。仁義已明而分守次之。分守已明而形名次之。王安石云。仁有先後。義有上下。謂之分。先不擅後。下不侵上。謂之守。形者。物此者也。名者。命此者也。形名已明而因任次之。王念孫云。淮南云。因循而任之。韓子云。因而任之。因任已明而原省

次之。俞云。原。察也。與省同義。原省已明而是非次之。是非已明而賞罰次之。賞罰已明而愚知處宜。貴賤履位。仁賢不肖襲情。王先謙云。各因其實。按。仁字疑衍。否則脫一字也。必分其能。必由其名。以此事上。以此畜下。以此治物。以此修身。知謀不用。必歸其天。此之謂大平。治之至也。故書曰。有形有名。形名者。古人有之。而非所以先也。古之語大道者。五變而形名可舉。九變而賞罰可言也。驟而語形名。不知其本也。驟而語賞罰。不知其始也。倒道而言。迕道而說者。人之所治也。安能治人。郭云。治人者必順序。驟而語形名賞罰。此有知治之具。非知治之道。可用於天下。不足以用天下。按。

言無精神心術以運動之也。此之謂辯士。一曲之人也。章云。一曲。一藝也。禮記所謂苗藝。非一隅之謂。禮法數度。形名比詳。古人有之。此下之所以事上。非上之所以畜下也。三章。

昔者舜問於堯曰。天王之用心何如。堯曰。吾不敖無告。不廢窮民。馬敍倫云。治要引敖上無不字。又引尸子綽子篇。堯養無告。說文。養。重文作敎。則敖或敎之譌。後人以堯敖無告爲非事實。因加不字耳。又不廢之不亦疑衍。廢蓋借爲拔也。苦死者。嘉孺子而哀婦人。此吾所以用心已。舜曰。美則美矣。而未大也。堯曰。然則何如。舜曰。天德而出寧。章云。德音同登。說文。德。升也。升卽登。公羊隱五年傳。登來亦作得來。釋詁。登。成也。出爲土之誤。天登而土寧。猶言地平天成。與下日月照而四時行相儷。日月照而四時行。若晝夜之有經。雲行而雨施矣。堯曰。膠膠擾擾乎。郭云。自嫌有事。子。天之合也。我。人之合也。按。堯詞止此。下

則爲莊子語。夫天地者古之所大也。按。老子謂域有四大。而天地居其二。而黃帝堯舜之所共美也。故古之王天下者奚爲哉。天地而已矣。四章。

孔子西藏書於周室。子路謀曰。由聞周之徵藏史有老聃者。免而歸居。夫子欲藏書。則試往因焉。釋文。藏書。司馬云。藏其所著書也。徵藏。藏名也。一云。徵。典也。史。藏府之史。老子見周之末不復可匡。所以辭去也。姚鼐云。藏書者。謂聖人知有秦火。故預藏之。所謂藏之名山也。此漢人語。馬敘倫云。仲尼見老聃。本書天運篇謂在五十一歲。尋孔子五十二歲方爲中都宰。何有著書之事。司馬說非矣。林希一謂言西至周欲觀其藏書也。似爲得之。按。林說雖稍平易近人。然在此處於文義不協。姚說似爲近之。孔子曰。善。往見老聃。而老聃不許。於是繙十二經以說。馬敘倫云。繙借爲播。說文。敷也。釋文。十二經。說者云。六經六緯。合爲十二經也。一說云。易上下經並十翼爲十二。又一云。春秋十二公經也。按。後二說強合十二之數。不足據。西漢今文家喜讖緯。故合言十二經也。似此章是漢人所附益。老聃中其說。曰。大謾。願聞其要。按。中謂中止其說。或讀中爲得。似非。孔子曰。要在仁義。老聃曰。請問仁義人之性邪。孔子曰。然。君

子不仁則不成。不義則不生。仁義。眞人之性也。又將奚爲矣。老聃曰。請問何謂仁義。孔子曰。中心勿愷。兼愛無私。此仁義之情也。勿。本作物。此從亦本。章云。勿蓋易之誤。奚云。易。和易也。愷。樂也。中心易愷。謂中心和樂。按。兼愛之說。本出墨子。非孔子所宜言。下文郭象亦以墨義爲解。皆寄言也。老聃曰。意。幾乎後言。夫兼愛不亦迂乎。無私焉乃私也。按。意同噫。下同。幾。危也。後言夫兼愛者。以孔子先言易愷。復言兼愛。斤斤焉以愛人爲事。不知放道而行。愛自周洽。何待於兼。故以爲迂。道本無私。今曉曉焉以無私自鳴。正是私也。郭象云。世所謂無私者。釋己而愛人。夫愛人者。欲人之愛己。此乃甚私。非忘公而公也。夫子若欲使天下無失其牧乎。則天地固有常矣。日月固有明矣。星辰固有列矣。禽獸固有群矣。樹木固有立矣。夫子亦放德而行。循道而趨已至矣。又何偈偈乎揭仁義若擊鼓而求亡子焉。意。夫亂人之性也。馬敘倫云。天運篇亦箸孔老問答。老子曰。吾子使天下無失其朴。此作牧者。借爲朴也。放。說文。逐也。按。放

。傍也。依也。釋文。偈偈。用力貌。五章。

士成綺見老子而問曰。吾聞夫子聖人也。吾固不辭遠道而來願見。百舍重趼而不敢息。馬敍倫云。固讀爲故。釋文。趼。古顯反。司馬云。胝也。今吾觀子非聖人也。鼠壤有餘蔬。而妹之者不仁也。司馬云。蔬讀爲糈。糈。粒也。妹之者。本作棄妹。此從一本。奚云。釋名。妹。末也。漢書谷永傳。末殺災異。師古注。末殺。掃滅也。字或作抹。字林。抹。摋滅也。按。餘糈任鼠竊食。抹棄不顧。暴殄天物。故疑其爲不仁也。生熟不盡於前。而積斂無崖。成云。生謂粟帛。熟謂飲食。按。資生之物。已充裕有餘。猶聚斂不已。故疑其貪得也。老子漠然不應。按。邀食於地。邀樂於天。生活優裕。固不足羨。亦不足異。今綺不知問道。而以奢儉爲意。故鄙而不答之也。士成綺明日復見曰。昔者吾有刺於子。今吾心正郤矣。何故也。釋文。郤。息也。老子曰。夫巧知神聖之人。吾自以爲脫焉。馬敍倫云。脫借爲蛻。說文。蛇蟬所解皮也。此即今人所用兔字。昔者子呼我牛也。而謂之牛。呼我馬也。而謂之馬。

苟有其實。人與之名而弗受。再受其殃。吾服也恆服。吾非以服有服。

按。服。屈服也。苟有其實。焉敢辭毀。吾是以恆服也。苟無其實。何服之有。故不答也。非以服有服者。有讀爲爲。言亦不欲借己之服以屈人也。

士成綺雁行避影履行。遂進而問修身若何。

不及脫履。言其倉促。

老子曰。而容崖然。而目衝然。而顙頯然。而口闞然。而狀義然。似繫馬而止也。動而持。發也機。察而審。知巧而覩於泰凡。

崖然。自異。衝然。瞠視之貌。顙。本作頯。此從又本。郭云。高露發美之貌。章云。闞借爲凵。說文。張口貌。義讀峨。說詳大宗師篇。繫馬而止之。謂其志在奔馳。不能寧靜也。動而持。謂不能自舒放也。發也機句。也疑當作而。乃與前後文例一律。機。警也。察而審。謂明是非也。凡字舊連下讀。誤。吳摯甫屬上讀。是也。泰凡。大凡也。郭云。凡此十事。皆非修身之道。

以爲不信。

馬其昶云。以爲不信。啓下之詞。按。言如不信我說。則有下邊人爲證也。

邊境有人焉。其名爲竊。

馬敘倫云。荀子解蔽篇。空石之中有人焉。其名曰觙。其爲人善射以好思。鄧廷楨曰。觙當作伋。孔伋。字子思。名字相應。此所謂竊。即荀子所謂觙。乃好思之人。非盜竊之義也。空石即窮石。山海經、離騷、淮南子並謂弱水出於窮石。說文謂弱水自張掖刪丹至酒泉合黎漢之刪丹。今甘肅山丹縣。說文次竊於鄐善下。固謂西北邊地。空石既是邊地。則竊觙是一非二。

六章。

老子曰。夫道於大不終。（馬敘倫云。終借爲崇。）於小不遺。故萬物備。廣廣乎其無不容也。淵淵乎其不可測也。（淵本不重。此依闕誤引江南古本補。）形德仁義。神之末也。非至人孰能定之。夫至人有世。不亦大乎。（馬敘倫云。有世。依郭注當作用世。）而不足以爲之累。天下奮棅而不與之偕。（釋文。棅音柄。司馬云。威權也。）審乎無假而不與利遷。（馬敘倫云。利當依德充符篇作物。與利之古文𥝢形近。）極物之眞。能守其本。故外天地。遺萬物。而神未嘗有所困也。通乎道。合乎德。退仁義。賓禮樂。（俞云。賓讀爲擯。）至人之心有所定矣。（七章。）

世之所貴道者書也。書不過語。語有貴也。語之所貴者意也。意有所隨。意之所隨者。不可以言傳也。而世因

貴言傳書。世雖貴之。我猶不足貴也。爲其貴非其貴也。故視而可見者。形與色也。聽而可聞者。名與聲也。悲夫。世人以形色名聲爲足以得彼之情。夫形色名聲果不足以得彼之情。則知者不言。言者不知。而世豈識之哉。桓公讀書於堂上。輪扁斲輪於堂下。釋椎鑿而上問桓公曰。敢問公之所讀者何言邪。公曰。聖人之言也。曰。聖人在乎。公曰。已死矣。曰。然則君之所讀者。古人之糟粕已夫。桓公曰。寡人讀書。輪人安得議乎。有說則可。無說則死。輪扁曰。臣也以臣之事觀之。斲輪徐則甘而不固。疾則苦而不入。（按。甘苦猶言勞逸。舊說多誤。）不徐

不疾。得之於手而應於心。口不能言。有數存焉於其間。臣不能以喻臣之子。臣之子亦不能受之於臣。是以行年七十而老斲輪。古之人與其不可傳也死矣。然則君之所讀者。古人之糟粕已夫。按。莊勉人求眞知。勿爲文字所囿。非不求知。而舊注以爲絕學去知。失莊旨也。八章。

天運第十四

天其運乎。地其處乎。日月其爭於所乎。按。其通豈。孰主張是。孰維綱是。孰居無事推而行是。奚云。推而應作而推。意者其有機緘而不得已邪。意者其運轉而不能自止邪。雲者爲雨乎。雨者爲雲乎。孰隆施是。按。隆謂雲升、施謂雨降也。孰居無事淫樂而勸是。釋文。勸。司馬云。讀隨。隨天往來運轉無已也。按。隨與施韻。作如字者誤。風起北方。一西一東。在上

彷徨。在。本作有。闕誤張君房本作在。孰噓吸是。孰居無事而披拂是。釋文。披拂。風貌。

敢問何故。巫咸袑曰。宣云。袑借爲招。按。此離騷懷椒糈而要巫咸之意。殆即近世扶乩請神之類。來。吾語女。天有六極五常。俞云。六極五常。疑即洪範之五福六極也。士虞禮。薦此常事。鄭注。古文常爲祥。祥即福也。下曰九洛之事。其即禹所受洛書九事乎。帝王順之則治。逆之則凶。九洛之事。治成德備。監照下土。天下戴之。戴。本作載。此從黎刻。此謂上皇。按。此章前以天象發問。明襲屈原天問而無其恢皇。答者亦應就天象解釋。如柳子厚天對之比。而巫咸所答。但言治成德備。舍天而言人。蓋當時人類知識。尚不足以解釋此類問題。祇應存而不論。不爲強說。所謂知止於其所不知也。倘遇黃繚惠施之儔。必將不辭而應。不慮而對。又巫咸所不恤也。姑舉大禹箕子之疇。以塗民耳目而取神器。所謂順天治者。如是而已。勿詑其深邃也。一章。

商大宰蕩問仁於莊子。莊子曰。虎狼仁也。曰。何謂也。莊子曰。父子相親。何爲不仁。曰。請問至仁。莊子曰。至仁無親。郭云。無親者。非薄德之謂也。夫人之一體。非有親也。而首自在上。足自處下。府藏居內。皮毛在外。於其體中各任其極。而未有親愛於其間也。然

至仁足矣。故五親六族。賢愚遠近。不失分於天下者。理自然也。又奚取於有親哉。大宰曰。蕩聞之。無親則不愛。不愛則不孝。謂至仁不孝。可乎。莊子曰。不然。夫至仁尚矣。孝固不足以言之。按。仁全孝偏。故孝不足以擬仁。此非過孝之言也。不及孝之言也。按。謂太宰論孝。失之淺近。不足盡孝之理。夫南行者至於郢。北面而不見冥山。是何也。則去之遠也。故曰。以敬孝易。以愛孝難。陳壽昌云。敬見於外故易。愛發於中故難。以愛孝易。而忘親難。忘親易。使親忘我難。使親忘我易。兼忘天下難。兼忘天下易。使天下兼忘我難。胡遠濬云。愛適親而止。則終日不自識。故忘親。令親自適而止。故忘我。愛天下亦復如是。所云易難者。以親疏寡衆己人差之耳。夫德遺堯舜而不爲也。奚云。詩北風。政事一埤遺我。毛傳。遺。加也。利澤施於萬世。天下莫知也。王先謙云。德遺堯舜而不爲。我忘天下也。天下莫知。天下忘我也。豈直太息而言仁孝乎哉。郭云。失於江湖。乃思濡沫。夫孝悌

仁義忠信貞廉。此皆自勉以役其德者也。不足多也。故曰至貴。國爵幷焉。郭云。幷。除弃之謂也。朱駿聲云。此借爲姘。至富。國財幷焉。至願。名譽幷焉。奚云。願係顯之誤。本篇老聃曰。以富爲是者。不能讓祿。以顯爲是者。不能讓名。庚桑楚篇。貴富顯嚴名利六者。勃志也。皆足爲願應作顯之證。是以道不渝。按。道爲事理之根本。事理萬變。根本不易。二章。

北門成問於黃帝曰。帝張咸池之樂於洞庭之野。吾始聞之懼。復聞之怠。卒聞之而惑。蕩蕩默默乃不自得。帝曰。女殆其然哉。陳壽昌云。喜而訝之之詞。吾奏之以人徽之以天。徵。今本作徽。釋文謂古本多作徵。馬敘倫云。文選文賦注引淮南許愼注云。鼓琴循弦曰徵。行之以禮義。建之以大淸。夫至樂者。先應之以人事。順之以天理。行之以五德。應之以自然。然後調理四時。太和萬物。蘇轍云。夫至樂者以下三十五字。是注文。四時迭

起。萬物循生。一盛一衰。文武倫經。章云。倫經猶經綸。易作經論。一淸一濁。陰陽調和。流光其聲。馬其昶云。光讀爲廣。蟄蟲始作。吾驚之以雷霆。其卒無尾。其始無首。一死一生。一僨一起。所常無窮。而一不可待。俞云。一皆也。女故懼也。吾又奏之以陰陽之和。燭之以日月之明。其聲能短能長。能柔能剛。變化齊一。不主故常。在谷滿谷。在阬滿阬。塗郤守神。釋文。郤與隙義同。以物爲量。其聲揮綽。按。揮綽猶揮斥。田子方篇。揮斥八極。注。猶縱放也。其名高明。是故鬼神守其幽。日月星辰行其紀。吾止之於有窮。流之於無止。予欲慮之而不能知也。望之而不能見也。逐之而不能及也。儻然立於四虛之道。按。儻借爲矘。直視也。倚於槁梧而

吟。目知窮乎所欲見。（馬敍倫云。此句上有脫誤。按。宜衍知字。）力屈乎所欲逐。吾既不及已矣。（吳汝倫云。吾者。代北門成爲詞。按。矣。本作夫。此從宋本。）形充空虛乃至委蛇。女委蛇故怠。吾又奏之以無怠之聲。調之以自然之命。故若混逐叢生。林樂而無形。（章云。漢避諱改隆慮爲林慮。說文。隆。豐大也。）布揮而不曳。幽昏而無聲。動於無方。居於窈冥。或謂之死。或謂之生。或謂之實。或謂之榮。行流散徙。不主常聲。世疑之稽於聖人。聖也者。達於情而遂於命也。天機不張而五官皆備。此之謂天樂。無言而心說。故有焱氏。（釋文。焱。必遙反。本亦作炎。）爲之頌曰。聽之不聞其聲。視之不見其形。充滿天地。苞裹六極。女欲聽之而無接焉。而故惑也。樂也者。始

於懼。懼故祟。吾又次之以怠。怠故遁。卒之於惑。惑故愚。愚故道。道可載而與之俱也。按。本章以樂喻道。古人對於音樂。感受最深。驚其神奇而莫測其由。故聖王兼重禮樂以化導民。觀於今世未開諸族。酷嗜樂舞。則上世尊樂之盛況。可推知矣。此文極論音樂之效。亦由此也。詞多比況。迷離惝恍。此緣古人文字樸拙。又好發神祕之論。以爲矜尚。其他經子。類此之文尚多。讀者不察。或信其眞。或笑其誣。皆未明古今之異也。然必不出莊生之手。而爲後學所附益。則可決矣。 三章。

孔子西遊於衛。顏淵問師金曰。以夫子之行爲奚如。師金曰。惜乎。而夫子其窮哉。顏淵曰。何也。師金曰。夫芻狗之未陳也。盛以篋衍。章云。衍借爲鞬或作健。是其例。鞬所以戢弓矢。引申爲凡革囊之稱。巾以文繡。尸祝齊戒以將之。及其已陳也。行者踐其首脊。蘇者取而爨之而已。將復取而盛以篋衍。巾以文繡。遊居寢臥其下。彼不得夢且必數眯焉。按。芻狗亦見老子。王注以爲二物。此則指祭神之品。舊注所謂結草爲狗。巫祝用

之者也。然古今儀制及世俗所行。未聞以草狗祭祠者。則王弼不用莊説。未爲無見。識者詳之。今而夫子亦取先王已陳芻狗。聚弟子遊居寢卧其下。聚。本作取。據黎刻本改。故伐樹於宋。削迹於衛。窮於商周。是非其夢邪。圍於陳蔡之間。七日不火食。死生相與鄰。是非其眯邪。郭云。先王典禮所以適時用也。時過而不棄。即爲民妖。夫水行莫如用舟。而陸行莫如用車。以舟之可行於水也。而求推之於陸。則沒世不行尋常。古今非水陸與。周魯非舟車與。今蘄行周於魯。是猶推舟於陸也。勞而無功。身必有殃。彼未知夫無方之傳。應物而不窮者也。按。傳。符信也。漢書文帝紀。除關無用傳。注。張晏曰。傳。信也。若今過所也。師古曰。古者或用棨。或用繒帛。按。即今世行旅護照耳。有專用者。時地有限制。有通用者。可周行無阻。此無方之傳。殆指可通用之護照。以喻道大可應物而不窮。且子獨不見夫桔槔者乎。引之則俯。舍之則仰。彼人之所

引。非引人也。故俯仰而不得罪於人。故夫三皇五帝之禮義法度。不矜於同而矜於治。成云。矜。美也。馬敘倫云。矜借爲兢。故譬三皇五帝之禮義法度。其猶柤梨橘柚邪。按。柤借爲樝。其味相反而皆可於口。故禮義法度者。應時而變者也。今取猨狙而衣以周公之服。彼必齕齧挽裂盡去而後慊。朱駿聲云。慊借爲愜。觀古今之異。猶猨狙之異乎周公也。故西施病心而矉其里。其里之醜人見而美之。歸亦捧心而矉其里。其里之富人見之。堅閉門而不出。貧人見之。挈妻子而去走。彼知矉美而不知矉之所以美。釋文引通俗文云。蹙頞曰矉。按。各本前後兩其里字皆疊。御覽三九二七四一兩引皆不疊。惜乎。而夫子其窮哉。按。此章莊子之意。以爲宜求新知以適時用。勿可拘泥於古耳。非謂不求知也。而舊注以爲皆絕聖棄知之意。似失莊旨。四章。

孔子行年五十有一而不聞道。乃南之沛見老聃。老聃曰。子來乎。吾聞子北方之賢者也。子亦得道乎。孔子曰。未得也。老子曰。子惡乎求之哉。曰。吾求之於度數。五年而未得也。老子曰。子又惡乎求之哉。曰。吾求之於陰陽。十有二年而未得。老子曰。然。使道而可獻。則人莫不獻之於其君。使道而可進。則人莫不進之於其親。使道而可以告人。則人莫不告其兄弟。使道而可以與人。則人莫不與其子孫。然而不可者。無它也。中無主而不止。外無正而不行。由中出者不受於外。聖人不出。由外入者無主於中。聖人不隱。俞云。正乃匹之誤。禮緇衣。唯君子能好其正。鄭注。

正當爲匹字之誤也。是其例矣。此二句與宣三年公羊傳自內出者無匹不行。自外至者無主不止。文義相似。按。度數指禮樂。陰陽指周易。度數陰陽中未嘗無道。然徒求於外。非能得道也。故以旅行爲喩。旅人至一地。倘無人爲主。則不克安其居。故曰中無主而不止。且孑身長征。別無伴侶。亦不利有攸往。故曰外無匹而不行也。以求道言。則中無主者逐物於外。而無心以爲之主也。外無匹者謂師心自用。而不知因物於外也。皆有所偏。聖人不由也。道不可獻。不可進。謂道宜自證。非由外樂而得。亦非不求學。舊注謂明絕學之義。似非。章云。隱借爲悪。依據也。

名。公器也。不可多取。按。名謂名言。亦即文字。舊注謂毀譽之名。似非。仁義。先王之蘧廬也。止可以一宿。而不可久處。覯而多責。孫詒讓云。蘧借爲遽。說文。傳也。周禮行夫。鄭注傳遽云。若今時乘傳騎驛而使者也。按。廬即中田有廬之廬。田時居之。亦非可久處者。舊注以蘧廬爲一。似非也。覯而多責者。蘧廬偶住可喜。久則生嫌也。古之至人。假道於仁。託宿於義。以遊消搖之虛。食於苟簡之田。立於不貸之圃。消搖無爲也。苟簡易養也。不貸無出也。古者謂是采眞之遊。以富爲是者。不能讓祿。貪夫殉財。以顯爲是者。不能讓名。烈士殉名。親權者不能與人柄。夸者死權。操之則慄。舍之則悲。

患得患失。而一無所鑒以闚其所不休者。是天之戮民也。宣云。於理一無所見。

但明於逐物不止。怨恩取與諫敎生殺。八者正之器也。唯循大變無所湮者爲能用之。孫詒讓云。大變借爲大弁。顧命。率循大弁。王肅僞孔皆訓大法。此亦同義。湮者。李云。滯也。司馬云。疑也。故曰。正者正也。其心以爲不然者。天門弗開矣。釋文。天門。一云。謂心也。一云。大道也。按。上云其心以爲不然。則天門不得仍指心。以次說者勝。五章。

孔子見老聃而語仁義。老聃曰。夫播糠眯目。則天地四方易位矣。蚉蝱噆膚。則通昔不寐矣。昔夕古通。夫仁義憯然乃憒吾心。亂莫大焉。憯。憂也。憒。亂也。憒本作憤。此從又本改。吾子使天下無失其朴。吾子亦放風而動。總德而立矣。風借爲凡。謂依傍大凡而行也。又奚傑傑然若負建鼓而求亡子者邪。傑。各本不重。此從闕誤張君房本增。與天道篇偈偈同意。夫鵠不日浴

而白。烏不日黔而黑。黑白之朴。不足以爲辯。章云。辯。古以爲徧字。與廣爲偶語。名譽之觀。不足以爲廣。泉涸。魚相與處於陸。相呴以濕。相濡以沫。不若相忘於江湖。大宗師篇泉涸五句。即此文錯簡。彼文下有與其譽堯而非桀也。不如兩忘而化其道兩句。亦當在此下。郭云。夫非譽皆生於不足。故至足者忘美惡。遺死生。與變化爲一。曠然無不適矣。又安知堯桀所在邪。

六章。

孔子見老聃歸。三日不談。弟子問曰。夫子見老聃亦將何規哉。孔子曰。吾乃今於是乎見龍。龍合而成體。散而成章。乘乎雲氣而養乎陰陽。予口張而不能嗋。舌舉而不能訒。奚云。闕誤引江南古藏本有舌舉而不能訒六字。當據補。說文。訒。頓也。予又何規老聃哉。子貢曰。然則人固有尸居而龍見。尸居猶言伏處。說詳在宥篇。雷聲而淵默。奚云。在宥篇作淵默而雷聲。是也。發動如天地者乎。賜亦可得而觀乎。遂以孔子聲

見老聃。奚云。左文六年傳。樹之風聲。注疏皆云聲教也。老聃方將倨堂而應。此文當從六帖引。以應字斷句。微字屬下句讀。言其語氣甚微。微曰。予年運而往矣。子將何以戒我乎。子貢曰。夫三王五帝之治天下不同。其係聲名一也。而先生獨以爲非聖人如何哉。老聃曰。小子少進。子何以謂不同。對曰。堯授舜。舜授禹。禹用力而湯用兵。文王順紂而不敢逆。武王逆紂而不肯順。故曰不同。老聃曰。小子少進。余語女三皇五帝之治天下也。昔黃帝之治天下。也昔二字。依姚校本增。使民心一。民有其親死不哭。而民不非也。郭云。若非之則強哭。堯之治天下。使民心親。民有爲其親殺其殺。而民不非也。郭云。殺。降也。按。謂儀文之末。可簡者則從簡也。舜之治天下。使民心競。民孕婦十月

生子。馬敍倫云。孕婦上疑衍民字。子生五月而能言。言早慧。且教之速。不至乎孩而始誰。郭云。誰者。別人之意也。按謂幼稚已嚴人己之界。或說。誰者。誰何也。言兒童已知訶拒人。則人始有夭矣。郭云。不能同彼我。則心競於親疏。故不終其天年也。禹之治天下。使民心變。人有心而兵有順。馬其昶云。人有心。謂人各有心。章云。順借爲訓。古字通用。按謂整軍經武。戰爭斯啓。殺盜非殺人。孫詒讓云。荀子正名篇。殺盜非殺人。楊注。亦見莊子。按墨子亦有此語。謂所殺者盜。非常人。郭讀人字屬下。非自爲種而天下耳。奚云。種借爲重。耳借爲聑。方言。楊越之郊。凡人相侮以爲無知曰聑。此言重己輕人。按。舊說多支離。奚說較善。是以天下大駭。儒墨皆起。其作始有倫。而今乎婦。奚云。乎借爲焉。安也。婦乃帰之誤。此言舜禹之治天下。其作始固有倫序。而今安所帰邪。女何言哉。女汝同。郭讀如字。謂以女爲婦而上下悖逆。似失之。余語女三皇五帝之治天下。名曰治之。而亂莫甚焉。三皇之知。上悖日月之明。下睽山川之精。中墮四時之施。其知憯於蠆之尾。鮮規之獸。莫得安其性命之情者。而猶自以爲聖

人。不可恥乎。其無恥也。子貢蹵蹵然立不安。釋文。蹵蹵。或云。依字。上當作蹵。下當作蹴。鮮規之獸。李云。鮮規。明貌。一云。小獸也。郭云。子貢本謂老子獨絕三王。故欲同三王於五帝耳。今又見老子通毀五帝。上及三皇。則失其所以爲談矣。七章。

孔子謂老聃曰。丘治詩書禮樂易春秋六經。自以爲久矣。孰知其故矣。孰即熟字。以奸七十二君。馬敘倫云。奸借爲迂。說文。迂。進也。論先王之道。而明周召之迹。一君無所鉤用。章云。鉤借爲取。甚矣夫。人之難說也。道之難明邪。老子曰。幸矣。子之不遇治世之君也。夫六經先王之陳迹也。豈其所以迹哉。今子之所言。猶迹也。夫迹。履之所出。而迹豈履哉。夫白鶂之相視。眸子不運而風化。蟲雄鳴於上風。雌應於下風而風化。類自爲雌雄故風化。性不可易。命不可變。時

不可止。道不可壅。苟得於道。無自而不可。失焉者。無自而可。風。讀若風馬牛之風。謂鳥獸孳尾。動物孳生。皆由自然。以證造化之妙。無待人力也。然眸子相視。鳴聲應和。及下文傅沫祝蟲諸說。則古人觀察之誤。當時有此傳說。姑舉爲證。勿可拘執。孔子不出三月復見曰。丘得之矣。烏鵲孺。魚傅沫。細要者化。有弟而兄啼。有弟而兄啼。舊注謂人性舍長而視幼。故啼。其說固非。近人或謂生物進化。新種起而舊種衰。天道後起者勝。此說勝於舊注。然本文既簡。意又極晦。未知果如此否。舊籍此類。祇宜暫置勿論也。久矣夫丘不與化爲人。不與化爲人。兩人字皆爲偶。安能化人。老子曰。可。丘得之矣。本章大意謂陳迹不足貴。應循造化之自然耳。文既簡質。所舉生物風化。亦不合情實。而世人以其難解。遂詫爲非莊子不能爲。又以爲意深語妙。何其可笑也。八章。

淮陰　范耕研　伯子

刻意第十五

刻意尚行。離世異俗。高論怨誹。爲亢而已矣。此山谷之士。非世之人。（宣云。非。輕也。）枯槁赴淵者之所好也。語仁義忠信恭儉推讓爲修而已矣。此平世之士。（按。平借爲辨。治也。俗作辦。平世猶言治世也。）敎誨之人。遊居學者之所好也。語大功。立大名。禮君臣。正上下。爲治而已矣。此朝廷之士。尊主彊國之人。致功并兼者之所好也。就藪澤。處閒曠。釣魚閒處。無爲而已矣。（奚云。無爲。當作爲無。說文。無。亡也。亡。逃也。謂逃世也。）此江海之士。避世

之人。閒暇者之所好也。吹呴呼吸。漢書王褒傳。呴噓呼吸如僑松。注。呴噓。皆張口出氣也。呴本呴之或體。無噓吹義。朱駿聲謂此借呴爲欨。說文。欨。吹也。吐故納新。熊經鳥申。爲壽而已矣。此道引之士。養形之人。彭祖壽考者之所好也。郭云。此數子者。所好不同。恣其所好。各之其方。亦所以爲消搖也。然此僅各自得。焉能靡所不樹哉。若夫使萬物各得其分而不自失者。故當付之無所執爲也。若夫不刻意而高。無仁義而修。無功名而治。無江海而閒。不道引而壽。無不忘也。無不有也。郭嵩燾云。忘乃亡之借。無也。澹然無極。而衆美從之。此天地之道。聖人之德也。故曰。夫恬惔寂漠。虛無無爲。此天地之本。原作天地之平。此從類聚引改。而道德之質也。故曰聖人休焉。休則平易矣。次休字各本誤在焉字上。依闕誤引張君房本乙。平易則恬惔矣。平易恬惔。則憂患不能入。邪氣不能襲。故其德全而神不虧。故

曰。聖人之生也天行。其死也物化。靜而與陰同德。動而與陽同波。不爲福先。不爲禍始。感而後應。迫而後動。不得已而後起。去知與故。故。詐也。巧也。循天之理。故無天災。無物累。無人非。無鬼責。其生若浮。其死若休。不思慮。不豫謀。光矣而不耀。信矣而不期。其寢不夢。其覺無憂。其神純粹。其魂不罷。虛無恬惔。乃合天德。故曰。悲樂者德之邪。喜怒者道之過。好惡者德之失。劉文典云。德之失與德之邪複。應作心之失。淮南子原道篇、精神篇、文子九守篇。皆以道德心三者並言。是其證。故心不憂樂。德之至也。一而不變。靜之至也。無所於忤。虛之至也。不與物交。惔之至也。無所於逆。粹之至也。故曰。形勞

而不休則弊。精用而不已則勞。勞則竭。水之性不雜則清。莫動則平。鬱閉而不流。亦不能淸。天德之象也。故曰。純粹而不雜。靜一而不變。惔而無爲。動而以天行。此養神之道也。夫有干越之劍者。柙而藏之。不敢用也。寶之至也。精神四達並流。奚云。並借爲旁。說文。溥也。無所不極。上際於天。下蟠於地。化育萬物。不可爲象。其名爲同帝。純素之道。唯神是守。守而勿失。與神爲一。一之精通。合於天倫。野語有之曰。衆人重利。廉士重名。賢人尙志。聖人貴精。故素也者。謂其無所與雜也。純也者。謂其不虧其神也。能體純素。謂之眞人。本篇言世人各有所偏。眞人

獨能養神。去知與故。循天之理。故無諸人之弊。而有其效。駢拇、馬蹄、胠篋、刻意、繕性。皆一意到底。與後世論說文絕相似。莊子他篇皆雜舉事類。連綴爲文。知此出後人增益矣。

繕性第十六

繕性於俗。學以求復其初。馬敘倫云。繕借爲飾。按。各本重俗字。闕誤引張君房本。又崇德書院本。皆不重。是也。徑刪。滑欲於俗。思以求致其明。釋文。滑。亂也。按。兩俗字句絕。或讀至學字思字者誤。謂之蔽蒙之民。古之治道者。以恬養知。宣云。定能生慧。知生而無以知爲也。謂之以知養恬。各本無句首知字。闕誤張君房本有。是也。徑增。謂無心而知自生。故郭注謂任其自知。是莊生之意並不惡知。特惡有心造爲之知耳。各本脫知字。遂以莊子爲無以知爲。失莊旨矣。智生而不任智。是以智養其恬靜。知與恬交相養。而和理出其性。知恬交養。猶佛家所謂般若波羅蜜。雖有知慧。無所用之。謂不以私智小慧惑世誣民也。知莊子固非言然反對知識者。司馬承禎云。恬知則定慧也。和理則道德也。夫德。和也。道。理也。德無不容。仁也。道無不理。義也。義明而物親。忠也。中純實而反乎情。樂也。信行容體而順乎文。禮

也。禮樂偏行。則天下亂矣。偏。本作徧。闕誤江南古藏本作徧。是也。徑正。彼正而蒙己德。德則不冒。冒則物必失其性也。古之人在混芒之中。與一世而得澹漠焉。當是時也。陰陽和靜。鬼神不擾。四時得節。萬物不傷。羣生不夭。人雖有知。無所用之。此之謂至一。當是時也。莫之爲而常自然。逮德下衰。及燧人伏羲始爲天下。是故順而不一。德又下衰。及神農黃帝始爲天下。是故安而不順。德又下衰。及唐虞始爲天下。興治化之流。澆湻散朴。釋文。澆。本亦作澆。離道以善。險德以行。奚云。善字當依淮南俶眞訓作僞。僞即爲。謂作爲也。然後去性而從於心。宣云。舍天性。用人心。心與心識知而不足以定天下。俞云。詩。不識不知。識知二字連文。言必不識不知而後可定天下。諸家從識字斷

句非。然後附之以文。益之以博。文滅質。博溺心。然後民始惑亂。無以反其性情而復其初。由是觀之。世喪道矣。道喪世矣。世與道交相喪也。道之人何由興乎世。世亦何由興乎道哉。奚云。之人二字誤衍。道無以興乎世。世無以興乎道。雖聖人不在山林之中。其德隱矣。成云。聖德莫能見用。雖居朝市。無異山林。按。此傷世之無道也。隱故不自隱。馬其昶云。故同固。古之所謂隱士者。非伏其身而弗見也。非閉其言而不出也。非藏其知而不發也。時命大謬也。當時命而大行乎天下。則反一無迹。不當時命而大窮乎天下。則深根寧極而待。此存身之道也。古之存身者。不以辯飾知。按。世之眞知。豈特飾哉。惟邪說詭詞。人所不信。則必塗澤張皇。以簧鼓天下之耳目。此所謂以辯飾知也。不以知窮

天下。（故縣高衡。使人不可及。謬爲玄妙。使人不可解。然後責人聽從。則人幾何而不困也。此所謂以知窮天下。）不以知窮德。（人生有涯而知無涯。逐物無已。敝精疲神。於性命曾無所得。此所謂以知窮德也。）危然處其所而反其性。己又何爲哉。道固不小行。德固不小識。小識傷德。小行傷道。故曰。正己而已矣。樂全之謂得志。古之所謂得志者。非軒絻之謂也。謂其無以益其樂而已矣。今之所謂得志者。軒絻之謂也。軒絻在身。非性命有之也。（各本無有之二字。茲從闕誤張君房本增。）物之儻來。寄者也。（郭慶藩云。儻者。或然之詞。舊訓爲衆。非。）寄之。其來不可圉。其去不可止。（釋文。圉。又作禦。）故不爲軒絻肆志。不爲窮約趨俗。其樂彼與此同。故無憂而已矣。今寄去則不樂。由是觀之。雖樂未嘗不荒也。故曰。喪己於物。失性於俗者。謂之倒置

之民。劉師培云。置借爲植。

秋水第十七本篇申述齊物論之義。詞較顯露。而圓融周密遜之。中亦有害理之語。似非出諸莊子。當分別觀之。

秋水時至。百川灌河。涇流之大。章云。涇借爲巠。說文。水脈也。兩涘渚崖之間。不辯牛馬。於是焉河伯欣然自喜。以天下之美爲盡在己。順流而東。行至於北海。按。即今渤海也。在齊魯之北。故名。東面而視。不見水端。於是焉河伯始旋其面目。按。謂改其自喜之色。望洋向若而嘆曰。野語有之曰。聞道百以爲莫己若者。我之謂也。奚云。望洋與望羊望佯並同。家語王肅注。望羊。遠視也。釋文。司馬云。若。海神。聞道百。李云。萬分之一也。郭慶藩謂百借爲博。馬敍倫以爾雅伯勞。月令注作博勞爲證。按。其說非是。河伯方自憾所見之陋。豈復以博自矜哉且夫我嘗聞少仲尼之聞。而輕伯夷之義者。始吾弗信。今我覩子之難窮也。吾非至於子之門則殆矣。吾長

見笑於大方之家。北海若曰。井魚不可以語於海者。拘於虛也。（王引之云。魚。各本作鼃。後人改之也。御覽時序部、鱗介部、蟲豸部引此。並作井魚。淮南原道篇。井魚不可與語大。梁張綰文。井魚之不識巨海。水經贛水注。聊記奇文。以廣井魚之聽。皆用莊子文也。謂井中之無大魚也。此皆井魚之證。後人以此篇有埳井之鼃語。遂改井魚爲井鼃。不知井自有魚。無煩改作也。王念孫云。虛與墟同。廣雅。墟。凥也。文選西征賦注引聲類曰。墟。故所居也。言井魚杓於所居。不知海之大也。）夏蟲不可以語於冰者。篤於時也。（郭慶藩云。釋詁。篤。固也。）曲士不可以語於道者。束於教也。今爾出於崖涘。觀於大海。乃知爾醜。（醜。類也。）爾將可以語大理矣。天下之水。莫大於海。萬川歸之。不知何時止而不盈。尾閭泄之。不知何時已而不虛。（尾閭。司馬云。泄海水出外者也。按。海水蒸薰爲雲爲雨。以此爲循環消息。謂有尾閭泄之者。古人不審之言也。）春秋不變。水旱不知。此其過江河之流。不可爲量數。而吾未嘗以此自多者。自以比形於天地。而受氣於陰陽。吾在於天地

之間。猶小石小木之在大山也。方存乎見少。又奚以自多。計四海之在天地之間也。不似礨空之在大澤乎。奚云。礨當爲罍。空借爲坎。釋器。小罍謂之坎。郭注。罍形似壺。大者受一斛。罍坎之在大澤。以容量爲譬。計中國之在海內。不似稊米之在大倉乎。號物之數謂之萬。人處一焉。人卒九州穀食之所生。舟車之所通。人處一焉。人卒。猶言人士。說詳前。俞氏疑爲大率之誤。非也。馬其昶云。上人處一焉。以人類對萬物言。下人處一焉。以一人對衆人言。此其比萬物也。不似豪末之在於馬體乎。五帝之所運。運。本作連。此依闕誤江南古藏本改。三王之所爭。仁人之所憂。任士之所勞。盡此矣。郭云。不出乎一域。伯夷辭之以爲名。仲尼語之以爲博。此其自多也。不似爾向之自多於水乎。胡遠濬云。以上借大以破小見。

河伯曰。然則吾大天地而小豪末。可乎。北海若曰。

否。夫物。量無窮。時無止。分無常。終始無故。無故。猶言不居。終始不居。謂循環無端。是故大知觀於遠近。故小而不寡。大而不多。知量無窮。證曏今故。郭云。曏。明也。今故。猶今古。故遙而不悶。掇而不跂。郭云。掇。短也。釋文。跂。一本作企。知時無止。察乎盈虛。故得而不喜。失而不憂。知分之無常也。明乎坦塗。馬敍倫云。坦借爲僤。說文。疾也。塗借爲徐。說文。緩也。故生而不說。死而不禍。知終始之不可故也。計人之所知。不若其所不知。其生之時。不若未生之時。以其至小。窮其至大之域。是故迷亂而不能自得也。由此觀之。又何以知豪末之足以定至細之倪。倪。分也。又何以知天地之足以窮至大之域。胡遠濬云。以上破大小分別之見。河伯曰。世之議者。皆曰。至精

無形。至大不可圍。是信情乎。按。此即天下篇所引惠施大一無外。小一無內之說。北海若曰。夫自細視大者不盡。自大視細者不明。夫精。小之微也。垺。大之殷也。奚云。垺借爲孚。說文。孚。卵也。故異便。馬敘倫云。故異便三字。應在自大視細者不明句下。此勢之有也。夫精粗者。期於有形者也。無形者。數之所不能分也。不可圍者。數之所不能窮也。可以言諭者。物之粗也。諭。本作論。馬敘倫謂此字宜從或本。說文。告也。下同。可以意致者。物之精也。言之所不能諭。意之所不能察致者。馬敘倫云。察字衍。不期精粗焉。是故大人之行。不出乎害人之塗也。各本無之塗也三字。依闕誤張君房本增。不多仁恩。動不爲利。不賤門隸。貨財弗爭。不多辭讓。事焉不借人。不多食乎力。按。事必躬親。然亦不以操勞自矜。蓋各盡其能。何足自多乎。即力惡其不出於身也。不必爲己

之意耳。不賤貪污。馬敘倫云。不賤貪污上有脫句。行殊乎俗。不多辟異。爲在從衆。不賤佞諂。世之爵祿不足以爲勸。戮恥不足以爲辱。姚鼐云。此二句語意極害教。然非莊子文也。蓋所謂其子必有行劫者。知是非之不可爲分。細大之不可爲倪。聞曰。成云。寓諸他人。故稱聞曰。道人不聞。至德不得。大人無己。按。此即逍遙遊無名無功無己之義。解詳彼篇。約分之至也。胡遠濬云。此言所分別者形也。故破拘形之見。而後可與論其至。河伯曰。若物之外。若物之內。惡至而倪貴賤。惡至而倪小大。北海若曰。以道觀之。物無貴賤。以物觀之。自貴而相賤。以俗觀之。貴賤不在己。馬其昶云。物者。私乎我者也。俗者。徇乎人者也。以差觀之。因其所大而大之。則萬物莫不大。因其所小而小之。則萬物莫不小。知天地之爲稊米也。知豪末之爲丘

山也。則差數覩矣。馬其昶云。天地之外。正復無窮。豪末之內。亦復無窮。此言差等無定。以功觀之。因其所有而有之。則萬物莫不有。因其所無而無之。則萬物莫不無。知東西之相反而不可以相無。則功分定矣。馬其昶云。此言有無相需。功用各異。蘇輿云。物情以得用爲有。以相勝爲無。猶矢人謂可無函。函人謂可無矢也。然以矢爲有。則函敵矢亦可爲有。以函爲無。則矢爲函拒亦可謂無矣。以趣觀之。因其所然而然之。則萬物莫不然。因其所非而非之。則萬物莫不非。知堯桀之自然而相非。則趣操覩矣。昔者堯舜讓而帝。之噲讓而絕。姚鼐云。之噲莊子同時。必不曰昔者。湯武爭而王。白公爭而滅。由此觀之。爭讓之禮。堯桀之行。貴賤有時。未可以爲常也。梁麗可以衝城。而不可以窒穴。言殊器也。釋文。梁麗。崔云。屋棟也。郭慶藩云。列子湯問。雍門鬻歌。餘音繞梁欐。文選上林賦。連卷欐佹。注。欐佹。支柱也。騏驥驊騮。一日

而馳千里。捕鼠不如狸狌。王引之云。廣雅釋獸。貍。貓也。言殊技也。鴟鵂夜撮蚤。釋文。司馬云。鴟。鵂鶹。馬敘倫云。正文鵂字。因注而衍。察豪末。晝出瞋目而不見丘山。言殊性也。故曰。蓋師是而無非。師治而無亂乎。是未明天地之理。萬物之情者也。是猶師天而無地。師陰而無陽。其不可行明矣。然且語而不舍。非愚則誣也。帝王殊禪。三代殊繼。差其時逆其俗者。謂之簒之夫。簒下各本脫之字。茲據闕誤張君房本補。當其時順其俗者。謂之義之徒。默默乎河伯。女惡知貴賤之門。小大之家。胡遠濬云。以上破守常執一之見。河伯曰。然則我何爲乎。何不爲乎。吾辭受趣舍。吾終奈何。北海若曰。以道觀之。何貴何賤。是謂反衍。郭云。貴賤之道。反覆相尋。無拘而

志。與道大蹇。（王先謙云。拘滯則道難行。）何少何多。是謂謝施。（吳汝綸云。謝施連語。猶猗施邪施。與委蛇同義也。）無一而行。與道參差。嚴乎若國之有君。其無私德。（奚云。嚴字當重。）繇繇乎若祭之有社。其無私福。泛泛乎其若四方之無窮。其無所畛域。兼懷萬物。其孰承翼。（馬敘倫云。承翼。當作丞翊。）是謂無方。萬物一齊。孰短孰長。道無終始。物有死生。不恃其成。一虛一滿。不位乎其形。年不可舉。（馬其昶云。楚辭注。舉。與也。猶言歲不我與。）時不可止。消息盈虛。終則有始。是所以語大義之方。論萬物之理也。物之生也。若驟若馳。無動而不變。無時而不移。何爲乎。何不爲乎。夫固將自化。（胡遠濬云。此言無爲而無不爲。因物自化。）河伯曰。然則何貴於道邪。北海若曰。

知道者必達於理。達於理者必明於權。明於權者不以物害己。至德者。火弗能熱。水弗能溺。寒暑弗能害。禽獸弗能賊。非謂其薄之也。言察乎安危。寧於禍福。謹於去就。莫之能害也。故曰。天在內。人在外。德在乎天。（焦竑云。天在內。所以立體。人在外。所以應用。德在乎天。則合乎神而無方不測者也。）知天人之行。本乎天。位乎得。（馬敘倫云。得。疑當作德。）蹢躅而屈伸。（蹢躅。謂行不進也。易姤。羸豕孚蹢躅。禮三年問。蹢躅焉。荀子禮論作躑躅。）反要而語極。曰。何謂天。何謂人。北海若曰。牛馬四足是謂天。落馬首。穿牛鼻。是謂人。故曰。無以人滅天。（王夫之云。不以馬之宜落遂落其牛。牛之須穿並穿其馬。則雖人。不滅天。）無以故滅命。（胡遠濬云。故。謂變故。）無以得殉名。謹守而勿失。是謂反其眞。（胡遠濬云。此言知天人之行。乃能反眞。按。本章前半渾同是非。然否歸於趣操。後半又以爲有是必有非。若陰陽之相待。近於二元

論。而不知舉道樞以求眞。是有似於愼到。蓋後學附益而失之者。一章。

夔憐蚿。蚿憐蛇。蛇憐風。風憐目。目憐心。按。憐。愛也。慕也。夔謂蚿曰。吾以一足趻踔而行。奚云。趻踔與跣踔同。釋訓。跣踔。無常也。字亦作踸踔。文選文賦注。今人以不定爲踸踔。予無如矣。成謂簡易無如我者。非是其意。蓋謂一足趻踔無可如何。自憾之詞也。今子之使萬足獨奈何。蚿曰。不然。子不見夫唾者乎。噴則大者如珠。小者如霧。雜而下者。不可勝數也。今予動吾天機。而不知其所以然。蚿謂蛇曰。吾以衆足行。而不及子之無足。何也。蛇曰。夫天機之所動。何可易邪。吾安用足哉。易。變易也。或讀爲輕傷之傷。非也。蛇謂風曰。予動吾脊脅而行。則有似也。奚云。似借作以。用也。今子蓬蓬然起於北海。蓬蓬然入於南海。而似無有。

何也。風曰。然。予蓬蓬然起於北海而入南海也。然而指我則勝我。𨂽我亦勝我。𨂽。本作鰌。此從一本。郭嵩燾云。指者手嚮之。𨂽者足蹴之。荀子彊國篇。巨楚縣吾前。大燕鰌吾後。楊注。鰌蹴也。雖然。夫折大木蜚大屋者。馬敘倫云。蜚借爲排。唯我能也。故以衆小不勝爲大勝也。爲大勝者。唯聖人能之。姚鼐云。此段乃是殘缺以目心不必言者。吾不信也。按。此章明任天自然之理。申無以人滅天。二章。

孔子遊於匡。宋人圍之數帀。而弦歌不輟。輟。本作惙。此從又本。子路入見曰。何夫子之娛也。孔子曰。來。吾語女。我諱窮久矣。章云。說文。諱。忌也。忌。憎惡也。而不免。命也。求通久矣。而不得。時也。當堯舜而天下無窮人。非知得也。當桀紂而天下無通人。非知失也。時勢適然。夫水行不避蛟龍者。漁

父之勇也。陸行不避兕虎者。獵夫之勇也。白刃交於前。視死若生者。烈士之勇也。知窮之有命。知通之有時。臨大難而不懼者。聖人之勇也。由處矣。吾命有所制矣。郭云。命非己制。故無所用其心。無幾何。將甲者進辭曰。以爲陽虎也。故圍之。今非也。請辭而退。按。此章述子畏於匡。安命不憂。申無以故滅命。三章。

公孫龍問於魏牟曰。龍少學先王之道。長而明仁義之行。合同異。離堅白。然不然。可不可。困百家之知。窮衆口之辯。吾自以爲至達已。今吾聞莊子之言。汒焉異之。不知論之不及與。知之弗若與。今吾無所開吾喙。敢問其方。公子牟隱机大息。仰天而笑曰。子獨不

聞夫埳井之鼃乎。司馬云。埳井。壞井也。謂東海之鱉曰。吾樂與。吾出跳乎井幹之上。吾出跳乎。本作吾跳梁乎。茲據崇德書院及黎刻本增出字。據闕誤江南古藏本刪梁字。司馬云。井幹。井欄也。入休乎缺甃之崖。赴水則接掖持頤。蹶泥則沒足滅跗。還視虷蟹與科斗。各本脫視字。據御覽一八九引增。莫吾能若也。且夫擅一壑之水。而跨跱埳井之樂。此亦至矣。夫子奚不時來入觀乎。東海之鱉。左足未入。而右膝已縶矣。於是逡巡而卻。告之海曰。夫千里之遠。俞云。海字當在夫字下。不足以舉其大。千仞之高。不足以極其深。禹之時十年九潦。而水弗爲加益。湯之時八年七旱。而崖不爲加損。夫不爲頃久推移。不以多少進退者。此亦東海之大樂也。於是埳井之鼃聞之。適適

然驚。規規然自失也。釋文。適適規規。皆驚視自失貌。且夫知不知是非之竟。而猶欲觀於莊子之言。是猶使蚉負山。商蚷馳河也。司馬云。商蚷。蟲名。北燕謂之馬蚿。必不勝任矣。且夫知不知論極妙之言。而自適一時之利者。是非埳井之鼃與。且彼方跐黃泉而登大皇。朱駿聲云。跐借爲趾。說文。淺渡也。馬敘倫云。淮南精神訓。登太皇。高注。太皇。天也。無南無北。奭然四解。馬敘倫云。奭赫一字。淪於不測。無東無西。始於玄冥。反於大通。子乃規規然而求之以察。索之以辯。是直用管闚天。用錐指地也。不亦小乎。子往矣。且子獨不聞夫壽陵餘子之學步於邯鄲與。未得其能。又失其故步矣。直匍匐而歸耳。司馬云。壽陵。邑名。未應丁夫爲餘子。按。兩步字本作行。其能本作國能。均依御覽三九四引改。學步者。若今舞者之學步法。今子不去。將忘子之

故。失子之業。公孫龍口呿而不合。（王筠謂呿當作凵。張口貌。）舌舉而不下。乃逸而走。（此章證小知不及大知。大知在知是非之竟。而非泯然不辨是非也。四章。）

莊子釣於濮水。楚王使大夫二人往先焉。曰。願以竟內累矣。莊子持竿不顧曰。吾聞楚有神龜。死已三千歲矣。王巾笥而藏之廟堂之上。此龜者。寧其死爲留骨而貴乎。寧其生而曳尾於塗中乎。二大夫曰。寧生而曳尾塗中。莊子曰。往矣。吾將曳尾於塗中。（此章以神龜喻生之足貴。五章。）

惠子相梁。莊子往見之。或謂惠子曰。莊子來。欲代子相。於是惠子恐。搜於國中三日三夜。莊子往見之。曰。南方有鳥。其名爲鵷鶵。子知之乎。夫鵷鶵發於南

海。而飛於北海。非梧桐不止。非練實不食。馬敘倫云。御覽九六三引並注曰。練實。竹實。取其潔白。非醴泉不飲。李云。泉甘如醴。於是鴟得腐鼠。按。是讀爲時。鵷鶵過之。仰而視之曰。嚇。今子欲以子之梁國而嚇我邪。按。此亦喻小知不及大知之意。人之度量高下。不可以道里計。世有鄙夫。富貴驕人。皆腐鼠之類也。然惠莊所見。雖各不同。而運斤斲堊。互以爲質。何至以奪位見疑。故姚鼐謂記此語者。莊徒之陋。信然。六章。

莊子與惠子遊於豪梁之上。釋文。豪。本亦作濠。司馬云。濠。水名也。石絕水曰梁。莊子曰。儵魚出遊從容。是魚之樂也。惠子曰。子非魚。安知魚之樂。莊子曰。子非我。安知我不知魚之樂。惠子曰。我非子。固不知子矣。子固非魚也。子之不知魚之樂。全矣。莊子曰。請循其本。子曰。女安知魚樂云者。既已知吾知之而問我。我知之濠上也。郭云。子非我。尚可以知我之非魚。則我非魚。亦可以知魚之樂。知之於濠上。豈待入

水哉。故以陸生之所安。知水生之所樂。未足稱妙耳。按。由濠上以推濠下。見推理之用。墨經謂之推。因明謂之比量。論理家謂之演繹。語雖雋妙。非爲精義。而某君謂其名學之理頗深。皮相之談也。七章。

至樂第十八

天下有至樂無有哉。有可以活身者無有哉。今奚爲奚據。奚避奚處。奚就奚去。奚樂奚惡。夫天下之所尊者。富貴壽善也。按。此即富貴壽考。謂考終命。善謂善終。所樂者。身安厚味美服好色音聲也。所下者。貧賤夭惡也。惡謂惡疾。所苦者。身不得安逸。口不得厚味。形不得美服。目不得好色。耳不得音聲。若不得者。則大憂以懼。其爲形也亦愚哉。夫富者苦身疾作。多積財而不得盡用。其爲形也亦外矣。夫貴者夜以繼日。思慮善否。其爲形也亦疏矣。人之生

也。與憂俱生。壽者惛惛。久憂不死。何之苦也。之其古通。其爲形也亦遠矣。烈士爲天下見善矣。未足以活身。吾未知善之誠善邪。誠不善邪。若以爲善矣。不足活身。以爲不善矣。足以活人。故曰。忠諫不聽。蹲循勿爭。郭慶藩云。蹲循猶逡巡。古通。故夫子胥爭之以殘其形。不爭名亦不成。誠有善無有哉。今俗之所爲。與其所樂。吾又未知樂之果樂邪。果不樂邪。吾觀夫俗之所樂。舉羣趣者。舊讀至樂字句絕。蘇與以樂舉與羣趣並列。亦通。誙誙然如將不得已。奚云。誙誙。與論語硜硜同。鄭注。小人之貌也。而皆曰樂者。吾未之樂也。亦未之不樂也。果有樂無有哉。吾以無爲誠樂矣。又俗之所大苦也。故曰。至樂無樂。至譽無譽。天

下是非果未可定也。雖然。無爲可以定是非。至樂活身。唯無爲幾存。請嘗試言之。天無爲以之淸。地無爲以之寧。故兩無爲相合。萬物皆化生。闕誤江南本。化下有生字。各本脱。芒乎芴乎。而無從出乎。按。無。謂無爲。言無爲從芒芴出也。芴乎芒乎。而無有象乎。按。無亦謂無爲。言無爲以芴芒爲象也。舊注多誤。萬物職職。皆從無爲殖。馬敘倫云。職借爲秩。故曰。天地無爲也而無不爲也。人也孰能得無爲哉。此章謂至樂活身在於無爲。所以能無爲者。則在勘破生死之理。蓋生老病死愛憎得失。固足爲苦。而爲善近名。亦不足以活身。故不如恬靜無爲之爲樂。前半論苦。似襲佛說。後半更明引老子至樂無樂。至譽無譽之語。其爲莊徒所作審已。一章。

莊子妻死。惠子弔之。莊子則方箕踞鼓盆而歌。惠子曰。與人居。長子老身。馬其昶云。老身長子見荀子。彼注云。身已老矣。子已長矣。是也。按。舊讀至老字句絕。誤。死不哭。亦足矣。又鼓盆而歌。不亦甚乎。莊子曰。不然。

是其始死也。我獨何能無槩然。馬敘倫云。槩借爲慨。察其始而本無生。非徒無生也。而本無形。非徒無形也。而本無氣。雜乎芒芴之間。變而有氣。氣變而有形。形變而有生。今又變而之死。是相與爲春秋冬夏四時行也。人且偃然寢於巨室。而我嗷嗷然隨而哭之。自以爲不通乎命。故止也。二章。

支離叔與滑介叔觀於冥伯之丘。崑崙之虛。黃帝之所休。俄而柳生其左肘。郭崧燾云。柳借爲瘤。說文。瘤。瘇也。其意蹷蹷然惡之。支離叔曰。子惡之乎。滑介叔曰。亡。予何惡。生者假借也。假之而生生者。塵垢也。死生爲晝夜。且吾與子觀

化而化及我。我又何惡焉。按。觀化者。即下文種有幾下所述生物變化之事。蓋能洞觀於此。則可以勘破生死之關。不復容心於哀樂矣。三章。

莊子之楚。見空髑髏。髐然有形。司馬、李云。白骨貌有枯形也。撽以馬捶。釋文。撽。說文作擊。旁擊也。因而問之曰。夫子貪生失理而爲此乎。將子有亡國之事。斧鉞之誅。而爲此乎。將子有不善之行。愧遺父母妻子之醜。而爲此乎。將子有凍餒之患。而爲此乎。將子之春秋故及此乎。於是語卒。援髑髏。枕而臥。夜半。髑髏見夢曰。向子之談者似辯士。姚鼐云。闕誤張君房本有向字。各本脫。諸子所言。皆生人之累也。按。諸。凡也。成本諸作視。亦通。死則無此矣。子欲聞死之說乎。莊子曰。然。髑髏曰。死無君於上。無

臣於下。亦無四時之事。泛然以天地爲春秋。泛。本作從。奚云。閼誤張君房本作泛。是也。雖南面王樂不能過也。莊子不信曰。吾使司命復生子形。爲子骨肉肌膚。反子父母妻子閭里知識。子欲之乎。髑髏深矉蹙頞曰。吾安能棄南面王樂而復爲人間之勞乎。郭象云。舊說謂莊子樂死惡生。斯說謬矣。若然。何謂齊乎。所謂齊者。生時安生。死時安死。生死之情既齊。則無爲當生而憂死耳。此莊子之旨也。按。二章以下。皆明人生由於氣化。死復歸於氣。故既死不足哀。將死不足惡。復生不足貪。申述齊物論死生一致之理。人死爲氣。不復有生人之累。然亦何至樂過於王。殆亂世之民。憔悴於水深火熱之中。怨憤之極。遂生祈死之心。不覺其言之過激。觀其斧戉凍餒之問。非亂世之音邪。必莊徒所記。非莊子本文也。

四章。

顏淵東之齊。孔子有憂色。子貢下席而問曰。小子敢問。回東之齊。夫子有憂色。何邪。孔子曰。善哉女問。昔者管子有言。丘甚善之。曰。褚小者不可以懷

大。郭慶藩云。說文繫傳。褚。衣之橐也。集韵。囊也。褚蓋可以囊物者。綆短者不可以汲深。夫若是者。以爲命有所成而形有所適也。夫不可損益。按。言人稟賦有厚薄。形命既定。難可化導。吾恐回與齊侯言堯舜黃帝之道。而重以燧人神農之言。彼將內求於己而不得。不得則惑。人惑則死。且女獨不聞邪。昔者海鳥止於魯郊。魯侯御而觴之於廟。釋文。御音訝。按。同迓。奏九韶以爲樂。具太牢以爲膳。鳥乃眩視憂悲。不敢食一臠。不敢飲一杯。三日而死。此以己養養鳥也。非以鳥養養鳥也。夫以鳥養養鳥者。宜栖之深林。遊之壇陸。浮之江湖。食之鰌鰷。隨行列而止。委蛇而處。彼唯人言之惡聞。奚以夫譊譊爲乎。咸池九韶之樂。張之

洞庭之野。鳥聞之而飛。獸聞之而走。魚聞之而下入。人卒聞之相與還而觀之。按。人卒。猶人士也。莊子書中累見。王先謙於此處訓卒爲猝。誤也。魚處水而生。人處水而死。彼必相與異其好惡。好惡異故先聖不一其能。不同其事。好惡異三字。從闕誤引江南古藏本如此。各本作故異也三字。王先謙讀彼必相與異爲句。其好惡故異也爲句。故猶本也。說亦通。名止於實。義設於適。是之謂條達而福持。按。此章顏回之齊。略本人間世篇顏回請行。而不及其含義之豐。海鳥之喩。亦本齊物論魚鳥麋鹿之喩。五章。

列子行食於道仄。見百歲髑髏。攓蓬而指之曰。唯予與女知而未嘗死。未嘗生也。若果養乎。予果歡乎。仄本作從。御覽八八七引作仄。是也。司馬云。道旁也。似司馬本亦作仄。不作從也。列子天瑞篇。從下有者字。則見而指者皆爲從者矣。緣側既誤從。因增者字耳。俞云。養讀爲恙。爾雅。恙憂也。言子死不必爲憂。予生不必爲歡。按。此亦明生死一致。與第四章文義略同。特文簡意晦。恐有譌脫。玆亦不強解也。六章。

種有幾。馬敍倫云。寓言篇。萬物皆種也。是此種字謂萬物之種也。按。幾機古通。司馬云。萬物雖有兆朕。得水上氣乃相繼而生。是司馬以幾爲兆朕也。周易謂幾者動之微。義與此合。此幾爲萬物化生之動力。又與佛家所謂神識流轉者略近。以下歷舉化生之例。即莊子輪迴之說也。近人或以進化論附合之。非也。得水則爲㡭。釋文。音繼。司馬本作繼。得水土之際則爲鼃蠙之衣。生於陵屯則爲陵舄。陵舄得鬱棲則爲烏足。烏足之根爲蠐螬。其葉爲胡蝶。胡蝶胥也化而爲蟲。生於竈下其狀若脫。脫借爲蛻。其名曰鴝掇。鴝掇千日爲鳥。其名爲乾餘骨。乾餘骨之沫爲斯彌。斯彌爲食醯。頤輅生乎食醯。黃軦生乎九猷。瞀芮生乎腐蠸。羊奚比乎不箰。久竹生青寧。青寧生程。程生馬。馬生人。人又反入於機。萬物皆出於機。皆入於機。莊子列舉動植互化。莫知其極。是雖化而有不化者在。即所謂機也。以證生死一致之理。惟古人觀察不精。證以近世生物家言。無一合者。除所舉諸例之外。如雀入大水化爲鴐。見於禮記。鼃化爲鶉。見於墨列淮南。螺蠃螟蛉。見於詩及本書天運篇。知此

類荒誕之詞。古代盛行。故莊子舉以爲例。不必詫其精。亦不必笑其誣。方以智謂程生馬。馬生人。世間自有此事。不可以耳目所限而斷之。此則過信古人誣誕之詞。不敢衡之以理。讀書死於句下。此之謂也。七章。

莊子詁義卷第七

淮陰　范耕研　伯子　蠹硯齋叢箸

達生第十九

達生之情者。不務生之所無以爲。姚範云。生讀爲性。淮南詮言訓正作性。按。首兩生字應讀性。餘皆生死字。達命之情者。不務知之所無奈何。胡遠濬云。性命中有得爲有。無以爲有可知有不可知。此眞人所爲以其知養所不知也。養形必先之以物。成云。物謂資貨衣食。物有餘而形不養者有之矣。有生必先無離形。形不離而生亡者有之矣。生之來不能卻。其去不能止。悲夫。世之人以爲養形足以存生。而養形果不足以存生。則世奚足爲哉。雖不足爲而不可不爲者。其爲不免矣。陸西星云。事畜交際。亦人世所不廢者。夫欲免爲形者。莫如棄

世。棄世則無累。按。或疑棄世近於樂死。非也。棄世即下文之棄事耳。其作棄世者。借字耳。事謂人間繁賾之事。遺棄人事。自可無累矣。無累則正平。正平則與彼更生。更生則幾矣。郭云。更生者。日新之謂也。付之日新。則性命盡矣。事奚足棄而生奚足遺。棄事則形不勞。遺生則精不虧。夫形全精復。與天爲一。天地者萬物之父母也。合則成體。散則成始。按。合則成體。謂合氣而成形也。散則成始。謂散體而復爲氣也。氣爲形之始。故曰散則成始。蓋人生而有形。則不能無資於衣食。則不免勞累。不如棄事。斷緣簡業。息心屏慮。與天爲偶。還於一氣之初。是更生也。形精不虧。是謂能移。按。人之生死變易。由於神識流轉。四大分合。止有彼此而無增減。故曰不虧。移即庚桑楚篇移是之移。謂生死變易也。解在彼篇。精而又精。反以相天。一章

子列子問關尹曰。至人潛行不窒。蹈火不熱。行乎萬物之上而不慄。請問何以至於此。關尹曰。是純氣之守也。按。古人謂形由氣化。則守氣者即守其得生之原也。此語與與化爲偶蓋同意。非知巧果敢之列。胡云。列讀例。居。予語

女。凡有貌象聲色者皆物也。物與物何以相遠。各本脫與物二字。茲據黎刻本補。夫奚足以至乎先。是形色而已。各本脫形字。茲據闕誤江南古藏本補。則物之造乎不形而止乎無所化。陸西星云。先即未始有物之先。不形即所謂無聲無臭者。無所化則所謂未始有物焉者。至人之守。守此而已。夫得是而窮之者。物焉得而正焉。正。各本作止。茲從闕誤張君房本改。彼將處乎不淫之度。而藏乎無端之紀。遊乎萬物之所終始。壹其性。養其氣。合其德。馬敘倫云。列子黃帝篇合作含。義較長。以通乎物之所造。夫若是者。其天守全。其神無郤。郤同隙。物奚自入焉。吳汝綸云。關尹言止此以下莊子推論之。

夫醉者之墜車。雖疾不死。骨節與人同而犯害與人異。其神全也。乘亦不知也。墜亦不知也。死生驚懼不入乎其胸中。是故遻物而不慴。釋文。遻。忤也。慴。懼也。彼得全於酒而猶若

是。而況得全於天乎。聖人藏於天。故莫之能傷也。復讎者不折鏌干。雖有忮心者不怨飄瓦。是以天下平均。故無攻戰之亂。無殺戮之刑者。由此道也。不開人之天。而開天之天。開天者德生。開人者賊生。不厭其天。不忽於人。民幾乎以其眞。馬敘倫云。民字衍文。二章。

仲尼適楚。出於林中。見痀僂者承蜩。猶掇之也。郭慶藩云。承讀爲拯。拯謂引取之也。李冶云。內則。數庶羞有蜩。荀子擢蜩。楊注云。南人照蜩。取而食之。釋文。掇。拾也。仲尼曰。子巧乎。有道邪。曰。我有道也。五六月累丸二而不墜。則失者錙銖。成云。五六月謂經半載。郭云。累二丸於竿頭。是用手之停審也。累三而不墜。則失者十一。累五而不墜。猶掇之也。吾處身也若厥株拘。奚云。厥借爲橛。說文。弋也。象折木衺銳者。釋名。駐。株也。如株木

不動也。株拘疊韵連語。若厥株拘。言若斷木之不動也。吾執臂也若槁木之枝。雖天地之大。萬物之多。而唯蜩翼之知。吾不反不側。不以萬物易蜩之翼。何爲而不得。孔子顧謂弟子曰。用志不分。乃疑於神。其痀僂丈人之謂乎。疑本作凝。宋本作疑。列子亦作疑。注云。分則意散。專則與神相似者也。三章。

顏淵問仲尼曰。吾嘗濟乎觴深之淵。津人操舟若神。吾問焉。曰。操舟可學邪。曰。可。善游者數能。郭云。數習而後能。若乃夫沒人。則未嘗見舟而便操之也。郭云。沒人。謂鷩沒於水底。按。其技又精於善游者。吾問焉而不吾告。敢問何謂也。仲尼曰。善游者數能。忘水也。郭云。習以成性。遂若自然。若乃夫沒人之未嘗見舟而便操之也。彼視淵若陵。視舟之覆猶其車卻也。卻。退也。覆卻萬方陳乎

前。而不得入其舍。郭云。覆卻雖多而猶不以經懷。以其性便故也。按。僞列子黃帝篇。萬下有物字。方字屬下讀。誤也。覆卻謂舟車。萬物何以能覆卻乎。萬物猶萬態。謂舟車雖繁。不動其心。惡往而不暇。按。水我兩忘。故無所矜。吳汝綸云。仲尼言止此。瓦注以下數語。爲文字過脈。與全神守氣對照。莊子所自言也。以瓦注者巧。以鉤注者憚。以黃金注者殙。按。注爲博進。李訓爲擊。誤。列子作摳。張訓爲探。亦非。鉤爲微金。解詳胠篋篇。其巧一也。而有所矜。則重外也。凡外重者內拙。以上兩章。吳汝綸謂皆以證開天者德全。所謂天守全而神無隙者也。以下證開人者賊生。所謂養形不足以全生者也。四章。

田開之見周威公。威公曰。吾聞祝腎學生。吾子與祝腎遊。亦何聞焉。田開之曰。開之操拔篲以侍門庭。馬敘倫云。拔借爲帗。說文。一幅巾也。亦何聞於夫子。威公曰。田子無讓。寡人願聞之。開之曰。聞之夫子曰。善養生者若牧羊然。視其後者而鞭之。按。牧羊鞭後。喻養生當謹持其終。不可有一毫之疏忽。豹養內而忽外。毅養外而忽內。若羊行不齊。有滯留者。乃全羣之累。宜加鞭策。威公曰。

何謂也。田開之曰。魯有單豹者。巖居而谷飲。馬敘倫云。谷本作水。御覽七二〇引作谷。是也。淮南人間訓亦作谷。不與民共利。行年七十而猶有嬰兒之色。不幸遇餓虎。餓虎殺而食之。蘇輿云。此言不戒畏塗。有張毅者。高門縣薄。無不走也。宣云。高門。大家。縣簾薄以蔽門。小家也。王先謙云。呂覽必己篇。張毅好恭。門閭帷薄。聚居衆無不趨。高注。過之必趨。淮南人間訓。張毅好恭。過宮室廊廟必趨。見門閭聚衆必下。俞云。走是趨之壞字。莊子文不備。故學者莫得其解。行年四十。而有內熱之病以死。豹養其內而虎食其外。毅養其外而病攻其內。此二子者。皆不鞭其後者也。仲尼曰。無入而藏。無出而陽。郭云。藏既內矣。而又入之。此過於入也。陽既外矣。而又出之。是過於出也。馬敘倫云。陽借爲揚。說文。飛揚也。宣云。恐其過靜過動。柴立其中央。按。柴借爲砦。言如砦石之立於中央。可以左右應也。三者若得。其名必極。吳汝綸云。仲尼言止此。胡遠濬云。仲尼語係田開之引證之詞。夫畏塗者。十殺一人。則父子兄弟相戒也。必盛卒徒而後敢出焉。不

亦知乎。人之所取畏者。馬其昶云。取讀爲最。衽席之上。飲食之間。而不知爲之戒者。知之過也。知之。各本脫。茲據御覽四五九引補。祝宗人玄端以臨牢筴。李云。牢。豕室也。筴。木欄也。說彘曰。汝奚惡死。吾將三月⿰犭豢汝。⿰犭豢乃豢之俗字。十日戒。三日齊。藉白茅。加汝肩尻乎彫俎之上。測汝爲之乎。爲彘謀曰。不如食以糠糟。而錯之牢筴之中。自爲謀則苟生有軒冕之尊。死得於腞楯之上。聚僂之中則爲之。王念孫云。腞讀爲輇。楯讀爲輴。皆載柩車也。聚僂。柩車飾也。釋名。輿棺之車。其蓋曰柳。柳。聚也。衆飾所聚。亦其形僂也。爲彘謀則去之。自爲謀則取之。所異彘者何也。胡遠濬云。衽席之上飲食之間不知戒。斥內之不鞭其後也。自爲謀則取之。斥穀之不鞭其後也。五章。

桓公田於澤。管仲御。見鬼焉。公撫管仲之手曰。仲父

何見。對曰。臣無所見。公反。誒詒爲病。馬敘倫云。誒詒借爲譺佁。數日不出。齊士有皇子告敖者曰。公則自傷。鬼惡能傷公。夫忿滀之氣。奚云。忿借爲坌。孔融荐禰衡表。注。坌。涌貌。滀借爲慉。說文。起也。此處謂氣騰涌。散而不反。則爲不足。上而不下。則使人善怒。下而不上。則使人善忘。不上不下。中身當心則爲病。桓公曰。然則有鬼乎。曰。有。沈有履。俞云。沈借爲煁。詩傳。煁。竈也。竈有髻。戶內之煩壤。雷霆處之。章云。煩壤即煩攘。謂戶內煩擾處也。東北方之下者倍阿。鮭蠪躍之。西北方之下者則泆陽處之。水有罔象。丘有峷。山有夔。野有彷徨。澤有委蛇。公曰。請問委蛇之狀何如。皇子曰。委蛇。其大如轂。其長如轅。紫衣而朱冠。其爲物

也惡。吳汝綸云。惡字屬上讀。聞雷車之聲。則捧其首而立。見之者殆乎霸。王敔云。此先聞之而後言之。所謂以鳥養養鳥之道也。桓公囅然而笑曰。段玉裁云。囅即欣之異文。說文。指而笑也。此寡人之所見者也。於是正衣冠與之坐。不終日而不知病之去也。此章證聞人者賊生。所謂生死驚懼入其胸中者也。六章。

紀渻子爲王養鬭雞。十日而問雞已乎。王先謙云。黃帝篇雞下有可鬭二字。此脫。曰。未也。方虛憍而恃氣。十日又問。曰。未也。猶應嚮景。十日又問。曰。未也。猶疾視而盛氣。十日又問。曰。幾矣。幾。猶庶幾也。雞雖有鳴者。已無變矣。望之似木雞矣。其德全矣。異雞無敢應。見者反走矣。各本脫見字。據闕誤引文如海劉得一本補。木雞忘我忘敵。是忘勝負矣。乃能獨勝。此與上瓦注對照。皆爲守氣全神舉一例證。七章。

孔子觀於呂梁。縣水三十仞。流沫四十里。黿鼉魚鱉之所不能游也。見一丈夫游之。以爲有苦而欲死也。使弟子並流而拯之。數百步而出。被髮行歌。而游於塘下。孔子從而問焉曰。吾以子爲鬼。察子則人也。請問蹈水有道乎。曰。亡。吾無道。吾始乎故。長乎性。成乎命。與齊俱入。與汩偕出。（郭云。磨翁而旋入者。齊也。回伏而涌出者。汩也。馬敘倫云。齊借爲淀。說文。回泉也。）從水之道而不爲私焉。此吾所以蹈之也。孔子曰。何謂始乎故。長乎性。成乎命。曰。吾生於陵而安於陵。故也。長於水而安於水。性也。不知吾所以然而然。命也。（郭云。此章言人有偏能。得其所能而任之。則天下無難矣。）八章。

梓慶削木爲鐻。司馬云。鐻。樂器也。似夾鐘。按。夾鐘是金類之樂。不應削木爲之。似應從說文本義。鐘鼓之柎也。亦當以金鑄。故字从金。自亦可削木爲之。故訓爲柎也。施以彫鏤。故見者驚猶鬼神耳。司馬說誤。鐻成。見者驚猶鬼神。魯侯見而問焉曰。子何術以爲焉。對曰。臣工人。何術之有。雖然。有一焉。臣將爲鐻。未嘗敢以耗氣也。必齊以靜心。齊三日而不敢懷慶賞爵祿。齊五日不敢懷非譽巧拙。齊七日輒然忘吾有四肢形體也。當是時也。無公朝。宣云。忘勢。若非爲公家削之。其巧專而外滑消。滑。本作骨。此從亦本。然後入山林。觀天性。宣云。察木之生質。形軀至矣。然後成見鐻。馬敘倫云。然後成見鐻五字。涉上下文而衍。然後加手焉。不然則已。吳汝綸云。梓慶之言止此。下乃莊子之詞。與前幅相呼應。則以天合天。器之所以疑神者。其由是與。各本脫由字。茲從闕誤引江南古藏本補。此章言順性則工巧若神。乖性則心勞益拙。與上章皆證開天者德生。與上承蜩操舟二事相配。九章。

東野稷以御見莊公。進退中繩。左右旋中規。莊公以爲造父弗過也。造父。各本作文。錢大昕云。呂氏春秋適威篇作造父。文蓋父之誤。按。御覽七四六引。正作造父。使之鉤百而反。馬敘倫云。鉤借爲距躍起距字。百。玉篇作趏。走貌。顏闔遇之。入見曰。稷之馬將敗。公密而不應。少焉果敗而反。奚云。而反當依呂氏春秋適威篇作而少及焉。高注。少及。不逮也。公曰。子何以知之。曰。其馬力竭矣。而猶求焉。故曰敗。按。東野竭馬力。喻過耗則敗。無物不然。此章賊生。十章。

工倕旋而蓋規矩。指與物化而不以心稽。奚云。蓋借爲盍。合也。工倕以指旋轉而能合乎規矩。所謂指與物化也。按。章氏訓蓋爲割。謂即後世割圜之術。大誤也。故其靈臺一而不桎。按。述工倕事止此。忘足。屨之適也。忘要。帶之適也。知忘是非。心之適也。不內變。不外從。事會之適也。始乎適而未嘗不適者。忘適

之適也。借工倕指與物化。喻物我兩忘之致。此章德生。十一章。

有孫休者。踵門而詫子扁慶子曰。休居鄉不見謂不修。臨難不見謂不勇。按。見。被也。謂稱也。言居鄉臨難。不爲人指爲不修不勇。言己之無過也。然而田原不遇歲。事君不遇世。賓於鄉里。逐於州部。按。州部。東漢後語。非莊子所宜言也。則胡罪乎天哉。休惡遇此命也。釋文。惡。音烏。下同。扁子曰。子獨不聞夫至人之自行邪。忘其肝膽。遺其耳目。芒然彷徨乎塵垢之外。消搖乎無事之業。是謂爲而不恃。長而不宰。按。不恃謂不恃己能。不宰謂不自居功。今汝飾知以驚愚。修身以明汙。昭昭乎若揭日月而行也。汝得全而形軀。具而九竅。無中道夭於聾盲跛蹇而比於人數。亦幸矣。又何暇乎天之怨哉。子往

矣。孫子出。扁子入。坐有間。仰天而嘆。弟子問曰。先生何爲嘆乎。扁子曰。向者休來。吾告之以至人之德。吾恐其驚而遂至於惑也。弟子曰。不然。孫子之所言是邪。先生之所言非邪。非固不能惑是。孫子所言非邪。先生所言是邪。彼固惑而來矣。又奚罪焉。扁子曰。不然。昔者有鳥止於魯郊。魯君說之。爲具太牢以饗之。奏九韶以樂之。鳥乃始憂悲眩視。不敢飲食。此之謂以己養養鳥也。若夫以鳥養養鳥者。宜棲之深林。浮之江湖。食之以委蛇。則平陸而已矣。姚鼐云。語同至樂篇顏淵東之齊章。義較淺於彼。文亦有誤也。今休款啓寡聞之民也。李云。款。空也。啓。開也。如空之開。所見小也。吾告以至人之

德。譬之若載鼷以車馬。樂鴳以鐘鼓也。彼又惡能無驚乎哉。（此章言眩己招禍。不如忘肝遺耳。不恃不宰。乃爲善養生。蓋莊子寄慨。其言過高。恐致衆驚。十二章。）

山木第二十

（本篇皆處亂世之方。與人間世篇相發明。）

莊子行於山中。見大木枝葉盛茂。伐木者止其旁而不取也。問其故曰。無所可用。莊子曰。此木以不材得終其天年。出於山及邑。（出於山及邑。各本作夫子出於山。茲從類聚九一引改。）舍於故人之家。故人喜。命豎子殺雁而烹之。（王念孫云。烹。應作享。與饗通。）豎子請曰。其一能鳴。其一不能鳴。請奚殺。主人曰。殺不能鳴者。明日。弟子問於莊子曰。昨日山中之木。以不材得終其天年。今主人之雁以不材死。先生將何處。莊子笑曰。周

將處乎材與不材之間。材與不材之間。似之而非也。故未免乎累。若夫乘道德而浮游則不然。無譽無訾。一龍一蛇。與時俱化。而無肯專爲。一上一下。俞云。此應作一下一上。古書往往倒文協韻。後人不知誤乙耳。以和爲量。浮游乎萬物之祖。物物而不物於物。則胡可得而累邪。此神農黃帝之法則也。馬敘倫云。呂覽引法則作所法。當從之。若夫萬物之情。人倫之傳。則不然。合則離。成則毀。廉則挫。尊則議。有爲則虧。賢則謀。不肖則欺。胡可得而必乎哉。悲夫。弟子志之。其唯道德之鄉乎。按。上言出世之無累。謂心法也。下言人間世之不可必。謂世法也。一章。

市南宜僚見魯侯。魯侯有憂色。市南子曰。君有憂色何

也。魯侯曰。吾學先王之道。脩先君之業。吾敬鬼尊賢。親而行之。無須臾離居。然不免於患。吾是以憂。市南子曰。君之除患之術淺矣。夫豐狐文豹。棲於山林。伏於巖穴。靜也。夜行晝居。戒也。雖飢渴隱約。馬敘倫云。隱約。謂憂也。猶且胥疏於江湖之上而求食焉。定也。且。成本誤旦。蘇輿謂應作且。不知世德堂本正作且也。奚云。胥借爲疏。疏又踈字之誤。疏踈猶言遠迹。舊解多誤。然且不免於罔羅機辟之患。是何罪之有哉。其皮爲之災也。今魯國獨非君之皮邪。吾願君刳形去皮。洒心去欲。而遊於無人之野。南越有邑焉。名爲建德之國。其民愚而朴。少私而寡欲。知作而不知藏。胡遠濬云。作謂耕作。藏謂蓋藏。與而不求其報。不知義之所適。不知禮之

所將。猖狂妄行。乃蹈乎大方。成云。猖狂。無心。妄行。混迹也。其生可樂。其死可葬。吾願君去國捐俗。與道相輔而行。君曰。彼其道遠而險。又有江山。我無舟車。奈何。市南子曰。君無形倨。無留居。以爲君車。司馬云。無倨傲其形。無留安其居。按。如此則不嫌其險遠也。君曰。彼其道幽遠而無人。吾誰與爲鄰。吾無糧。我無食。安得而至焉。市南子曰。少君之費。寡君之欲。雖無糧而乃足。君其涉於江而浮於海。望之而不見其崖。愈往而不知其所窮。宣云。獨往深造如此。送君者皆自崖而反。宣云。人不相及。君自此遠矣。郭云。超然獨立於萬物之上也。故有人者累。見有於人者憂。故堯非有人。非見有於人也。吾願去君之累。除君之憂。而獨與

道遊於大莫之國。按。市南勸魯君去國以遠累。此蓋戰國末世亡國亂家相屬。故以有國爲累。與近世無政府主義又自不同。不可混而一之也。二章。

方舟而濟於河。有虛船來觸舟。雖有惼心之人不怒。有一人在其上。則呼張歙之。吳汝綸云。淮南詮言訓作一謂張之。一謂歙之。高注。持舟檝者謂近岸爲張。遠岸爲歙也。馬敘倫云。書鈔一三七引作一呼張之。一呼歙之。當依改。一呼而不聞。再呼而不聞。於是三呼邪。則必以惡聲隨之。向也不怒而今也怒。向也虛而今也實。人能虛己以遊世。其孰能害之。按。此章言虛己遊世之妙用。舊以此與上文爲一章。然虛己與去國義不相屬。故別爲一章。三章。

北宮奢爲衛靈公賦斂以爲鐘。爲壇乎郭門之外。三月而成上下之縣。王子慶忌見而問焉曰。子何術之設。奢曰。一之間。無敢設也。按。一謂事理。亦即所謂道。設謂設施。無敢設施。謂不敢有心作爲也。奢聞之。既雕既琢。復歸於朴。雕琢復朴。以喻精誠。侗乎其無識。儻乎其怠疑。按。

怠疑借爲佁癡。說文。佁。癡貌。萃乎芒乎。奚云。萃乃苭之借。其送往而迎來。來者勿禁。往者勿止。從其彊梁。不服者暫縱舍之。隨其曲傅。來附者因任而不迫也。因其自窮。說文。窮。極也。言各因其力所極以輸納。故朝夕賦斂而毫毛不挫。而況有大塗者乎。按。治理群衆。當因任自然。不逆民心。收效自宏。苟師心自用。勉強壓抑。群情怫鬱。轉激事變。此道家所以貴無爲也。四章。

孔子圍於陳蔡之間。七日不火食。大公任往弔之曰。子幾死乎。曰。然。子惡死乎。曰。然。任曰。予嘗言不死之道。東海有鳥焉。名曰意怠。馬敘倫云。怠蓋惡之誤。下文曰鳥莫知於鷾鴯。即此鳥也。其爲鳥也。翂翂翐翐。司馬云。舒遲貌。而似無能。引援而飛。迫脅而棲。進不敢爲前。退不敢爲後。食不敢先嘗。必取其緒。王念孫云。讓王篇。其緒餘以爲國家。司馬云。緒。殘也。是故其行列不斥而外。按。言不斥之行列之外也。舊以而外屬下讀。誤。

人卒不得害。按。人卒。猶人士也。本書多如此。釋文訓爲終。成訓爲猝。皆非。是以免於患。直木先伐。甘井先竭。子其意者。飾知以驚愚。修身以明汙。昭昭乎如揭日月而行。故不免也。昔吾聞之大成之人曰。自伐者無功。功成者墮。名成者虧。孰能去功與名而還與衆人。奚云。管子白心篇。功成者隳。名成者虧。孰能去名與功而還與衆人。隳虧爲韵。當據訂補。按。此數語見管子。則大成之人當即指管子而言。成謂指老子。恐非。道流而不明居。得行而不明處。舊讀至明字爲句。非也。呂惠卿謂明居連讀。是也。奚云。釋名。名。明也。名處與明居同。謂道德流行不顯然處之也。純純常常。乃比於狂。削迹捐勢。不爲功名。是故無責於人。人亦無責焉。至人不聞。子何喜哉。孔子曰。善哉。辭其交遊。去其弟子。逃於大澤。衣裘褐。食杼栗。入獸不亂羣。入鳥不亂行。鳥獸不惡而況人

乎。按。此章大公任戒孔子削迹捐勢以避禍。即老子謙退清靜不敢爲先之旨。亂世聲名轉足爲累。所謂儉德避難。不可榮以祿者也。故以爲戒。五章。

孔子問於子桑雽曰。吾再逐於魯。伐樹於宋。削迹於衛。窮於商周。圍於陳蔡之間。吾犯此數患。章云。犯借爲逢。親交益疏。徒友益散。何與。子桑雽曰。子獨不聞假人之亡與。孫詒讓云。司馬謂殷之逃民。則假乃殷之譌。林回棄千金之璧。負赤子而趨。或曰。爲其布與。赤子之布寡矣。釋文。布。謂貨財也。爲其累與。赤子之累多矣。棄千金之璧。負赤子而趨。何也。林回曰。彼以利合。此以天屬也。夫以利合者。迫窮禍患害相棄也。以天屬者。迫窮禍患害相收也。夫相收之與相棄亦遠矣。且君子之交淡若水。小人之交甘若醴。君子淡以

親。小人甘以絕。彼無故以合者。則無故以離。孔子曰，敬聞命矣。徐行翔佯而歸。（馬敘倫云。翔佯。猶徬徨也。）絕學捐書。弟子無挹於前。其愛益加進。異日桑雽又曰。舜之將死。直命禹曰。（直命。本作眞泠。司馬本眞作直。或本泠作命。王引之曰。直者卤之譌。卤者。乃之籀文。）汝戒之哉。形莫若緣。情莫若率。（胡遠濬云。形。容止也。緣。順也。謂不作僞。情指發於中者言。率情即中庸之率性。）緣則不離。率則不勞。不離不勞。則不求文以待形。（按。文謂禮之節文。）不求文以待形。固不待物。（奚云。固當作故。按。此章發明眞意相感。無求於外物之理。棄璧負子。亦亂世之事。非躬逢其難者不知此言之痛。六章。）

莊子衣大布而補之。正緳係履而過魏王。（郭嵩燾云。說文。絜。麻一耑也。與緳通。無絇係之以麻。故曰憊也。）魏王曰。何先生之憊邪。莊子曰。貧也。非憊也。士有道德不能行。憊也。衣敝履穿。貧也。非憊也。此

所謂非遭時也。（馬敘倫云。非借爲未。）王獨不見夫騰猿乎。其得枏梓豫章也。攬蔓其枝。（章云。蔓借爲曼。說文。引也。）而王長其間。（俞云。王長謂率其屬居其間而爲君長。）雖羿蓬蒙不能眄睨也。及其得柘棘枳枸之間也。危行側視。振動悼慄。此筋骨非有加急而不柔也。處勢不便。（王念孫云。古者謂所居之地曰處勢。亦曰勢居。）未足以逞其能也。今處昏上亂相之間。而欲無憊。奚可得邪。此比干之見剖心徵也夫。（按。徵。論也。遭時不淑。貧而非憊。七章。）

孔子窮於陳蔡之間。七日不火食。左據槁木。右擊槁枝。而歌猋氏之風。（王先謙云。猋氏。即焱氏。已見天運篇。）有其具而無其數。（林奚逸云。無其數。無節奏也。）有其聲而無宮角。木聲與人聲犁然有當於人之心。（奚云。史記呂后紀。犁明。集解徐廣曰。犁猶比也。此言木聲與人聲相比次也。）顏回端拱還目而窺之。仲尼恐其廣己

而造大也。愛己而造哀也。馬其昶曰。達則自放。拘則自苦。皆己爲累也。下文歌者其誰乎。言無我相也。曰。回無受天損易。無受人益難。無始而非卒也。人與天一也。按。孔子告顏回四事。皆處亂世之道。無受天損者。順受其正則物莫能害也。無受人益者竊祿於亂世。利少而禍多也。無始非卒者。萬物禪代。日新不窮也。人與天一者。氣合而生。氣散而死。人與天皆氣耳。故聖人安然與氣偕逝。惡有以己與天抗者邪。故曰人與天一也。夫今之歌者其誰乎。回曰。敢問無受天損易。仲尼曰。飢渴寒暑。窮桎不行。天地之行也。運物之泄也。章云。運借爲員。越語廣運。西山經作廣員。是其例。說文。員。物數也。員物猶言品物。奚云。詩大雅。俾民憂泄。毛傳。泄。去也。按。此二句言天地流行。品物逝去。皆不可一息止也。言與之偕逝之謂也。爲人臣者不敢去之。執臣之道猶若是。而況乎所以待天乎。按。言順天不違。何謂無受人益難。仲尼曰。始用四達。馬敘倫云。本書刻意篇。精神四達並流。無所不極。義與此同。疑始用二字譌也。爵祿並至而不窮。物之所利乃非己也。吾命有在外者也。君子不爲

盜。賢人不爲竊。吾若取之何哉。馬其昶云。此即孟子所謂求在外之旨。凡取外物之利以爲己益者。皆盜竊之行也。是以聖人有天下而不與焉。故曰。鳥莫知於鷾鴯。目之所不宜處不給視。雖落其實。棄之而走。其畏人也而襲諸人間。社稷存焉爾。馬敘倫云。襲借爲習。說文。數飛也。社稷謂鳥巢。社稷即社也。連及之耳。何謂無始而非卒。仲尼曰。化其萬物而不知其禪之者。郭云。莫覺其變。焉知其所終。焉知其所始。正而待之而已耳。何謂人與天一邪。仲尼曰。有人。天也。有天。亦天也。人之不能有天。性也。聖人晏然體逝而終矣。郭云。晏然無矜。而體與變俱也。胡遠濬云。晏然。大常也。體逝。日徂也。天之體固如此。聖人亦體之而已。按。此章文簡義周。莊子中論宇宙人生諸問題。略具於此矣。八章。

莊周遊乎雕陵之埜。埜。本作樊。此從或本。覩一異鵲。自南方來者。翼

廣七尺。目大運寸。司馬云。可回一寸也。感周之顙而集於栗林。莊周曰。此何鳥哉。翼殷不逝。司馬云。殷。大也。宣云。不逝謂集栗林。目大不覩。蹇裳躩步執彈而留之。奚云。蹇借爲攓。說文。摳衣也。胡遠濬云。留謂宿留。謂伺其便也。覩一蟬方得美蔭而忘其身。螳蜋執翳而搏之。見得而忘其形。異鵲從而利之。見利而忘其眞。莊周怵然曰。噫。物固相累。二類相召也。按。二類相召也。疑是郭注誤入正文者。捐彈而反走。虞人逐而誶之。釋文。誶。本又作訊。問也。莊周反入宮。宮。各本脱。据闕誤引江南古藏本補。三日不庭。王念孫云。本作三月。一本作三日者是。庭讀若逞。古音近而假。方言。逞。曉。快也。藺且從而問之。夫子何爲頃間甚不庭乎。莊周曰。吾守形而忘身。馬敘倫云。身疑眞之譌。觀於濁水而迷於清淵。且吾聞諸夫子曰。入其俗。從其俗。郭云。不違其禁令也。今吾遊於離陵而忘吾

身。異鵲感吾顙。遊於栗林而忘眞。栗林虞人以吾爲戮。吾所以不庭也。。九章

陽子之宋。宿於逆旅。逆旅人有妾二人。其一人美。其一人惡。惡者貴而美者賤。陽子問其故。逆旅小子對曰。其美者自美。吾不知其美也。其惡者自惡。吾不知其惡也。陽子曰。弟子記之。行賢而去自賢之行。（按。韓非子說難上作自賢之心。是也。）安往而不愛哉。（按。去自賢之心。即是忘我之用。十章。）

田子方第二十一（胡遠濬謂此篇演老子常德不離之旨。各章皆述全神守眞。一義貫注。胡氏所說。理或然也。）

田子方侍坐於魏文侯。數稱雞工。（雞工。本作谿工。此從司馬本。）文侯曰。雞工子之師邪。子方曰。非也。無擇之里人也。（無擇。子方名。）稱道

數當。故無擇稱之。文侯曰。然則子無師邪。子方曰。有。曰。子之師誰邪。子方曰。東郭順子。文侯曰。然則夫子何故未嘗稱之。子方曰。其爲人也眞。人貌而天虛。俞云。淮南俶眞訓。虛空生白。注。虛心也。此言其貌則人。其心則天也。舊讀至天字句。非。緣而葆眞。清而容物。郭云。清者患於大絜。今清而容物。與天同也。物無道。正容以悟之。使人之意也消。郭云。曠然清虛。正己而已。而物邪自消。無擇何足以稱之。子方出。文侯儻然終日不言。召前立臣而語之曰。遠矣。全德之君子。始吾以聖知之言。仁義之行爲至矣。吾聞子方之師。吾形解而不欲動。口鉗而不欲言。吾所學者直土梗耳。夫魏直爲我累耳。直。成玄英本作眞。一章。

溫伯雪子適齊。舍於魯。魯人有請見之者。溫伯雪子曰。不可。吾聞中國之君子。明乎禮義而陋於知人心。弘明集二引宗炳明佛論。陋作闇。吾不欲見也。至於齊。反舍於魯。是人也又請見。溫伯雪子曰。往也蘄見我。今也又蘄見我。是必有以振我也。馬敘倫云。振拯通。謙言救己之失。出而見客。入而歎。明日見客。又入而歎。其僕曰。每見之客也。必入而歎。何邪。曰。吾固告子矣。中國之民。明乎禮義而陋乎知人心。昔之見我者。進退一成規。一成矩。所謂周旋折旋。從容一若龍。一若虎。其諫我也似子。其道我也似父。釋文。道音導。是以歎也。仲尼見之而不言。馬敘倫云。呂覽精諭篇。不言下有而出二字。子路曰。吾子欲見溫伯雪子

久矣。見之而不言。何邪。仲尼曰。若夫人者。目擊而道存矣。方以智云。擊同及。亦不可以容聲矣。二章。

顏淵問於仲尼曰。夫子步亦步。夫子趨亦趨。夫子馳亦馳。夫子奔逸絕塵。而回瞠若乎後矣。夫子曰。回何謂邪。曰。夫子步亦步也。夫子言亦言也。夫子趨亦趨也。夫子辯亦辯也。夫子馳亦馳也。夫子言道回亦言道也。及奔馳絕塵。而回瞠若乎後者。夫子不言而信。不比而周。無器而民滔乎前。而不知其所以然而已矣。章云。滔借爲舀。舀當就器。無器而舀乎前。與上不言而信不比而周同意。仲尼曰。惡可不察與。夫哀莫大於心死。而人死亦次之。馬敘倫云。人讀爲身。日出東方而入於西極。萬物

莫不比方。有目有趾者。待是而後成功。是出則存。是入則亡。萬物亦然。有待也而死。有待也而生。按。日以喻心。有目有趾謂人類。待是謂待心。是出是入謂心出心入。不但人類待心而後成功。其他生物莫不如是。故曰萬物亦然。吾一受其成形。而不化以待盡。效物而動。馬敘倫云。效借爲爻。說文。爻。交也。日夜無隙。而不知其所終。薰然其成形。知命不能規乎其前。宣云。雖知命者不能豫規乎其前。丘以是日徂。按。是指生死所待者。謂心也。日徂。猶日進也。吾終身與女交一臂而失之。可不哀與。姚鼐云。交一臂而失之。所謂多學而識之也。所謂以色見我以聲音求我也。按。此謂得其皮相。不能眞知也。女殆著乎吾所以著也。彼已盡矣。而女求之以爲有。馬其昶云。步趨言道。莫非化機之所著。不可執相以求之也。胡遠濬云。所以著者不可著。著則執矣。如聲及耳。光及眼。而吾執爲聞見。不知聲光早已馳矣。此見日新之功不可已也。是求馬於唐肆也。馬敘倫云。唐借爲㝩。說文。㝩。屋㝩㝗也。方言。空也。吾服女也甚忘。女服吾也亦甚忘。按。忘即坐忘之忘。言吾之所以服女者。以女能坐忘也。女之所以服吾者。亦以吾能坐忘也。既已坐忘。何以更著吾之著哉

。郭注謂忘爲過去之速。似非。雖然。女奚患焉。雖忘乎故吾。吾有不忘者存。按。不忘者存謂眞君。即心也。本章論心之生滅。與齊物論可參觀也。三章。

孔子見老聃。老聃新沐。方將被髮而乾。慹然似非人。按。慹即熱之譌。从心與从火形近也。此謂晞髮時熱氣蒸騰也。孔子便而待之。章云。便者借爲屛也。張敞傳。便面。師古注。便面所以障面。蓋扇之類也。亦曰屛面。說文。屛。蔽也。老聃方被髮。不可直入相見。故屛於門下而待之。少焉見曰。丘也眩與。其信然與。向者先生形體掘若槁木。按。掘借爲柮。與杌同。說文。柮。檮柮也。檮柮。斷木也。春秋傳曰檮柮。今左傳孟子作檮杌。陸机文賦。兀若槁木。借兀爲之。似遺物離人而立於獨也。老聃曰。吾遊心於物之初。按。謂寄心於四大未和合時也。孔子曰。何謂邪。曰。心困焉而不能知。口辟焉而不能言。嘗爲女議乎其將。奚云。詩小雅。亦孔之將。鄭箋。將。大也。按。物初之境。非言可說。非知可知。故祇能議其大凡。至陰肅肅。至陽赫赫。肅肅出乎天。赫赫發乎地。兩者交

通成和而物生焉。或爲之紀而莫見其形。消息滿虛。一晦一明。日改月化。日有所爲。而莫見其功。生有所乎萌。死有所乎歸。始終相反乎無端。而莫知乎其所窮。非是也且孰爲之宗。孔子曰。請問遊是。老聃曰。夫得是至美至樂也。得至美而遊乎至樂。謂之至人。孔子曰。願聞其方。曰。草食之獸不疾易藪。水生之蟲不疾易水。成云。疾。患也。不以移易爲患。行小變而不失其大常也。喜怒哀樂不入於胸次。夫天下也者。按。天下疑當作天地。不則下字衍文。萬物之所一也。得其所一而同焉。成云。天地萬物。其體不二。達斯趣者。故能混同。則四支百體將爲塵垢。而死生終始將爲晝夜。而莫之能滑。而況得喪禍福之所介

乎。馬其昶云。漢書注。介。被也。棄隸者若棄泥塗。知身貴於隸也。貴在於我而不失於變。且萬化而未始有極也。夫孰足以患心。已爲道者解乎此。孔子曰。夫子德配天地。而猶假至言以修心。古之君子孰能脫焉。老聃曰。不然。夫水之於汋也。無爲而才自然矣。按。說文。汋。激水聲也。井一有水。一無水。謂之瀱汋。山海經。天井夏有水冬無水。是汋乃自然之泉。不假修治。故曰無爲而才自然也。以喻至人之德。不修不爲而自得也。至人之於德也。不修而物不能離焉。若天之自高。地之自厚。日月之自明。夫何修焉。孔子出以告顏回曰。丘之於道也。其猶醯雞與。郭云。甕中之蠛蠓。微夫子之發吾覆也。吾不知天地之大全也。四章。

莊子見魯哀公。哀公曰。魯多儒士。少爲先生方者。莊

子曰。魯少儒。哀公曰。舉魯國而儒服。何謂少乎。莊子曰。周聞之。儒者冠圜冠者知天時。履句屨者知地形。綏佩玦者事至而斷。綏。本作緩。誤。從司馬本正。君子有其道者未必爲其服也。爲其服者未必知其道也。公固以爲不然。何不號於國中曰。無此道而爲此服者。其罪死。按。號謂號令。於是哀公號之五日。而魯國無敢儒服者。獨有一丈夫儒服而立乎公門。公即召而問以國事。千轉萬變而不窮。莊子曰。以魯國而儒者一人耳。可謂多乎。按。因名責實。見眞儒之難能。義甚淺陋。莊徒所益。五章。

百里奚爵祿不入於心。故飯牛而牛肥。使秦穆公忘其賤。與之政也。有虞氏死生不入於心。故足以動人。忘我之用

。六章。

宋元君將畫圖。衆史皆至。受揖而立。馬敘倫云。揖借爲牒。札也。立。古位字。舐筆和墨。在外者半。有一史後至者。儃儃然不趨。李云。舒閒之貌。受揖不立。因之舍。按。此謂畫壁。故應入舍。在外者矜持。不即入也。公使人視之。則解衣槃礴臝。君曰。可矣。是眞畫者也。郭云。內足者神閒而意定。七章。

文王觀於臧。見一丈人。人。本作夫。此從或本。釣而其釣莫釣。非持其釣有釣者也。常釣也。奚云。有借爲爲。常借爲尚。按。廣雅。釣。鉤也。古兩字義通。往往致誤。外物篇。任公子作大鉤。釋文謂鉤本亦作釣。此兩字互用之證。持借爲恃。此文應作其釣莫鉤。非恃其鉤爲釣者也。尚釣也。尚釣謂釣之上者。舊注誤。文王欲舉而授之政。而恐大臣父兄之弗安也。欲終而釋之。而不忍百姓之無天也。於是旦而屬之大夫。大夫。本誤夫夫。茲從黎刻本。曰。昔者寡人夢見良人。黑

色而頳。（頳。即丹。）乘駁馬而偏朱蹏。號曰。寓而政於臧丈人。庶幾乎民有瘳乎。諸大夫蹵然曰。先君王也。（俞云。先君下疑脱命字。）文王曰。然則卜之。諸大夫曰。先君之命。王其無它。又何卜焉。遂迎臧丈人而授之政。典法無更。偏令無出。三年文王觀於國。則列士壞植散群。（馬敘倫云。植借爲職。）長官者不成德。斞斛不敢入於四竟。（馬敘倫云。斞。本作鍥。司馬本作斞。是也。説文。斞。量也。）列士壞植散群。則尚同也。（按。尚同。墨家之旨。以此疑也。）長官者不成德。則同務也。斞斛不敢入於四竟。則諸侯無二心也。文王於是焉以爲大師。北面而問曰。政可以及天下乎。臧丈大昧然而不應。泛然而辭。朝令而夜遁。終身無聞。顏淵問於

仲尼曰。文王其猶未邪。又何以夢爲乎。仲尼曰。默。汝無言。夫文王盡之也。而又何論刺焉。彼直以循斯須也。按。托之於夢。是歎德也。已有爲矣。何謂循也。仲尼之答。未足以解顏子之問。此殆莊徒糅合傳説呂尚之說。決非莊子本文也。八章。

列御寇爲伯昏無人射。引之盈貫。貫。司馬云。鏑也。按。貫無鏑義。盈貫者。謂其滿之至耳。謂之貫者。以貫錢喻張弓也。措杯水其肘上。發之適矢復沓。方矢復寓。奚云。列子黃帝篇。適作鏑。是也。沓。合也。方有今義。此言已發者鏑與矢復相合連。而將發之今矢。又寓於弦矣。列子仲尼篇。善射者能令後鏃中前括。發發相及。矢矢相屬。前矢造準而無絕落。後矢之括猶銜弦。視之若一焉。正可迻釋此文。當是時。猶象人也。伯昏無人曰。是射之射。非不射之射也。胡遠濬云。無往而不一其神如射時。是謂不射之射。嘗與汝登高山。履危石。臨百仞之淵。若能射乎。於是無人遂登高山。履危石。臨百仞之淵。背逡巡足二分垂在外。揖御寇而進之。御寇伏地汗

流至踵。伯昏無人曰。夫至人者。上闚青天。下潛黃泉。揮斥八極。郭云。揮斥。猶縱放也。神氣不變。今女怵然有眴目之志。爾於中也殆矣夫。眴。本作恂。此從李本。說文。目搖也。言汝之志氣已爲目搖。尚何射中之望。九章。

肩吾問於孫叔敖曰。子三爲令尹而不榮華。三去之而無憂色。吾始也疑子。今視子之鼻間栩栩然。子之用心獨奈何。孫叔敖曰。吾何以過人哉。吾以其來不可卻也。其去不可止也。吾以爲得失之非我也。而無憂色而已矣。我何以過人哉。且不知其在彼乎。其在我乎。其在彼邪亡乎我。在我邪亡乎彼。方將躊躇。方將四顧。何暇至乎人貴人賤哉。至一作知。仲尼聞之曰。古之眞人。知者

不得說。美人不得濫。姚永概云。淮南美者不得濫也。高注。濫。覦也。盜人不得劫。伏羲黃帝不得友。死生亦大矣。而無變乎己。況爵祿乎。若然者。其神經乎大山而無介。介。隔也。入乎淵泉而不濡。處卑細而不憊。充滿天地。既以與人己愈有。十章。

楚王與凡君坐。司馬云。凡。國名。在汲郡共縣。少焉楚王左右曰。凡亡者三。馬敘倫云。左右言凡亡者三復也。凡君曰。凡之亡也不足以喪吾存。言國雖亡別有不亡者存。如今人所謂民族精神者邪。凡君之詞止此。以下莊子之詞。夫凡之亡不足以喪吾存。則楚之存不足以存存。由是觀之。則凡未始亡而楚未始存也。論存亡不在迹象。當注重眞吾。戰國以來。兼併益盛。亡國亂家相屬。然亡者豈皆桀紂。存者豈皆湯武。仁不必存。暴不必亡。故以凡楚爲喻。而寄深慨亂世之哀音也。十一章。

知北遊第二十二

此篇以討論道體爲主。包含近人哲學中宇宙人生諸問題。而其解決則以自然無爲爲宗旨。此其大要也。

知北遊於玄水之上。登隱弅之丘。而適遭無爲謂焉。知謂無爲謂曰。予欲有問乎若。何思何慮則知道。何處何服則安道。按。服。行也。何從何道則得道。何道。何由也。三問而無爲謂不答也。非不答。不知答也。馬敘倫云。七字注文。知不得問。反於白水之南。登狐闋之上。而覩狂屈焉。知以之言也問乎狂屈。狂屈曰。唉。予知之。將語若。中欲言而忘其所欲言。知不得問。反於帝宮。見黃帝而問焉。黃帝曰。無思無慮始知道。無處無服始安道。無從無道始得道。知問黃帝曰。我與若知之。彼與彼不知也。其孰是邪。黃帝曰。彼無爲謂眞是也。狂屈似之。我與汝終不近也。

夫知者不言。言者不知。故聖人行不言之教。道不可致。郭云。道在自然。非可言致。德不可至。胡遠濬云。我固有之。何至之有。仁可爲也。義可虧也。禮相僞也。胡遠濬云。仁非生心所不能已。則爲矣。義非適自然之宜。則虧矣。禮必待飾而後行。則僞矣。按。謂此皆非自然。故曰。失道而後德。失德而後仁。失仁而後義。失義而後禮。禮者道之華而亂之首也。故曰。爲道者日損。郭云。損華僞也。損之又損之。以至於無爲。無爲而無不爲也。今已爲物也。欲復歸根。胡遠濬云。今已爲物。謂樸散爲器。欲復歸根。謂返樸也。樸即道也。不亦難乎。其易也。其唯大人乎。生也死之徒。死也生之始。孰知其紀。人之生。氣之聚也。聚則爲生。散則爲死。若死生爲徒。吾又何患。故萬物一也。是其所美者爲神奇。其所惡者爲臭

腐。臭腐復化爲神奇。神奇復化爲臭腐。故曰。通天下一氣耳。聖人故貴一。知謂黃帝曰。吾問無爲謂。無爲謂不應我。非不我應。不知應我也。吾問狂屈。狂屈中欲告我而不我告。非不我告。中欲告而忘之也。今吾問乎若。若知之。奚故不近。黃帝曰。彼其眞是也。以其不知也。此其似之也。以其忘之也。予與若終不近也。以其知之也。狂屈聞之。以黃帝爲知言。道即宇宙之原。萬物之理。本爲人知所不及知。古今中外哲人所論。皆假說耳。故曰終不近也。所可知者僅萬物死生皆由一氣而已。此古代哲人之宇宙論也。一章。

天地有大美而不言。四時有明法而不議。萬物有成理而不說。聖人者。原天地之美而達萬物之理。是故至人無

爲。大聖不作。觀於天地之謂也。今彼神明至精。與彼百化。物、己、死、生、方、圓。莫知其根也。按。己者。人己之己。物己猶言物我。物己死生方圓六者並列。舊以己爲已然之已。誤。扁然而萬物自古以固存。奚云。扁借爲徧。六合爲巨。未離其內。秋豪爲小。待之成體。天下莫不沈浮。終身不故。郭云。日新也。陰陽四時運行。各得其序。惛然若忘而存。油然不形而神。萬物畜而不知。此之謂本根。可以觀於天矣。二章。

齧缺問道乎被衣。被衣曰。若正汝形。一汝視。天和將至。攝汝知。一汝度。俞云。淮南道應訓、文子道原篇作正汝度。神將來舍。德將爲汝美。道將爲汝居。汝瞳然如新生之犢。章云。瞳借爲童昏之童。而無求其

故。按。謂日新。言未卒。齧缺睡寐。胡遠濬云。睡寐。凝神內視之貌。蓋直事被衣語也。被衣大說。行歌而去之。曰。形若槁骸。心若死灰。眞其實知。不以故自持。奚云。眞借爲寘。說文。塞也。塞其實知。猶上言攝知也。故亦新故之故。媒媒晦晦。無心而不可與謀。彼何人哉。三章

舜問乎丞曰。道可得而有乎。曰。汝身非汝有也。汝何得有夫道。舜曰。吾身非吾有也。孰有之哉。曰。是天地之委形也。馬敘倫云。說文。諉諈。諉。累也。生非汝有。是天地之委和也。按。和謂四大和合。性命非汝有。是天地之委順也。按。謂順受其正。孫子非汝有。是天地之委蛻也。按。謂世代相嬗。故行不知所往。處不知所持。食不知所味。天地之彊陽氣也。又胡可得而有耶。馬其昶云。人之知覺。皆陰

陽之氣運動之使然。不得據爲己私。按。彊陽。猶徜徉也。四章。

孔子問於老聃曰。今日晏閒。敢問至道。老聃曰。汝齊戒。疏瀹而心。澡雪而精神。馬敘倫云。雪借爲洒。掊擊而知。按。謂去私知。夫道窅然難言哉。將爲汝言其崖略。夫昭昭生於冥冥。有倫生於無形。精神生於道。形本生於精。陸西星云。精神之精。即道家所謂先天之精。清通而無象者也。形本之精。即易繫所謂男女構精之精。有氣有質者也。而萬物以形相生。故九竅者胎生。八竅者卵生。其來無迹。其往無崖。無門無房。四達之皇皇也。章云。漢書胡建傳。列坐堂皇上。師古注。四室無壁曰皇。邀於此者。俞云。說文無邀字。彳部徼。循也。即今邀字。四枝彊。思慮恂達。奚云。墨子公孟篇。身體彊良。思慮恂通。與此詞例同。此文彊下疑脫一良字。耳目聰明。其用心不勞。其應物無方。天不得不高。地不得不廣。日月不得不

行。萬物不得不昌。此其道與。且夫博之不必知。辯之不必慧。聖人以斷之矣。以同已。若夫益之而不加益。損之而不加損者。聖人之所保也。淵淵乎其若海。魏魏乎其馬敘倫云。此下疑脫若山二字。終則復始也。運量萬物而不匱。則君子之道彼其外與。萬物皆往資焉而不匱。此其道與。姚鼐云。老子語止此。蘇輿云。運量萬物。猶有治化之迹。故曰外萬物。往資猶易資生資始之資。此天地自然之功用也。故曰道。中國有人焉。非陰非陽。處於天地之間。直且爲人。將反於宗。自本觀之。生者喑醷物也。此言萬物之生。猶之釀酒。喑今作窨。密藏物也。醷借爲醉。苦酒也。醞泰釀之。自然成酒。天地氤氳。萬物化醇。皆自然耳。故以釀酒爲喻。舊注以爲聚氣。似非。雖有壽夭。相去幾何。須臾之說也。奚足以爲堯桀之是非。以上爲一節。果蓏有理。人倫雖難。所以相齒。聖人遭之而不違。

過之而不守。調而應之。德也。偶而應之。道也。帝之所興。王之所起也。人之倫類繁淆。雖不似果蓏之有理。而聖人亦不能不有以應之。此論道德帝王之源起。起於不得已也。人倫雖難所以相齒。所字疑衍。以上二節。

人生天地之間。若白駒之過隙。忽然而已。注然勃然。莫不出焉。油然漻然。莫不入焉。已化而生。又化而死。生物哀之。人類悲之。解其天弢。墮其天袠。紛乎宛乎。郭注云。變化煙熅。吳汝綸云。郭注四字。疑是正文。宛與熅韻。魂魄將往。乃身從之。乃大歸乎。人命短促。循環生死。殊可悲哀。以能解弢墮袠之爲貴。弢袠喻生死之束縛。不生不死乃可謂之大歸。此文似襲佛說解脫輪迴。入於涅槃之義。以上爲三節。

不形之形。形之不形。是人之所同知也。非將至之所務也。此衆人之所同論也。彼至則不論。論則不至。明見無值。值。會遇也。謂偶然有見。辯不若默。道不可聞。聞不若塞。此之謂大得。

此言生死之理難明。不如不論。不形謂氣。形謂身。不形之形謂由氣而成身。形之不形謂由身化氣。此古代公認爲生死之理也。然其說模糊影響。不足以解群疑。不如置之於不論不議。即未知生焉知死之意。舊注多誤。以上爲四節。今通爲一章。五章。

東郭子問於莊子曰。所謂道惡乎在。莊子曰。無所不在。東郭子曰。期而後可。郭云。欲令莊子指名所在。莊子曰。在螻蟻。曰。何其下邪。曰。在稊稗。曰。何其愈下邪。曰。在瓦甓。曰。何其愈甚邪。曰。在屎溺。東郭子不應。莊子曰。夫子之問也固不足質。按。此謂道無所不在。天地萬物皆一氣所化。雖屎溺亦在氣化之中。故曰道在屎溺也。質。詰問也。道本無所不在。此何足詰問邪。正獲之問於監市履狶也。每下愈況。獲者臧獲。古以名奴。監市。稽察市井之卒。若今警察。獲與監市。皆下流小人。其所言論問答。不外履之與狶。豈有至言高論。況。甚也。謂愈說而愈卑耳。喻東郭所問之陋。舊謂踐豕股腳。知其肥瘠。穿鑿可笑。汝唯莫必無乎逃物。闕誤張君房本、成玄英本必下有謂字。是也。今成本亦脫之。至道若是。大言亦然。舊讀至是字句。姚讀至大字。亦通。

周、徧、咸三者異名同實。其指一也。嘗相與遊乎無何有之宮。同合而論。無所終窮乎。嘗相與無爲乎。澹而靜乎。漠而淸乎。調而閒乎。寥已吾志。無往焉而不知其所至。（馬敍倫云。無字疑衍。）去而來。不知其所止。吾已往來焉而不知其所終。彷徨乎馮閎。大知入焉而不知其所窮。（此節言道周徧無窮）

物物者與物無際。而物有際者所謂物際者也。不際之際。際之不際者也。謂盈虛衰殺。彼爲盈虛非盈虛。彼爲衰殺非衰殺。彼爲本末非本末。彼爲積散非積散也。

胡遠濬云。衰疑裒字之譌。聚也。衰殺猶言益損。按。此節謂道即自然。無所消息。合而成道。即在物中。故曰與物無際。分而爲物。各得道之一體。故曰有際。消息盈虛。皆由自然。雖道亦不能自主也。六章。

妸荷甘與神農同學於老龍吉。神農隱几闔戶晝瞑。（瞑。脫本字。）

妸荷甘日中奓戶而入曰。老龍死矣。神農隱几擁杖而起。嚗然投杖而笑。馬敘倫云。嚗當作嚳。說文。大嘑自勉也。投本作放。當依或本。笑爲哭譌。詳味下文。意挾悲惜。不當爲笑明矣。曰。天知予僻陋慢訑。章云。慢借爲謾。說文。謾訑皆訓爲欺。故棄予而死已矣。夫子無所發予之狂言而死矣夫。弇堈弔聞之曰。夫體道者。天下之君子所繫焉。今於道秋豪之端。萬分未得處一焉。而猶知藏其狂言而死。又況夫體道者乎。視之無形。聽之無聲。於人之論者謂之冥冥。所以論道而非道也。按。此章言道難知。體道者僅獲知其萬一。尚衹是論道之言。而非道之體。信乎道之難知也。藏其狂言而死者。知其難而不復敢論也。七章。

於是泰清問乎無窮曰。子知道乎。無窮曰。吾不知。又問乎無爲。無爲曰。吾知道。曰。子之知道亦有數乎。

曰。有。曰。其數若何。無爲曰。吾知道之可以貴。可以賤。可以約。可以散。此吾所以知道之數也。泰清以之言也。問乎無始曰。若是則無窮之弗知與無爲之知。孰是而孰非乎。無始曰。不知深矣。知之淺矣。弗知內矣。知之外矣。於是泰清卬而歎曰。（卬。本作中。此從崔本。）弗知乃知乎。知乃不知乎。孰知不知之知。無始曰。道不可聞。聞而非也。道不可見。見而非也。道不可言。言而非也。知形形之不形乎。（奚云。淮南應道訓。知上有孰字。是也。）道不當名。（末二句似是泰清問詞。有譌脫耳。）無始曰。有問道而應之者。不知道也。雖問道者亦未聞道。道無問。問無應。無問問之。是問窮也。（郭云。所謂責空。章云。小雅。不宜

空我師。傳。空。窮也。郭注以責空解之。深合故訓。無應應之。是無內也。郭云。實無而假有以應者外矣。以無內待問窮。若是者。外不觀乎宇宙。內不知乎大初。是以不過乎崑崙。不遊乎大虛。此承上章言道不可知。凡論道者皆非眞知道者也。宇宙不可知。人生不可了。古今哲人所討論辯難者。皆設詞比況耳。道之眞際。豈果如其所言哉。八章。

光曜問乎無有曰。夫子有乎。其無有乎。俞云。據淮南道應訓。此下有無有弗應也五字。當依補。光曜不得問而孰視其狀貌。窅然空然。終日視之而不見。聽之而不聞。搏之而不得也。光曜曰。至矣。其孰能至此乎。予能有無矣。而未能無無也。及爲無有矣。何從至此哉。劉文典云。無有當依淮南作無無。此承上文而言。作無有則非其指矣。按。劉說是也。此見有生於無。更並無而無之。則萬象皆由自爾。更無最先之因矣。九章。

大馬之捶鉤者年八十矣。而不失豪芒。釋文。大馬。司馬也。奚云。以大司馬稱大馬。猶以大司農爲大

農也。司馬、郭云。捶者玷捶鉤之輕重而不失豪芒也。按。司馬、郭說是也。鉤謂鉤金。微金也。說詳胠篋篇。大馬以其能估輕重。不用權衡而不失豪芒。故稱其爲巧。若以鍛擊鉤鉤爲說。則何謂不失豪芒乎。故知淮南許注爲非。仍應從郭。

大馬曰。子巧與。有道與。曰。臣有守也。王引之云。守即道字。古音通。臣之年二十而好捶鉤。於物無視也。非鉤無察也。是用之者。假不用者也以長得其用。而況乎無不用者乎。物孰不資焉。非鉤無察。以專一其心。是以不爲外物所滑亂。而無師心自用之私。故能知其輕重而不失。況並此不用而亦無之者。郭所謂無無者也。故萬物皆資其用。十章。

冉求問於仲尼曰。未有天地可知邪。仲尼曰。可。古猶今也。郭云。言天地常存。乃無未有之時。冉求失問而退。明日復見曰。昔者吾問未有天地可知乎。夫子曰。可。古猶今也。昔日吾昭然。今日吾昧然。敢問何謂也。仲尼曰。昔之昭然也。神者先受之。郭云。虛心以待命。斯神受也。今之昧然也。且又爲不神者求

邪。郭云。思求更致不了。無古無今。無始無終。郭云。非惟無不得化而爲有也。有亦不得化而爲無矣。是以夫有之爲物。雖千變萬化。而不得一爲無也。不得一爲無。故自古無未有之時而常存也。未有子孫而有孫子。可乎。郭云。言世世無極。釋文陸云。言其要有由。不得無故而有。傳世故有子孫。不得無子而有孫也。如是。天地不得先無而今有也。冉求未對。仲尼曰。已矣。未應矣。未。一本作末。不以生生死。不以死死生。王先謙云。死者自死其生也。非以生此死者也。生者自生其死也。非以死此生者也。死生有待邪。郭云。獨化而足。皆有所一體。郭云。死與生各自成體。有先天地生者物邪。者猶之也。陶望齡云。老子言有物混成。先天地生。此破其義。物物者非物。物出不得先物也。猶其有物也。無已。各本重猶其有物也五字。姚云。闕誤劉得一本不重。是也。郭云。誰得先物者乎哉。吾以陰陽爲先物。而陰陽即所謂物耳。誰又先陰陽者乎。吾以自然爲先之。而自然即物之自爾耳。吾以至道爲先之矣。而至道者乃至無也。既以無矣。又奚爲先。然則先物者誰乎哉。而猶有物。無已。明物之自然。非有使然也。也。終無已者。亦乃取於是者也。郭云。取於自爾。故恩流百代而不廢也。十一章。聖人之愛人

顏淵問乎仲尼曰。回嘗聞諸夫子曰。無有所將。無有所

迎。回敢問其遊。仲尼曰。古之人外化而內不化。馬其昶云。文子云。內有一定之操。而外能屈伸。與物推移。今之人內化而外不化。與物化者。一不化者也。郭云。常無心。故一不化。一不化。乃能與物化耳。按。謂雖化而有不化者在。安化安不化。安與之相靡。必與之莫多。馬敘倫云。多借爲迻。狶韋氏之囿。黃帝之圃。有虞氏之宮。湯武之室。馬敘倫云。此四句與上下文不相屬。君子之人。若儒墨者師。故以是非相韲也。而況今之人乎。馬敘倫云。此三句疑列御寇篇鄭人緩也章錯簡。聖人處物不傷物。胡遠濬云。謂不強物從己。不傷物者物亦不能傷也。唯無所傷者。爲能與人相將迎。按。無人我之見者。乃能與人相將迎。仲尼語止此。以下疑別爲一章。舊皆通爲一。姑仍之。山林與。皋壤與。使我欣欣然而樂與。樂未畢也。哀又繼之。馬其昶云。入於清曠之區。哀樂每無端而至。蓋平日之感於物者深也。哀樂之來。吾不能禦。其去弗能止。悲夫。

世人直爲物逆旅耳。郭云。不能坐忘自得。而爲哀樂所寄也。夫知遇而不知所不遇。王先謙云。遇有窮。知亦有窮。知能能而不能所不能。胡遠濬云。知字疑衍。郭云。所不能者。不能強能也。無知無能者。固人之所不免也。郭云。受生各有分也。夫務免乎人之所不免者。豈不亦悲哉。按。知有所止。能有所限。此爲人之所無奈何者也。而不能不於此知能範圍之內有所運用。此其可悲也。至言去言。至爲去爲。郭云。皆自得也。齊知之。所知則淺矣。按。知本不齊而強齊之。則所知淺矣。故莊子之齊物論要在以明。而不在齊其知。世人多以莊子欲齊是非。可謂誤矣。十二章。

莊子詁義卷第八

淮陰　范耕研　伯子　　藷硯齋叢箸

雜篇庚桑楚第二十三

本篇所論衛生之經。移是之理。道家精蘊略盡於此。王夫之謂雜篇多微至之語。蓋謂此也。

老聃之役有庚桑楚者。偏得老聃之道。以北居畏壘之山。司馬云。役。學徒弟子也。按。偏徧古通。徧得謂全得也。故成玄英疏稱其最勝。畏壘。山名。或云在魯。又云在梁州。其臣之畫然知者去之。其妾之挈然仁者遠之。王先謙云。畫然。好明察以爲知也。挈然。自標舉以爲仁也。按。庚桑無爲自化。故仁知者自遠去也。擁腫之與居。鞅掌之爲使。奚云。消搖遊。其大本臃腫而不中繩墨。此亦謂不中繩墨之人。詩。或王事鞅掌。毛傳。失容也。此謂不修儀容之人。居三年。畏壘大穰。穰。本作壤。此從崔本。廣雅云。豐也。畏壘之民相與言曰。庚桑子之始來。吾洒然異之。朱駿聲云。洒借爲迺。說文。驚聲也。今吾日計之而不足。歲計之而有餘。向云。無旦夕小利。順時而大穰也。庶幾其聖人乎。子胡不相

與尸而祝之。社而稷之乎。馬敘倫云。此猶言社而尸之。稷而祝之也。庚桑子聞之。南面而不釋然。按。釋懌同。弟子異之。庚桑子曰。弟子何異於予。夫春氣發而百草生。正得秋而萬實成。俞云。得字衍文。易說卦。兑。正秋也。萬物之所說也。疏。正秋而萬物皆說成也。萬實本作萬寶。此從元嘉本。夫春與秋豈無得而然哉。天道已行矣。釋文。天道作大道。郭云。春秋生成皆得自然之道。故不爲也。按。大道流行。無爲而無不爲。吾聞至人尸居環堵之室。按。尸居猶伏處。宣云。隱居不燿。而百姓猖狂不知所如往。按。猖狂。無知貌。言耕鑿自養。不知帝力。故亦無人歸往之也。今以畏壘之細民。而竊竊焉欲俎豆予于賢人之間。我其杓之人邪。按。杓郭音的。是借爲準的字也。又音匹么反。是借爲幖幟字也。皆即近人所謂箭垜人物。吾是以不釋於老聃之言。郭云。聃云功成事遂。而百姓皆謂我自爾。今畏壘反此。故不釋然。弟子曰。不然。夫尋常之溝。巨魚無所還其體。而鯢鰌爲之制。廣雅云。制。折也。謂小魚得曲折也。郭慶藩云。制折古通用。論語。片言可以折獄。折。魯論作制。步仞之

丘陵。巨獸無所隱其軀。而蘖狐爲之祥。（蘖。妖也。祥借爲翔。言小獸得迴翔也。）且夫尊賢授能。先善與利。自古堯舜以然。而況畏壘之民乎。夫子亦聽矣。庚桑子曰。小子來。夫函車之獸。介而離山。則不免於罔罟之患。（函借爲含。言獸大可以含車也。俞云。方言。獸無偶曰介。）吞舟之魚。碭而失水。則螻蟻能苦之。（釋文。碭而失水。謂碭溢而失水也。各本脫螻字。馬敘倫謂御覽九三五九四七及文選賈誼弔屈原文注引。有螻字。是也。苦。向云。馬氏作最者。嘬之省。）故鳥獸不厭高。魚鼈不厭深。夫全其形生之人。藏其身也。不厭深眇而已矣。（奚云。楚辭哀郢。眇不知其所蹠。王注。眇。遠也。）且夫二子者。又何足以稱揚哉。（崔郭皆云。二子。堯舜也。）是其於辯也。（馬敘倫云。說文。辯。治也。）將妄鑿垣牆而殖蓬蒿也。（王引之云。將妄與將無同。也與邪同。按。此喻毀有用而爲無用也。）簡髮而櫛。數米而炊。（喻其苛細。）竊竊乎又何足以濟世哉。舉賢則民

相軋。任知則民相盜。之數物者。不足以厚民。民之於利甚勤。子有殺父。臣有殺君。正晝爲盜。日中穴阫。釋文。向音裴。云。阫。墻墻也。言無所畏忌。郭慶藩云。阫與培同。淮南齊俗篇。鑿培而遁之。高注曰。培。屋後牆也。吾語女。大亂之本。必生於堯舜之間。其末存乎千世之後。千世之後。其必有人與人相食者也。按。以上明無爲之用。以下明衛生之經。前後合觀。大道乃全。南榮趎蹵然正坐曰。若趎之年者已長矣。將惡乎託業以及此言邪。按。業謂學業。庚桑子曰。全汝形。抱汝生。俞云。釋名。抱。保也。相親保也。無使汝思慮營營。若此三年。則可以及此言也。成本也作矣。南榮趎曰。目之與形。吾不知其異也。而盲者不能自見。耳之與形。吾不知其異也。而聾者不能自聞。心之與形。吾不知其異也。而狂

者不能自得。形之與形亦辟矣。馬叙倫云。辟借爲嬖。廣雅。親也。而物或間之邪。欲相求而不能相得。宣云。物謂物欲。按。庚桑戒使全形。南榮意謂形與形雖親。而物或間之。求而不得。則雖欲全形。亦不易也。今謂趎曰。全汝形。抱汝生。勿使汝思慮營營。趎勉聞道達耳矣。按。耳雖聞道。身未能行。庚桑子曰。辭盡矣。曰。張伯禧云。曰字疑衍。按。闕誤引江南李氏本、張君房本。曰作口。亦不可通。奔蜂不能化藿蠋。越雞不能伏鵠卵。魯雞固能矣。雞之與雞。其德非不同也。有能與不能者。其才固有巨小也。今吾才小不足以化子。子胡不南見老子。胡遠濬云。庚桑不能忘於人之俎豆予。便不免有己。正南榮趎所患仁義之愁我身也。才小而道爲之隘。固不足以化之。南榮趎贏糧。七日七夜。至老子之所。老子曰。子自楚之所來乎。南榮趎曰。唯。老子曰。子何與人偕來之衆也。陸西星謂常有自楚所來者。故老子問之。舊注以爲挾三言。不知三言非人。更不可謂衆。其

誤審已。南榮趎懼然顧其後。懼然。驚也。正字應作𥄎。說文。九遇切。字亦借作瞿。老子曰。子不知吾所謂乎。南榮趎俯而慙。仰而歎曰。今者吾忘吾答。因失吾問。老子曰。何謂也。南榮趎曰。不知乎。人謂我朱愚。章云。朱借爲銅。說文。鈍也。亦作銖。淮南齊俗訓。其兵戈銖而無刃。注。楚人謂刃鈍爲銖。銖銅雙聲也。朱愚猶言愚鈍。知乎。反愁我軀。不仁則害人。仁則反愁我身。不義則傷彼。義則反愁我已。我安逃此而可。此三言者。趎之所患也。願因楚而問之。老子曰。向吾見若眉睫之間。吾因以得汝矣。今汝又言而信之。若規規然若喪父母。揭竿而求諸海也。女亡人哉。惘惘乎。汝欲反汝情性而無由入。可憐哉。南榮趎請入就舍。召其所好。去其所惡。宣云。召清虛。去物欲。

十日息愁。息本作自。奚云。闕誤云。江南李氏本、文如海本、劉得一本、張君房本自並作息。是也。息。止也。言止其所愁也。復見老子。老子曰。汝自洒濯。孰哉鬱鬱乎。按。孰世本作熟。古通。然而其中津津乎猶有惡也。夫外韄者不可繁而捉。將內揵。內韄者不可繆而捉。將外揵。釋文。韄。李云。縛也。揵。向云。閉也。郭嵩燾云。外韄者。制其耳目。耳目之司。紛紜繁變。不可捉搤。則內揵其心以息耳目之機。內韄者。制其心。而心繆繞百出。亦不可捉搤也。則外揵其耳目以絕心之緣。外內韄者。道德不能持。而況放道而行者乎。按。內外交韄。勞於應付。而道德尚不能執持。而況放道而行者。方將任內外之自然。不將愈令聞者茫然無所著手邪。故趎譬之以飲藥加病也。南榮趎曰。里人有病。里人問之。病者能言其病。然其病病者猶未病也。若趎之聞大道。譬猶飲藥而加病也。趎願聞衛生之經而已矣。老子曰。衛生之經。能抱一乎。郭云。不離其性。能勿失乎。郭云。還自得也。能無卜筮而知吉凶乎。郭云。當則吉。過則凶。無所卜也。王念孫云。管子心術篇作凶吉。是也。吉與一

失爲韵。能止乎。郭云。止於分也。能已乎。郭云。無追故迹。能舍諸人而求諸己乎。郭云。全我而不效彼。能翛然乎。郭云。無停迹也。能侗然乎。郭云。無節碍也。能兒子乎。兒子終日嗥而嗌不嗄。和之至也。釋文。嗌。崔云。喉也。嗄。崔云。啞也。郭云。任聲之自出。不由於喜怒。終日握而手不掜。共其德也。釋文。掜。廣雅。提也。郭云。任手之自握。非獨得也。終日視而目不瞚偏。不在外也。按。舊以瞚字句絕。偏字屬下讀。非是。瞚偏謂視不正也。在。察也。不在外者。謂任目自見。不作意省察也。行不知所之。郭云。任足之自行無所趣。居不知所爲。郭云。縱體而自任也。與物委蛇。而同其波。是衛生之經已。南榮趎曰。然則是至人之德已乎。郭云。若能自改而用此言。便欲自謂至人之德。曰。非也。是乃所謂冰解凍釋者能乎。夫至人者。相與交食乎地。而交樂乎天。俞云。交即徐無鬼篇之邀。亦即左傳徼福於周公魯公之徼。不以人物利害相攖。不相與爲怪。不相與爲謀。不相與爲

事。按。皆因任無爲之意。翛然而往。侗然而來。是謂衛生之經已。曰。然則是至乎。至。極也。曰。未也。吾固告汝曰。能兒子乎。兒子動不知所爲。行不知所之。身若槁木之枝。而心若死灰。若是者禍亦不至。福亦不來。禍福無有。惡有人災也。郭云。禍福生於失得。人災由於愛惡。今槁木死灰。無情之至。則愛惡失得無自而來。宣云。答以未也而告之無進詞。蓋至道不外上所云。但有心以此爲至。即非道矣。老子所以奪之。按。馬敘倫謂此段文義錯亂。別更定之。南榮趎曰。然則是至乎。曰。未也。吾固吾汝曰。能兒子乎。兒子動不知所爲。行不知所之。翛然而往。侗然而來。是謂衛生之經已。曰。然則是至人之德已乎。曰。非也。是乃所謂冰解凍釋者能乎。夫至人者。相與交食乎地而交樂乎天。不以人物利害相攖。不相與爲怪。不相與爲謀。不相與爲事。身若槁木之枝。而心若死灰。若是者禍亦不至。福亦不來。禍福無有。惡有人災也。所更定者。較原文爲勝。錄以備考。一章。

宇泰定者發乎天光。按。宇。器宇。宇喻心也。天光謂慧照。發乎天光者人見其人。物見其物。奚云。闕誤引張君房本有物見其物四字。世本脱。今補。按。人物各見。見其實如也。人有修者乃今有恆。按。能得

天光慧照者。在乎修之有恆。有恆者。人舍之。天助之。按。舍讀若鬼神來舍之舍。王先謙云。人來依止。天亦佑助。人之所舍謂之天民。天之所助謂之天子。按。天子與天民同意。言爲天所佑助之人耳。非謂帝王。二章。

學者學其所不能學也。行者行其所不能行也。辯者辯其所不能辯也。釋文。陸云。言人皆欲學其不能知。凡所能者。故是能於所能。夫能於所能者。則雖習非習。知止乎其所不能知。至矣。郭云。所不能知。不可強知。故止斯至也。若有不即是者。天鈞敗之。郭云。意雖欲爲。爲者必敗。理終不能。三章。

備物以將形。藏不虞以生心。奚云。詩小雅。不遑將父。鄭箋。將。養也。周禮天官。五曰生以馭其福。鄭注。生。養也。備具萬物。所以養形。藏其不虞。所以養心。郭云。虞者。億度之謂。敬中以達彼。王先謙云。敬愼其內智以達於外。若是而萬惡至者。宣云。謂災患。成云。若文王之拘羑里。孔子之厄匡人。皆天也。郭云。天理自有窮通。而非人也。郭云。有爲而致惡者乃是人。不足以滑成。不可內於靈臺。釋文郭云。靈臺。謂心有靈智能住持也。靈臺者有持。奚云。有持即釋臺字之義。故釋

名曰。臺。持也。而不知其所持。而不可持者也。不見其誠己而發。每發而不當。業入而不舍。每更爲失。章炳麟云。夫靈臺有持者。阿陀那識持一切種子也。不知其所持者。最深細不可知也。解深密經云。阿陀那識最深細。三十唯識頌云。阿賴邪識不可知不可持者。有情執此爲自內我。即是妄計。若執唯識眞實有者。亦是法執也。不見其誠己而發者。意根以阿陀那識爲眞我。而實不見其形。然思慮動作依之以發也。每發而不當者。三細與心不相應也。業入而不舍者。六麤第五爲起業相。白黑羯磨。熏入本識。種不焦敝。每發而不當說惑。業入而不舍說業。由前異熟生後異熟。非至阿羅漢位。不能舍藏識雜染也。每更爲失者。恆轉如暴流也。詳其言持、言業、言不舍。非獨與大乘義趣相符。名相亦適相應。雖以玄奘窺基之辯。何能強立異同哉。四章。

爲不善乎顯明之中者。人得而誅之。爲不善乎幽闇之中者。鬼得而誅之。闇本作閒。此從御覽六四五引改。明乎人明乎鬼者。然後能獨行。胡遠濬云。此即中庸莫見乎隱莫顯乎微。故君子必愼其獨之旨。此論愼獨義最悚切。嵇叔夜謂讀老莊重增其放。非善讀老莊者也。按。鬼誅謂良心之責備。券內者行乎無名。宣云。券。契也。得契合乎內。成云。無名。道也。履道者雖行而無名迹。券外者志乎期費。俞云。荀子每用綦字爲窮極之義。字亦作期。此期費者。謂窮極其財用耳。按。契乎內者忘名。契乎外者好利。行乎無名者。唯庸有光。按。唯讀爲雖。庸謂傭奴。言內德充者。雖爲庸奴。自

有光燿。庸奴與下賈人。乃可相儷。若如舊注。殊不相稱。志乎期費者。唯賈人耳。按。此言勞心於外物。與賈人無異。人見其跂。猶之魁然。按。跂者小也。從支之字。皆有小義。說文。妓。婦人小物也。⿰頁枝。小頭⿰頁枝⿰頁枝也。此言人雖見其爲小。猶之魁大也。券內者德大。券外者財大也。舊訓跂爲求。魁爲安。似非也。與物窮者物入焉。與物且者其身之不能容。焉能容人。章云。窮。空也。且借爲阻。大射儀。且左還。古文且爲阻。空故能入。阻故不能容。不能容人者無親。無親者盡人。郭云。盡是他人。兵莫憯於志。鏌鋣爲下。寇莫大於陰陽。無所逃於天地之間。非陰陽賊之。心則使之也。奚云。淮南繆稱篇。志上有意字。主術篇、繆稱篇。寇莫大於陰陽下有枹鼓爲小四字。與鏌鋣爲下相對。莊子亦應同之。按。此章明人誅鬼責陰陽之禍。皆心所使。則凡夫妄心所執。必宜遣除之也。五章。

道通其分也。其成也毀也。所惡乎分者。其分也以備。所以惡乎備者。其有以備。宣云。凡分必有畛域。道無畛域。故通乎其所分也。按。成毀義亦見齊物論篇。說詳彼文。自以爲備。則不能虛心待物。故惡之也。備謂自滿足。如是。則失心知之作用矣。六章。

故出而不反。見其鬼。出而得是。謂得死。滅而有實。鬼之一也。按。故爲發端之詞。與前文不屬。別爲一章。説詳齊物論中。出喻生。入喻死。此章明無鬼之旨。中土古無輪迴之説。故不説人爲鬼所轉生。而人死爲鬼與魂魄升降之説。則經傳頗有述之者。莊子之意。則以爲生死皆屬自然。氣合而生。氣散而死。何鬼之有。所謂出而不反見其鬼者。蓋世俗以人既生。則不復散而爲氣。以此證其有鬼。故曰見其鬼也。出而得是謂得死者。是指形知。人之生也。得形與知。凡有得者。必有失時。失形與知則死。故曰得死。滅而有實者。實謂形質。有形質者。必占有時空之一部。人死而果有形質。則鬼誠有之矣。故曰鬼之一也。以有形者象無形者而定矣。按。謂鬼有形質邪。則是非鬼也。謂鬼無形質邪。既無形質矣。是無鬼也。故曰以有形者象無形者而定矣。反覆明世無鬼。象。擬也。出無本。入無竅。郭云。欻然自生。非有本。欻然自死。非有根。按。此言生不知所自來。死不知其所往。皆由自然。有實而無乎處。有長而無乎本剽。有所出而無竅者有實。按。上二句解見下文。下一句疑是出無本入無竅注文。又有譌脱耳。有實而無乎處者。宇也。釋文。三蒼云。四方上下曰宇。宇雖有實。而無定處可求也。有長而無本剽者宙也。釋文。剽。崔云。末也。三蒼云。往古來今曰宙。長猶增也。本。始也。宙雖有增長。亦不知其始末所至也。有乎生。有乎死。有乎出。有乎入。入出而無見其形。是謂天門。天門者

無有也。萬物出乎無有。郭云。死生出入。皆欻然自爾。未有爲之者也。然則聚散隱顯。徒有名耳。門其安在乎。按。人與萬物。生死自爾。以明無鬼之理。有不能以有爲有。必出乎無有。而無有一無有。聖人藏乎是。按。世本無有。欻然而生。四大和合而有形。神識流轉而有知。然四大神識舉是幻相。何處可以執著爲有。故曰無有一無有。莊子蓋操無因論者。章炳麟云。說無因者。亦佛法最後了義。夫言別有生。法者以其緣會衆多。無有主因可得。心既不了。由是說無因論。此愚夫一切之見也。今說生之所因。還待前生。展轉相推第一生因。唯心不覺。不覺故動。動則有生。而彼心體。非從因緣和合而生。所以爾者。世識三時。即心種子。因果之識。亦心種子。不以前後因果而有心。唯依心而成前後因果。如是說無因論。乃成無過。假有第一生期。此即唯是心動。更無他因。雖依因果說。不覺爲因。動爲其果。動復爲因。生爲其果。而實不覺即動。動即是生。更無差別。故曰生無自也。按。聖人藏乎是者。藏謂含藏。佛說阿賴邪識。亦翻藏識。能藏自體於諸法中。又能藏諸法於自體中。有此藏識爲生死輪迴之本。故莊子雖說無有一無有。而與常斷二見迥別。此立說所以卓越也。

古之人其知有所至矣。言古人之論生死者。各有所至。惡乎至。有以爲未始有物者至矣盡矣。弗可以加矣。此一家之說也。以無爲萬物之始。此近於斷滅見。其次以爲有物矣。將以生爲喪也。以死爲反也。是以分已。此又一家之說也。以有爲無物之始。然以生爲喪。以死爲返。有惡生悅死之心。亦非至妙之道。其次曰始無有。既而有生。生俄

而死。以無有爲首。以生爲體。以死爲尻。孰知有無死生之一守者。吾與之爲友。王念孫云。守借爲道。按。此又一家之說也。以謂有生於無。是能齊生死矣。然未能並無而無之。猶有所滯。故亦不爲至極。是三者雖異。公族也。按。三者謂上所舉生死之三說。雖小異而大同。皆非至極。昭景也著戴也。甲氏也著封也。非一也。章云。戴。籀文作戴。从弋聲。則戴可借爲代。楚之公族有昭屈景三氏。昭景以謚爲氏。所謂著代也。未聞別有甲氏。亦無甲邑。甲蓋即屈之借。甲屈雙聲通假。屈正是封邑也。郭云。此四者雖公族。然已非一。則向之三者已復差之。有生黬也。按。黬者從黬之省。說文。雖暫而黑也。言人之所以生。黯然不易明也。披然曰移是。馬敘倫云。披借爲詖。說文。辯論也。按。移。易也。是指形知。移是者。謂形知變易。即人之生死也。達生篇。形精不虧。是謂能移。與此義相發明。亦與佛家輪迴之說相近。嘗言移是。非所言也。雖然。不可知者也。按。生死之理。非知所知。故難言之也。臘者之有膍胲。可散而不可散也。釋文。膍。司馬云。牛百葉也。胲。足大指也。孫詒讓云。禮經載脅體之法。皆云去蹄。則臘祭雖備物。必無升足指之理。疑胲爲胘之誤。說文。膍胘同訓百葉。則是一物也。散。說文。雜肉也。特薦於豆。不雜他肉物。故曰不可散也。觀室者周於寢廟。又適其偃焉。釋文。偃。司馬、郭云。屏廁也。爲是。舉移是。按。膍胲有可散不可散之異。室有寢

廟與偃之異。然皆相需而不可或缺。喻人有賢愚高下。而同爲形精所變易。不可以此相輕相賤。

請嘗言移是。是以生爲本。以知爲師。因以乘是非。果有名實。因以己爲質。使人以爲己節。因以死償節。若然者以用爲知。以不用爲愚。以徹爲名。以窮爲辱。移是今之人也。是蜩與學鳩同於同也。按。人以生爲始。有生而有知。有知而有是非。是非爲因。名實爲果。是非名實。皆緣於有己。故曰因以己爲質。質。主也。節即己之衍。古節字作卪。與己形近。下節字亦本作己。己因人而顯。人因己而著。故曰使人以爲己。擾攘數十年。以至於死。皆爲己耳。故曰因以死償己也。不能隨所遇而安之。妄心執著。而有知愚名辱分別之見。是不明移是之理。其實今之人。豈能出移是之外。向之移是爲今之人。今之移是又將爲後之人。雖因業所感。取趣有殊。而因感所成。結生無異。故曰蜩與學鳩同於同也。　七章。

蹍市人之足。則辭以放驁。按。放。肆。驁。慢也。郭云。稱己脱誤以謝之。兄則以嫗。郭云。言嫗詡之。無所辭謝。大親則已矣。郭云。明恕素足。故曰。至禮有不人。郭云。視人若己。按。有字疑衍。至義不物。郭云。各得其宜。則物皆我也。至知不謀。成云。率性而照。至仁無親。郭云。譬之五藏。未曾相親。而仁已至矣。

至信辟金。郭云。金玉者。小信之質耳。至信則除矣。按。此章明道以相忘爲至。第二章至此章。舊通爲一。義或難貫。故分爲七。八章。

徹志之勃。章云。勃。又作悖。與謬同義。然勃是故書。解心之謬。去德之累。達道之塞。富貴顯嚴名利。六者勃志也。容動色理氣意。六者繆心也。惡欲喜怒哀樂。六者累德也。去就取與知能。六者塞道也。此四六者。不盪。胸中則正。正則靜。靜則明。明則虛。虛則無爲而無不爲也。九章。

道者德之欽也。俞云。欽借爲廞。小爾雅。廞。陳也。蓋所以生者爲德。而陳列之即爲道。生者德之先也。生本作光。此從一本。言先有生。後乃有德。性者生之質也。質。本也。性之動謂之爲。郭云。以性自動。故稱爲耳。此乃眞爲。非有爲也。爲之僞謂之失。按。爲出自然故無記。僞出有心。故謂之失。知者接也。知者謨也。章云。接謂觸受。即感覺。謨摹同。想也。思也。按。上知謂感覺之知。下知謂思想之知。知者之所不知。猶睨也。胡遠濬云。側視不能全見。知有所窮。亦猶是也。

明此則可知凡舉動有得自主者。有不得自主者。違其自然。斯失矣。

動以不得已之謂德。按。謂順自然無爲而治也。動無非我之謂治。按。謂由我而動。無爲而無不爲也。名相反而實相順也。言德與治相反相成。羿工乎中微。而拙乎使人無己譽。言工拙常相因。聖人工乎天而拙乎人。夫工乎天而俍乎人者。釋文。俍音良。崔云。良工也。按。不言工而言俍者。古文避複也。唯全人能之。唯蟲能蟲。唯蟲能天。按。蟲之動皆由於不得已。故合於天然。亦何足貴。故全人惡之。全人惡天。惡人之天。按。純任自然。則失其所以爲人。故惡之。而況吾天乎人乎。按。應兩忘之也。章太炎氏齊物論釋引唯識義以解此章。錄以備考。章云。動以不得已者。謂有根識即不能無塵。又亦目視耳聽不能相爲也。動無非我者。謂本由迷一法界成此六事。迷者即如來藏。如來藏此謂眞我。次及無自主者。皆謂之動以不得已。有自主者。皆謂之動無非我。二者名固相反。實還相順。何以明之。由我自迷。故生六事。此則動無非我爲因。動不得已爲果。由此六事不能相爲。乃生勝解及慧。或則決定不可轉移。或則簡擇不可眩惑。此又動不得已爲因。動無非我爲果。近世塞楞柯調和必至自由二說。義正類此。然物類最劣者。唯是動不得已。金石悉然。蟲亦近之。委心任化。此謂唯蟲能蟲。心無勝解。此謂唯蟲能天。聖人樂天。亦效是爾。乃若全人則不然。知彼亂識因迷故成。是以惡天也。然且不壞法性。是謂工乎天。發心趣道。是謂俍乎人。又知迷悟不二。故都不辨天人也。十章。

一雀過羿。過本作適。依類聚九二御覽七六四引改。韓非難三亦作過。羿必得之。或也。或本作威。此依崔本改。孫詒讓云。韓非難三云。故宋人語曰。一雀過羿必得之。則羿誣。以天下爲之羅。則雀不失矣。舊注云。羿雖善射。見雀未必一一得之。故曰誣也。此書云威。則是言其必得。與本意不相蒙。崔本作或。與惑同。猶云誣也。以天下爲籠則雀無所逃。是故湯以胞人籠伊尹。釋文。胞又作庖。秦穆公以五羊之皮籠百里奚。是故非以其所好籠之而可得者。無有也。按。羿雖善射。不能必得雀。而投人所好。即可以籠人。見人有偏好。即將爲人所制也。舊說多誤。十一章。

介者拸畫。外非譽也。釋文。介。郭云。刖也。崔本作兀。拸畫。崔云。不拘法度也。俞云。崔說是也。漢書司馬相如傳。拸以陸離。師古注曰。拸。自放縱也。即此拸字之義。桓六年公羊傳。以其化我。何休注曰。行過無禮謂之化。穀梁傳作畫。蓋人既刖足。不自顧惜。非譽皆所不計。故不拘法度也。胥靡登高而不懼。遺死生也。胥靡。司馬云。刑徒人也。郭云。無賴於生。故不畏死。夫復謵不餽而忘人。按。復謵猶復習。言狎熟之人。彼此忘懷。不更以餽遺爲惠。舊注多誤。忘人因以爲天人矣。郭云。無人之情。則自然爲天人。故敬之而不喜。侮之而不怒者。唯同乎天和者爲然。郭云。彼刑殘胥靡而猶同乎天和。況天和之自然乎。出怒

不怒。則怒出於不怒矣。出爲無爲。則爲出於無爲矣。按。怒如字。承上侮之而不怒意來。言怒出於不得已。則雖怒不爲怒。故曰怒出於不怒也。如是則無傷於性情。而不爲人所憤恨矣。此以怒出於不怒喻爲出無爲。欲靜則平氣。欲神則順心。有爲也欲當。則緣於不得已。不得已之類。聖人之道。郭云。緣於不得已則所爲皆當。故聖人以斯爲道。豈求無爲於恍惚之外哉。按。九章以下。舊通爲一。今分四。十二章。

徐無鬼第二十四

徐無鬼因女商見魏武侯。釋文。李云。無鬼女商並魏幸臣。按。無鬼來自山林。女商說武侯以詩書禮樂。似非幸臣之比。成疏以女商爲宰臣。無鬼爲隱者。理或然也。武侯勞之曰。先生病矣。苦於山林之勞。故乃肯見於寡人。徐無鬼曰。我則勞於君。君有何勞於我。君將盈耆欲。長好惡。則性命之情病矣。君將黜耆欲。掔好惡。則耳目病矣。我將勞君。君有何勞於我。武侯超然

不對。釋文。山林之勞一字如字。餘並力報反。掔。司馬云。牽也。按。掔牽疊韵通假。超然。司馬云。猶悵然。按。此借超爲怊也。少焉。徐無鬼曰。嘗語君。吾相狗也。下之質。執飽而止。是狸德也。按。狸謂狸狌。飽則不執鼠。非謂狐狸。中之質。若視日。釋文。司馬云。視日瞻遠也。上之質。若亡其一。釋文。一。身也。謂精神不動。若無其身也。吾相狗。又不若吾相馬也。吾相馬。直者中繩。曲者中鉤。方者中矩。圓者中規。是國馬也。按。謂馬之馳驟中乎鉤繩規矩也。司馬謂指齒背頭目。恐非也。而未若天下馬也。天下馬有成材。若卹若失。若喪其一。按。卹亦失也。若喪其一。與上若亡其一同意。若是者超軼絕塵。不知其所。所。處也。武侯大說而笑。說同悅。徐無鬼出。女商曰。先生獨何以說吾君乎。釋文。說如字。下同。司馬作悅誤。吾所以說吾君者。橫說之以詩書禮樂。從說之以金板六弢。奉事而大有功者。

不可爲數。而吾君未嘗啓齒。郭云。是直樂鴆以鐘鼓耳。故愁。今先生何以說吾君。使吾君說若此乎。按。未說字同悅。餘皆讀如字。徐無鬼曰。吾直告之吾相狗馬耳。直。但也。胡遠濬云。武侯必好獵。故告之相狗馬。在朝馳思而不得往。身且不自由矣。喪其一之言。就其本明者曉之耳。女商曰。若是乎。曰。子不聞夫越之流人乎。司馬云。流人。有罪見流徙者也。按。流人謂流亡之人。或以災歉。或以離亂。越在異域。不必有罪流徙。下文逃虛空者。謂遷居曠土。開辟草萊。非謂逃竄。苟避仇脫罪。則惟恐爲人踪迹。豈有喜人足音哉。舊注多誤。去國數日。見其所知而喜。去國旬月。見所嘗見於國中者喜。及期年也。見似人者而喜矣。張立本云。似其本國之人也。不亦去人滋久。思人滋深乎。夫逃虛空者。藜藋柱乎鼪鼬之逕。踉位其空。踉本作良。此從或本。謂墾荒者。踉蹌以赴此曠土也。聞人足音跫然而喜矣。成云。跫。行聲。而況乎昆弟親戚之謦欬其側者乎。久矣夫。莫以眞人之言謦欬吾君之側乎。按。相狗馬之言。

偶觸所好。尚以爲喜。況眞人之言。足以復人性情者。其爲喜如何也。徐無鬼見武侯。武侯曰。先生居山林。食芧栗。厭蔥韮。以賓寡人。司馬云。賓。棄也。久矣夫。今老邪。其欲干酒肉之味邪。其寡人亦有社稷之福邪。李云。謂善言嘉謀。可以利社稷也。徐無鬼曰。無鬼生於貧賤。未嘗敢飲食君之酒肉。將來勞君也。君曰。何哉。奚勞寡人。曰。勞君之神與形。武侯曰。何謂邪。徐無鬼曰。天地之養也一。按。天地之養萬物。均一而無等差。貴者不偏厚。賤者不偏薄。登高不可以爲長。居下不可以爲短。高下喻貴賤。長短喻優絀。君獨爲萬乘之主。以苦一國之民。以養耳目鼻口。郭云。如此。違天地之平也。夫神者不自許也。苦民自養。良心必有不安者。夫神者好和而惡姦。和謂均和。姦謂自私。夫姦病也。良心好善而惡惡。故自私足以致病。故勞之。唯君所病之何也。按。之同者。宣云。勞

君何故自蹈此病。武侯曰。欲見先生久矣。吾欲愛民而爲義偃兵。其可乎。武侯慚於苦民之言。因欲以偃兵顯其愛民也。徐無鬼曰。不可。愛民。害民之始也。愛民有迹。必轉爲僞。反以害民。爲義偃兵。造兵之本也。人各有義。斯有異同。異同既彰。斯有是非。此戰爭之所由起也。墨子兼愛非攻。而盛備戰具。耶穌愛敵如己。而歐土宗教戰役累作。爲義偃兵。造兵之本。莊子之言驗矣。君自此爲之。則殆不成。兵自可偃。特不可假義爲名耳。故郭象謂從無爲爲之乃成耳。凡成美。惡器也。郭云。美成於前。則僞生於後。故成美者乃惡器也。君雖爲仁義。幾且僞哉。郭云。民將以僞繼之耳。未肯爲眞也。馬敘倫云。據郭注幾乃民之譌。形固造形。馬敘倫云。句疑有譌。成固有伐。章云。伐。說文。一曰敗也。言有成者必有敗。變固外戰。按。人事內變。戰機外乘。雖欲偃兵。豈可得哉。君亦必無盛鶴列於麗譙之間。無徒驥於錙壇之宮。郭云。鶴列。陳兵也。麗譙。高樓也。步兵曰徒。按。驥借爲騎。謂馬兵也。古觀壇殿。非陳兵之所。喻偃兵非可借義爲名。無藏逆於德。德本作得。此從司馬本。按。逆者。背道之事也。爲義偃兵。終至造兵。是名美而實惡。故曰藏逆於德。無以巧勝人。無以謀勝人。無以戰勝人。假口弔伐。肆其楚毒。皆巧謀而已。豈眞爲義戰。藏逆

於德。莫此爲甚。故深戒之。夫殺人之士民。兼人之土地。以養吾私與吾神者。吾私吾神。謂其所借口之義。其戰不知孰善。勝之惡乎在。互戰之國。各執一詞。皆自以爲壯直。如是。則勝負之算固難定也。嗚呼。時至今日。此言驗矣。莊生之文。何其沈痛而剴切也。而黷武之國。猶不知戒。不亦哀哉。君若勿已矣。奚云。若勿二字誤倒。修胸中之誠。以應天地之情而勿攖。夫民死已脫矣。君將惡乎用夫偃兵哉。修誠應情。則民自可脫於死。不待偃兵矣。一章。

黃帝將見大隗乎具茨之山。按。大隗猶大塊。謂天地也。寄名以喻道。方明爲御。昌寓驂乘。張若謵朋前馬。昆閽滑稽後車。至於襄城之野。七聖皆迷。無所問塗。適遇牧馬童子。問塗焉曰。若知具茨之山乎。曰。然。若知大隗之所存乎。曰。然。黃帝曰。異哉。小童非徒知具茨之山。又知大隗之所存。

請問爲天下。小童曰。夫爲天下者。亦若此而已矣。又奚事焉。王先謙云。亦若此遊於襄城之野而已。按。謂不必更多事。予少而自遊於六合之內。按。謂生而消搖於宇宙之間也。予適有瞀病。李云。瞀。風眩貌。按。喻爲物欲蒙蔽。有長者教予曰。若乘日之車。而遊於襄城之野。乘日之車。司馬云。以日爲車也。郭云。日出而遊。日入而息。按。謂任天而生。今予病少痊。予又且復遊於六合之外。謂將與天地爲偶。夫爲天下亦若此而已。予又奚事焉。郭云。我無爲而民自化。黃帝曰。夫爲天下者。則誠非吾子之事。郭云。事由民作。雖然。請問爲天下。郭云。令民自得。必有道也。小童辭。黃帝又問。小童曰。夫爲天下者。亦奚以異乎牧馬者哉。亦去其害馬者而已矣。只除其害。不必興利。興利則近於有爲。轉足爲害。黃帝再拜稽首。稱天師而退。寄意於童子者。取其天眞未鑿。二章。

知士無思慮之變則不樂。變同辨。辯士無談說之序則不樂。察士無淩誶之事則不樂。俞云。禮記鄉飲酒篇。愁以時察。鄭注。察。猶察察。嚴殺之貌。故以淩誶爲樂。李云。淩。謂相淩轢。廣雅。誶。問也。皆囿於物者也。郭云。不能自得於内而樂物於外。故爲物所囿。招世之士興朝。胡遠濬云。招有高義。中民之士榮官。孫詒讓云。中。得也。中民之士。即周禮大宰九兩章所謂吏以治得民。故曰榮官。外物篇。中民之道進焉耳。義亦同。筋力之士矜難。勇敢之士奮患。兵革之士樂戰。枯槁之士宿名。俞云。宿讀爲縮。秦策。縮劍將自誅。注。縮。取也。法律之士廣治。按。廣借爲光。以治績爲光寵也。禮樂之士敬容。按。享禮有容色也。仁義之士貴際。釋文。際謂盟會事。按。則陽篇謂衛靈公不應諸侯之際。正謂盟會事。兩國盟會。行人必稱說仁義以爲折衝也。農夫無草萊之事則不比。奚云。廣雅。比。樂也。商賈無市井之事則不比。庶人有旦暮之業則勸。按。旦暮之業。謂朝餐夕飧。庶人志在溫飽而已。賈誼所謂衆庶馮生也。百工有器械之巧則壯。錢財不積則貪者憂。按。貪夫殉財。權勢不尤則夸者悲。馬敘倫云。漢書賈誼傳注。臣瓚引尤作充。是

也。按。夸者死權。勢物之徒樂變。奚云。物爲利之譌。按。趨勢赴利者喜樂禍變。遭時有所用。不能無爲也。郭云。凡此諸士。用各有時。時用則不能自已也。苟不遭時。則雖欲自用。其可得乎。故貴賤無常。此皆順比於歲。不物於易者也。馬敘倫云。不爲而字之譌。物易二字誤倒。按。謂此諸士。受限於時物。不能自主。馳其形性。身心交馳不止。潛之萬物。潛謂沈溺也。終身不反。不知復其性命之眞。悲夫。三章。

莊子曰。射者非前期而中。謂之善射。天下皆羿也。可乎。郭云。不期而中。謂誤中者也。非善射也。若謂謬中爲善射。是則天下皆可謂之羿。可乎。言不可也。惠子曰。可。莊子曰。天下非有公是也。而各是其所是。天下皆堯也。可乎。郭云。此明妄中者非羿。而自是者非堯。成云。各私其是。故無公是。胡遠濬云。莊子知是非兩行。而必以適衆。故有公是。惠子亦知是非兩行。而以辯而勝者爲堯。故曰天下皆堯也。惠子曰。可。莊子曰。然則儒墨楊秉四。與夫子爲五。果孰是邪。郭云。若皆堯也。則五子何爲彼此相非乎。或者若魯遽者邪。其弟子曰。我得夫子

之道矣。吾能冬爨鼎而夏造冰矣。魯遽曰。是直以陽召陽。以陰召陰。非吾所謂道也。吾示子乎吾道。於是乎爲之調瑟。廢一於堂。廢一於室。鼓宮宮動。鼓角角動。音律同矣。釋文。廢。置也。夫或改調一弦。於五音無當也。鼓之二十五弦皆動。未始異於聲而音之君已。且若是者邪。按。爨鼎造冰。今化學之士皆優爲之。鼓宮宮動。鼓角角動。凡樂振動數相同者。則鼓之彼此互應。今世物理家知之矣。是魯遽與其弟子。皆應用物理化學之術。以類相召。本無勝義。而横自以爲是而不知其皆非也。莊子述魯遽事止此。夫或改調一弦以下。乃莊子推論之詞。意謂瑟之二十五弦。必須調和至諧。使其宮商相應。乃可成樂。苟改調一弦。則二十五弦亦必隨之而改。否則於五音必無所當。所謂五音不同。旋相爲宮。而以一音爲之君也。凡習弦樂者知之矣。是魯遽之學。近於今世之科學家。與莊子論道哲理者異端。故莊子譏之。惠施歷物與魯相近。故莊子擧以相擬。

惠子曰。今夫儒墨楊秉。且方與我以辯。章云。與。當也。亦敵也。左襄二十五年傳曰。一與一。相拂以辭。相鎮以聲。而未始吾非也。則奚若矣。按。惠子之意。只以辯勝爲是。而不復問其所辯果合於道否也。此即天下篇所謂其道舛

駁。其言不中。能勝人之口。不能服人之心者也。莊子方且得樞以明。豈復以辯勝自矜哉。莊子曰。齊人蹢子於宋者。其命閽也不以完。孫詒讓云。此言齊人躅其子者。各以職自名。其欲爲閽者。則必刖之。郭云。此齊人之不慈也。然亦自以爲是。故爲之。其求鈃鍾也以束縛。釋文。字林云。鈃似小鍾而長頸。又云。似壺而大。郭云。束縛。恐其破傷。釋文謂賤子貴研。自以爲是也。其求唐子也而未始出域。有遺類矣夫。郭云。唐。失也。失亡其子。而不能遠索。遺其氣類。而亦未始自非。人之自是。有斯謬矣。俞云。夫字連上讀。舊連下讀。誤也。楚人寄而蹢閽者。俞云。蹢當爲謫。謂寄居人家而怒謫閽者也。夜半於無人之時而與舟人鬭。未始離於岑。而足以造於怨也。郭云。岑。岸也。夜半獨上人船。未離岸已共人鬭。言齊楚二人所行若此。而未嘗自以爲非。今五子自是。豈異斯哉。姚範云。喻人外爭是非。而不知求諸內。文晦意警。四章。

莊子送葬過惠子之墓。顧謂從者曰。郢人堊慢其鼻端若蠅翼。章云。慢借爲槾。說文。槾。杇也。杇。所以塗也。使匠石斲之。匠石運斤成風。聽而斲之。王先謙云。聽而斲之。祗是放手爲之之義。當局本極審諦。旁人見若不甚經心。故云聽耳。而郭象以爲瞑目恣手。失之遠矣。盡堊而鼻不傷。

郢人立不失容。宋元君聞之。召匠石曰。嘗試爲寡人爲之。匠石曰。臣則嘗能斲之。雖然。臣之質死久矣。自夫子之死也。吾無以爲質矣。吾無與言之矣。宣云。質。施技之地。郭云。非夫不動之質。忘言之對。則雖至言妙斲而無所用之。按。此章嘆知音之難得。莊子書中多譏毀惠子。而於其死後。則深致感嘆。蓋惠雖與莊異端。然亦未違一間。概乎有聞者也。是以嘆質之死無可與言矣。五章。

管仲有病。桓公問之曰。仲父之病病矣。列子力命篇作疾矣。言病甚也。可不諱云。諱本作謂。姚鼐云。闕誤引江南李氏本作諱。按。列子力命篇、管子戒篇均作諱。徑正。至於大病。釋文。大病。謂死也。則寡人惡乎屬國而可。管仲曰。公誰欲與。公曰。鮑叔牙。曰。不可。其爲人絜廉善士也。其於不己若者。不比之又。一聞人之過。終身不忘。孫詒讓云。又字。列子力命篇、呂覽貴公篇皆作人。按。又蓋人之誤。使之治國。上且鉤乎君。章云。說文亅下云。鉤逆謂之亅。鉤即逆也。下且逆乎民。其得罪於君也。

將弗久矣。公曰。然則孰可。對曰。勿已。則隰朋可。其爲人也。上忘而下畔。（奚云。忘當作志。志與識同。畔當作判。判與辨同。按。管子戒篇作上識而下問。乃奚說所本。）愧不若黃帝而哀不己若者。（郭云。故無棄人。）以德分人謂之聖。以財分人謂之賢。以賢臨人。未有得人者也。以賢下人。未有不得人者也。其於國有不聞也。其於家有不見也。勿已。則隰朋可。（江遹云。非眞不聞見也。道足容之耳。詩云。惟是褊心。是以爲刺。褊心之害治如此。按。此章明治國者不可以賢臨人。六章。）

吳王浮於江。登乎狙之山。衆狙見之。恂然棄而走。逃於深蓁。有一狙焉。委蛇攫搔。見巧乎王。（搔。本作採。此從又本。按。字書無採字。蓋本作搔。或作爪。傳寫誤合耳。）王射之。敏給搏捷矢。（按。敏給連語。捷猶接也。言狙之接矢甚敏也。舊謂王射之敏給。似誤。）王命相者趨射之。狙執死。（御覽七四五引。執作既。）王顧謂其友顏不疑曰。之狙

也。伐其巧。恃其便。以敖予。以至此殛也。戒之哉。嗟乎。無以汝色驕人哉。王先謙云。色猶言意態。顏不疑歸而師董梧。以鋤其色。鋤。本作助。此從亦本。去樂辭顯。三年而國人稱之。七章。

南伯子綦隱几而坐。仰天而噓。顏成子入見曰。夫子物之尤也。宣云。言其出類拔萃。形固可使若槁骸。心固可使若死灰乎。曰。吾嘗居山穴之中矣。當是時也。田禾一覩我。而齊國之衆三賀之。釋文。田禾。齊君也。盧文弨云。田禾。即齊太公和。按。世人以田禾來顧。遂賀子綦之遭遇也。子綦閔世俗之不見知。故悲。舊注失之。我必先之。奚云。先當作有。彼故知之。我必賣之。彼故鬻之。若我而不有之。彼惡得而知之。若我而不賣之。彼惡得而鬻之。嗟乎。我悲人之自喪者。宣云。逐物喪眞。吾又悲夫悲人者。宣云。又自喪也。吾

又悲夫悲人之悲者。宣云。亦自喪也。其後而日遠矣。按。展轉悲人。逐物愈遠。喪眞愈多。將不知其所居。應以不悲悲之。泊然無心。枯槁其形。斯反眞也。八章。

仲尼之楚。楚王觴之。孫叔敖執爵而立。市南宜僚受酒而祭曰。古之人乎。於此言已。馬其昶云。史記優孟。楚之樂人。爲孫叔敖衣冠。抵掌談語。叔敖。楚名臣。樂人效之。由來久矣。此所謂執爵而立。亦樂人象叔敖爲三老五更。乞言憲道時也。曰者。楚王之詞。古之人即指叔敖。宜僚。宣云。導孔子使言。按。叔敖宜僚。一在孔子前。一在孔子後。不應會同一堂。舊注多不了。馬氏以爲優戲。最合情實。曰。丘也聞不言之言矣。未之嘗言。於此乎言之。按。三句孔子陳言時之謙詞。並明不言之旨。市南宜僚弄丸而兩家之難解。按。釋文謂宣十二年傳。楚有熊相宜僚。又謂當白公亂時。有勇士宜僚。兩説既未知孰是。而弄丸解難事亦不可考。古史失傳者多。姑置不論可也。孫叔敖甘寢秉羽而郢人投兵。司馬謂安寢恬臥。章太炎謂叔敖自願封於寢丘。二説未知孰是。且秉羽投兵。亦不可詳知也。郭云。二子息訟以默。澹泊自若。而兵難自解。郭説雖簡。得其大意矣。丘願有喙三尺。姚鼐云。待喙三尺而後言。是不言也。按。孔子詞止此。彼之謂不道之道。郭云。彼。謂二子。王先謙云。難解兵投。不煩論説。是不言之道也。此之謂

不言之辯。（郭云。此。謂仲尼。按。即取優戲事以見意。不煩多言也。）故德總乎道之所一。（德雖萬殊。期合乎道。）而言休乎知之所不知。至矣。（郭云。言止其分。非至如何。）道之所一者。德不能同也。（郭云。各自得耳。非相同也。而道則一也。）知之所不能知者。辯不能舉也。（郭云。非其分故不能舉。）名若儒墨而凶矣。（宣云。以名相標。凶德也。按。既各立名。即有畛域。即不能如海之涵容。故爲凶。）故海不辭東流。大之至也。聖人并包天地。澤及天下。而不知其誰氏。（按。此謂能使天下忘之也。）是故生無爵。（按。謂無貴賤。）死無謚。（按。謂無美惡。）實不聚。（按。實謂貨財。不聚貨財。是忘物也。）名不立。此之謂大人。狗不以善吠爲良。人不以善言爲賢。（郭云。賢出於性。非言所爲。）而況爲大乎。（郭云。大愈不可爲而得。）夫爲大不足以爲大。而況爲德乎。（郭云。唯自然乃德耳。）夫大備矣莫若天地。（馬敘倫云。備矣二字。涉下文而衍。）然奚求焉而大備矣。（天地何求。自無不備。）知大備者。無求無失無

棄。不以物易己也。郭云。知其自備者。不舍己而求物。反己而不窮。按。復性以應無窮。循古而不摩。按。摩借爲靡。言順循古道而不爲之披靡也。大人之誠。郭云。不爲而自得。故曰誠。九章。

子綦有八子陳諸前。召九方歅曰。爲我相吾子。孰爲祥。釋文。九方歅。善相馬人。淮南子作九方皋。按。以子爲馬。寓言相戲也。九方歅曰。梱也爲祥。子綦瞿然喜曰。奚若。釋文。瞿。李云。驚視貌。曰。梱也將與國君同食以終其身。子綦索然出涕曰。吾子何爲以至於是極也。按。索然。謂涕下如縻。九方歅曰。夫與國君同食。澤及三族。而況於父母乎。今夫子聞之而泣。是禦福也。子則祥矣。父則不祥。子綦曰。歅。汝何足以識之。而梱祥邪。章云。而借爲若。如也。盡於酒肉。入於鼻口矣。而何足以知其所自來。章云。而借爲若。汝也。吾未嘗

爲牧而牂生於奥。未嘗好田而鶉生於宎。若勿怪何邪。釋文。奥。西南隅也。一曰豕牢也。司馬云。東北隅也。一云竈也。郭作突。羅勉道云。詩。不狩不獵。胡瞻爾庭有縣鶉兮。語句略同。馬其昶云。世俗肉酒之養。何一非己所不應取者。舉牂鶉爲例。所謂現身說法也。吾所與吾子遊者。遊於天地。按。消搖於天地之間。無所作爲。吾與之邀樂於天。吾與之邀食於地。按。邀借爲徼。循也。郭云。隨所遇於天地耳。吾不與之爲事。不與之爲謀。不與之爲怪。庚桑楚篇大同。吾與之乘天地之誠。而不以物與之相攖。吾與之一委蛇。而不與之爲事所宜。郭云。斯順耳。無擇也。今也然有世俗之償焉。胡遠濬云。然猶乃也。郭云。夫有功於物。物乃報之。吾不爲功而償之。何也。凡有怪徵者。必有怪行。殆乎非我與吾子之罪。幾天與之也。幾同豈。也同邪。吾是以泣也。胡遠濬云。非分之來。皆屬怪徵。而世俗反以爲祥。此至人所以聞之而泣也。蓋不應有祥而得祥。與不應不祥而得不祥。皆天爲之。同一可泣之事。此特詭其詞以寄憤。乃正言若反之類。如庚桑楚篇所云不足以滑成。至人於此。豈足復泣哉。無幾何而使梱之於燕。盜得之於

道。全而鬻之則難。不若刖之則易。郭云。全恐其逃。不如刖之易售也。於是刖而鬻之於齊。適當渠公之街。然身食肉而終。孫詒讓云。當當為掌。渠當為康。街當為閨。齊康公當周安王時。與莊子時代正不遠。梱賣於齊。適為康公守閨。言為齊君之閽人也。釋文以渠公為街正。又以為屠者。何得云國君乎。按。此章言非分之得。轉屬不祥。閔世人無妄之福。十章。

齧缺遇許由曰。子將奚之。曰。將逃堯。曰。奚謂邪。曰。夫堯畜畜然仁。吾恐其為天下笑。後世其人與人相食與。釋文。言將馳走於仁義。不復營農。飢則相食。夫民不難聚也。愛之則親。利之則至。譽之則勸。致其所惡則散。愛利出乎仁義。捐仁義者寡。陸西星云。捐仁義者與之相忘。而不知帝力之何有者也。利仁義者衆。按。謂以仁義為利而假借之也。夫仁義之行。唯且無誠。按。唯借為雖。且。苟且也。且假夫禽貪者器。按。禽疑為凶之譌。郭云。仁義可見。則夫貪者將假斯器以獲其志。宣云。即重利盜賊意。是以一人之斷制利天下。按。制利形近。疑有一衍。譬之猶一覕

也。章云。覝借爲郟。說文。宰之也。宰割同義。郭云。萬物萬形。而以一劑割之。則有傷也。夫堯知賢人之利天下也。而不知其賊天下也。夫唯外乎賢者知之矣。按。此章明仁義賢知不足利天下。而反賊天下。與駢拇篇同。十一章。

有暖姝者。釋文。暖。柔貌。姝。妖貌。按。謂媕阿媚世。無骨氣者。有濡需者。釋文。謂偷安須臾之頃。按。即迂緩者。有卷婁者。釋文。猶拘攣也。所謂暖姝者。學一先生之言。則暖暖姝姝而私自說也。自以爲足矣。而未知未始有物也。是以謂暖姝者也。成云。豈知所學未有一物可稱。濡需者。豕蝨是也。擇疏鬣自以爲廣宮大囿。奎蹄曲隈。章云。說文。奎。兩髀之間也。乳間股腳。自以爲安室利處。不知屠者之一旦鼓臂布草操煙火。而已與豕俱焦也。此以域進。此以域退。宣云。進退爲境所囿。此其所謂濡需者也。

按。世事萬變。不知當機立斷。坐受禍患。皆迂緩爲之害也。卷婁者。舜也。羊肉不慕蟻。蟻慕羊肉。羊肉羶也。舜有羶行。百姓悅之。故三徙成都。至鄧之虛而十有萬家。堯聞舜之賢。擧之童土之地。向云。童土。地無草木也。曰。冀得其來之澤。按。曰者。謂堯曰也。或說曰當爲日。舜擧乎童土之地。年齒長矣。聰明衰矣。而不得休歸。所謂卷婁者也。按。人以才智見役。於心不得休息。故閔其爲拘攣也。是以神人惡衆至。衆至則不比。不比則不利也。按。比。親附也。人少則愛尊。人多則誼漠。則人之受其澤者亦少矣。故曰衆至則不比。不比則不利也。此譏舜爲百姓所歸往。不足爲神人也。故無所甚親。無所甚疏。抱德煬和。以順天下。此謂眞人。奚云。煬借爲養。於蟻棄知。於魚得計。於羊棄意。郭嵩燾云。蟻之附羶。由於趨利。即其知也。羊之羶也。與以可歆之利。即其意也。蟻無知而有知。羊無意而有意。當兩棄之。魚相忘於江湖。人相忘於道術。何羶之可慕哉。故曰於魚得計。十二章。

以目視目。以耳聽耳。以心復心。若然者其平也繩。其變也循。按。收視反聽。復其本心。雖應萬變。亦循順自然而已。一節。古之眞人以天待人。不以人入天。古之眞人。以天待人。本作以天待之。依闕誤引張君房本改。成云。用自然之道。虛其心以待物。不以人事變天然之知。姚鼐云。覆言眞人以美之。二節。得之也生。失之也死。得之也死。失之也生。藥也。其實菫也。桔梗也。雞廱也。豕零也。是時爲帝者也。何可勝言。釋文。菫。司馬云。烏頭也。雞廱。司馬云。即雞頭。一名芡。豕零。司馬云。一名豬苓。王先謙云。藥有君臣。此數者視時所宜。迭相爲君。按。藥以已病。故曰得生失死。然古人醫術未精。時或失誤。故又曰得死失生也。三節。句踐也以甲楯三千。棲於會稽。唯種也能知亡之所以存。唯種也不知其身之所以愁。明於謀國。拙於謀身。即南榮趎仁義愁身之意。四節。

故曰。鴟目有所適。鶴脛有所節。解之也悲。按。故爲領詞。非以承前。說見齊物論篇。下同。釋文。解。去也。此節與駢拇篇意同。五節。故曰。風之過河也有損焉。日之過河也

有損焉。請只風與日相與守河。而河以爲未始其攖也。恃源而往者也。釋文云。水由源往。雖遇風日。不能損也。道成其性。雖在於世。不能移也。六節。故水之守土也審。影之守人也審。物之守物也審。按。水之守土。影之守人。皆出無心。故謂之審。審謂安定也。物之守物。謂天生萬物。各盡其性。故亦謂之審也。故目之於明也殆。耳之於聽也殆。心之於殉也殆。郭云。無意則止於分。所以爲審。有意則無崖。故殆。章云。說文無殉字。但作袀。今字作徇。此假爲佝。說文。佝。疾也。史記五帝紀。幼而徇齊。大戴禮作叡齊。亦作慧齊。故明聰殉同詞例也。知北遊篇。思慮恂達。恂亦佝齊字。凡能其於府也殆。按。府。聚也。耳目心思。有爲則殆。況總聚其能者乎。殆之成也不給改。禍之長也茲萃。按。給。捷也。茲借爲滋。萃。聚也。其反也緣功。王先謙云。其反於自然。皆緣功力。其果也待久。王先謙云。其果決自反。亦待積久。而人以爲己寶。人以知能爲己寶。不亦悲乎。故有亡國戮民無已。不知問是也。按。不知自斂其聰明也。七節。故足之於地也踐。雖踐。恃其所不蹍。而後善博也。人之於知也

少。雖少。恃其所不知而後知天之所謂也。按。踐蹍皆蹈也。此與則陽篇莊子答惠子語意相同。彼文謂地非不廣大。人所用者容足耳。以證無用之用。此文謂足雖蹈於地。而恃其所不蹈者。然後見地之博也。以喻人知者少。不知者多。而不知者正所以益其知者也。知天之所謂者。即知下所舉七大也。舊注多不了。

知大一。知大陰。知大目。知大均。知大方。知大信。知大定。至矣。大一通之。大陰解之。大目視之。大均緣之。大方體之。大信稽之。大定持之。胡遠濬云。七大。郭釋本義。馬其昶通以儒。楊文會通以佛。然皆不專指洗心藏密說。因復就本書中語明之。純氣之守。大一也。萬物復情。大陰也。冥冥中獨見曉。大目也。太冲莫勝。大均也。有實而無乎處。大方也。有情而無行。大信也。抱神以靜。大定也。八節。

盡有天循。有照冥。有樞始。有彼則。其解之也似不解之者。其知之也似不知之也。不知而後知之。其問之也不可以有崖。而不可以無崖。頡滑有實。向云。頡滑。謂錯亂也。郭云。萬物雖頡滑不同。而物物各自有實也。古今不代。郭云。各自有故。不可相代。而不可以虧。郭云。宜各盡其分也。則可不謂有大

揚搉乎。釋文。王云。搉略而揚顯之也。闔不亦問是已。宣云。闔同盍。奚惑然爲。姚鼐云。天循者。常無以知其妙也。照冥者。常有以知其徼也。天循爲體。故有樞始。照冥爲用。故有彼則。言因彼爲則。無常則也。此非必聖人也。人盡有之。特知解者鮮耳。而又不可以知解求也。故問者難而又不可不問。此理眞實不虛。盡不問而終身惑乎。按。本節多影響之談。姚氏斷句不同。解亦勝舊說。故錄之。以不惑解惑。復於不惑。是尙大不惑。九節。本章約分九節。詞意錯落。不盡相貫。殆雜錄莊語成文耳。十三章。

則陽第二十五馬敘倫云。自篇首則陽遊於楚。字作則。餘皆作彭陽。則蓋彭之譌。

則陽遊於楚。夷節言之於王。王未之見。夷節歸。彭陽見王果曰。夫子何不譚我於王。王果曰。我不若公閱休。彭陽曰。公閱休奚爲者邪。曰。冬則擉鼈於江。釋文。揭。司馬云。刺也。夏則休乎山樊。樊。廣雅云。邊也。有過而問者。曰。此予宅也。按。露宿山麓。自謂安宅。安於窮困也。夫夷節已不能。而況我乎。吾又不若夷

節。夫夷節之爲人也。無德而有知。不自許以之神其交。固顚冥乎富貴之地。司馬云。顚冥。猶迷惑也。言其交結人主。情馳富貴。非相助以德。相助消也。按。德。得也。消。失也。言有損無益。夫凍者假衣於春。暍者反冬乎冷風。淮南俶眞訓云。凍者假兼衣乎春。暍者望冷風乎冬。此有譌脫。當從淮南。釋文。暍。傷暑也。按。此諷夷節於人有損無益。譬猶水益深。火益熱。非凍暍者所宜。夫楚王之爲人也。形尊而嚴。其於罪也。無赦如虎。非夫佞人正德。其孰能橈焉。馬敘倫云。佞借爲仁。釋文。王云。正德以至道服之。佞人以才辯奪之。故能泥橈之也。故聖人其窮也。使家人忘其貧。聖人謂公閱休。淡然有以自樂。故忘貧。其達也使王公忘爵祿而化卑。郭云。超然忘榮。故使王公失其所以爲高。其於物也。與之爲娛矣。姚鼐云。矣當作娭。郭云。不以爲物自苦。按。即遊戲人間之意。其於人也。樂物之通而保己焉。成云。混迹人間而無滯塞。雖復通物而不喪我。故或不言而飮人以和。郭云。人各自得。斯飮和矣。豈待言哉。與人並立而使人化父子之

宜。羅勉道云。與人並立。而化爲父子之親。按。舊以父子之宜屬下讀。非。彼其乎歸居。按。猶言彼其歸居乎。謂退處不出也。而一閒其所施。郭云。其所施同天地之德。故閒靜而不二。按。身既退隱。有何設施。蓋謂閒靜自然耳。其於人心者。若是其遠也。其清高夐絕於世人也。故曰待公閱休。郭云。欲其釋楚王而從閱休。將以靜泰之風鎮其動心也。一章。

聖人達綢繆。周盡一體矣。按。此即天地並生萬物一體之意。而不知其然。按。聖人之能綢繆一體者。亦順其自然之性。故曰不知也。性也復命。此既天性。亦復天命。此明綢繆一體之意。非聖人所獨詣。盡人皆能之。惟聖人能達之盡之而已。舊以性也屬上。復命屬下。誤。搖作而以天爲師。釋文。搖。動也。按。聖人有所動作。皆以自然爲師。言無心也。人則從而命之也。釋文。命。名也。胡遠濬云。聖人感而遂通。動於自然。人則從而加以達綢繆愛人之名也。按。物本無名。人則從而名之若甲若乙。皆假説而已。憂乎知。姚鼐謂憂爲優長之優本字。言人恃其知之優越也。而所行恆無幾時。按。有物因有名。有名因有知。然名與知隨時更易。故曰行恆無幾時。老子謂名可名。非常名。其意相同。其有止也若之何。按。止謂止於其所不能知也。一節。

生而美者。人與之鑑。不告。則不知其美於人也。王先謙云。人告以美。不啻予以鏡也。若知之。若不知之。若聞之。

若不聞之。其可喜也終無已。人之好之亦無已。性也。按。美好皆由自然。故能久。王先謙云。以上借美爲喻。聖人之愛人也。人與之名。王先謙云。奉以至仁之名。不告。則不知其愛人也。按。愛出自然。故不自知。若知之。若不知之。若聞之。若不聞之。其愛人也終無已。按。自然愛人。不由聞知。故能久。若由聞知而始愛人。則有時而衰也。人之安之亦無已。性也。郭云。性之所安。故能久。二節。舊國舊都。宣云。以故鄉喻本性。望之暢然。釋文。喜悅貌。雖使丘陵草木之緡姚鼐云。緡乃芒昧不分明之意。在宥篇。當我緡乎。同此解。入之者十九。猶之暢然。況見見聞聞者也。姚云。舊都雖入於芒昧者十九。所見才十一耳。已自暢然。況見聞眞切者乎。以喻電光石火所照。尚有須臾自通處。況了見本性者乎。以十仞之臺縣衆閒者也。按。喻本性之明。猶高臺縣衆閒。無不共見共聞。其暢然更可以知矣。喻人尋求本性。三節。冉相氏得其環中以隨成。按。此即齊物論所謂樞始得其環中以應無窮之旨。說詳彼文。隨即應也。與物無終無始。無幾無時。章云。小雅。如幾如式。傳。幾。期也。左定元年傳。易幾而哭。杜解。幾。期。哭。會也。會亦期也。成云。無始無過去。無終無未來。無

幾無時無現在。日與物化者。一不化者也。郭云。與物化故常無我。常無我故常不化也。按。謂雖化而有不化者在也。闔嘗舍之。按。舍讀若鬼神來舍之舍。言何不寄心於此也。舊訓舍去。似非。夫師天而不得師天。按。下師天二字疑衍。與物皆殉。其以爲事也若之何。姚鼐云。師天而不得。言以意解所至爲師天也。此與殉物者同爲殉耳。曷足貴乎。聖人之師天。則未始知有天也。是以與天合也。夫聖人未始有天。未始有人。未始有始。未始有物。章云。物即物故之物。正當作歾。說文。歾。終也。故與始相對舉。與世偕行而不替。章云。說文。替。廢一偏下也。偏廢與偕行正相反。所行之備而不洫。章云。洫借爲卹。說文。卹。一曰鮮少也。與備亦正相反。其合之也若之何。郭云。都無乃冥合。四節。

湯得其司御門尹登恆爲之傅之。從師而不囿。得其隨成。爲之司其名。之名嬴法。得其兩見。仲尼之盡慮爲之傅之。按。此節六句。多不可解。姚氏謂此言知過於師。乃堪傳法。然亦僅解得從師而不囿一句耳。宣云。從師而不囿於師。得環中隨成之道。姚說蓋從宣出。餘如嬴法兩見。舊說紛淆。不可理析。姑從蓋闕。五節。

容成氏曰。除日無歲。無內無外。王先謙云。淮南本經訓高注。容成氏。黃帝時造歷日者。姚

鼐云。除日無歲。積少以爲多也。無內無外。積微以成著也。此古之格言。楊文會云。除日無歲。破時量也。無內無外。破方量也。六節。按。本章陳義甚豐。約略可貫。然亦不必強爲之説。舊皆以爲一章。茲更析爲六。二章。

魏瑩與田侯牟約。釋文。司馬云。瑩。惠王。牟。齊威王。陸氏謂史記威王名因。不名牟。按。司馬殆以其時定之。田侯牟背之。魏瑩怒。將使人刺之。犀首聞而恥之。釋文。犀首。魏官名。司馬云。若今虎牙將軍。公孫衍爲此官。曰。君爲萬乘之君也。而以匹夫從讎。衍請受甲二十萬。爲君攻之。虜其人民。係其牛馬。使其君內熱發於背。然後拔其國。忌也出走。孫詒讓云。忌謂田忌。齊威王使田忌伐魏。大敗之桂陵。則田忌正惠王所深怨也。然後抶其背。折其脊。釋文。抶。三蒼云。擊也。季子聞而恥之曰。築十仞之城。城者既十仞矣。則又壞之。此胥靡之所苦也。俞云。下十乃七之誤。七仞去十仞不遠矣。城基已厚。若既十仞。則是已成矣。此與下文兵不起七年是王之基對文爲喻。十當作七無疑。劉秀生云。成疏謂夫七丈之城。用功非小。是成本正作七也。按。甲文十作丨。而七作X。因以致譌。胥靡謂

徒役人也。今兵不起七年矣。此王之基也。衍亂人不可聽也。華子聞而醜之曰。善言伐齊者。亂人也。善言勿伐者。亦亂人也。謂伐之與不伐亂人也者。又亂人也。按。或戰或否。議論紛紜。徒亂人意。故皆謂之亂人。君曰。然則若何。曰。君求其道而已矣。王敔云。道謂但問其當伐不當伐而已。惠子聞之而見戴晉人。胡遠濬云。見謂引見於魏王。戴晉人曰。有所謂蝸者。君知之乎。曰。然。有國於蝸之左角者曰觸氏。有國於蝸之右角者曰蠻氏。時相與爭地而戰。伏尸數萬。逐北旬有五日而後反。君曰。噫。其虛言與。曰。臣請爲君實之。君以意在四方上下有窮乎。按。在謂存想之也。君曰。無窮。曰。知遊心於無窮。而反在通達之國。若存若亡乎

。郭云。人迹所及爲通達。謂今四海之内也。成云。語其大小。可謂如有如無。君曰。然。曰。通達之中有魏。於魏中有梁。於梁中有王。王與蠻氏有辯乎。君曰。無辯。按。古之戰爭。多出於君主一人之私憤。故比之於蠻觸。後世戰爭益烈。若永嘉靖康之際。國族之存亡係焉。惡可以其爲例而任之哉。此不可以不察也。客出而君惝然若有亡也。郭云。自悼所爭者細。客出。惠子見。按。客出二字涉上而衍。君曰。客大人也。聖人不足以當之。惠子曰。夫吹筦也。猶有嗃也。吹劍首者。吷而已矣。堯舜、人之所譽也。道堯舜於戴晉人之前。譬猶一吷也。釋文。嗃。管聲也。司馬云。劍首。謂劍頭小孔也。吷然如風過。郭云。曾不足聞。按。戴晉人所陳。不過善於取譬。以動人主。戰國策士所優爲。非有甚深精義。而謂其勝於堯舜。過已。惠子以辯勝爲貴。而不知求夫眞是非。故遂折服於晉人耳。學者幸勿爲所誤也。余故辨之如此。三章。

孔子之楚。舍於蟻丘之漿。釋文。李云。賣漿家。司馬云。謂逆旅舍以菰蔣草覆之也。是司馬本作蔣。不作漿。藝文類聚引。正作蔣。其鄰有夫妻臣妾登極者。馬敘倫云。極借爲稯。說文。禾舉出苗也。此言登稯。猶月令言登麥矣。下文謂是稯稯何爲者邪。又曰自藏於畔。皆言農事

。故知爲登碣之借。宜僚羞見仲尼。故亟於登碣而去。子路曰。是稷稷何爲者邪。稷。本作稯。馬敘倫云。一本作稯者是。說文。嵏。治稼嵏嵏進也。仲尼曰。是聖人僕也。奚云。僕與徒同義。猶言是聖人之徒也。是自埋於民。郭云。與民同。自藏於畔。釋文。王云。修田農之業。是隱藏於壠畔。其聲銷。郭云。損其名也。其志無窮。王先謙云。志在大道。其口雖言。其心未嘗言。按。此與寓言篇終身言未嘗言同意。解在彼文。方且與世違。而心不屑與之俱。郭云。所言者皆世言。而心與世異。釋文。陸云。屑。絜也。不屑。不絜世也。是陸沈者也。郭云。人中隱者。譬無水而沈也。是其市南宜僚邪。子路請往召之。孔子曰。已矣。彼知丘之著於己也。郭云。著。明也。王敔云。著於己。猶言知其爲人。知丘之適楚也。以丘爲必使楚王之召己也。彼且以丘爲佞人也。夫若然者。其於佞人也。羞聞其言。而況親見其身乎。而何以爲存。按。存。問也。戒子路勿往召之也。子路往視之。其室虛矣。此章戒人以闇默自藏。四章。

長梧封人問子牢曰。君爲政焉勿鹵莽。治民焉勿滅裂。司馬云。鹵莽。猶麤粗也。謂淺耕稀種也。滅裂。斷其草也。昔予爲禾耕而鹵莽之。則其實亦鹵莽而報予。芸而滅裂之。其實亦滅裂而報予。予來年變齊。奚云。周禮亨人。掌共鼎鑊以給水火之齊。鄭注。齊多少之量。此言變齊。猶言變方法耳。深其耕而熟耰之。其禾繁以滋。予終年厭飡。莊子聞之曰。今人之治其形。理其心。多有似封人之所謂。遁其天。離其性。滅其情。亡其神。以爲僞。爲僞本作衆爲。此從司馬本。故鹵莽其性者。欲惡之孽。爲性萑葦蒹葭。始萌以扶吾形。尋擢吾性。並潰漏發。不擇所出。漂疽疹廱。內熱溲膏是也。馬敘倫云。蒹葭者。讀者旁注以釋萑葦。誤入正文耳。按。欲惡亂性。猶如葭葦始附吾形。漫尋而拔吾之性。終至潰決。廱疽內熱。見治性者不可鹵莽也。五章。

柏矩學於老聃曰。請之天下遊。按。之。往也。老聃曰。已矣。天下猶是也。又請之。老聃曰。汝將何始。曰。始於齊。至齊。見辜人焉。推而彊之。彊本作強。此從亦本。章云。彊借爲僵。俞云。辜謂辜磔也。磔謂張其尸也。古之辜磔人者。必張其尸於市。成云。柏矩推而彊之。令其正臥。解朝服而幕之。號天而哭之。曰。子乎子乎。俞云。詩綢繆。子兮子兮。傳。子兮者。嗟茲也。此子字當讀嗞。天下有大菑。子獨先離之。曰。莫爲盜。莫爲殺人。按。此二句皆疑詞。見辜者毋亦因爲盜邪。毋亦因殺人邪。此與莊子問髑髏同意。榮辱立。然後覩所病。貨財聚。然後覩所爭。按。名利爲世變之源。古今戰亂之起。何一不由於制產不均而起乎。今立人之所病。聚人之所爭。窮困人之身。使無休時。欲無至此得乎。郭云。上有所好。則下不能安其本分。古之君人者。以得爲在民。以失爲在己。以正爲在民。以枉爲在己。故一形。按。謂萬物平等。無高下等差。

有失其形者。退而自責。郭云。夫物之形性何爲而失哉。皆由人君撓之以至斯患耳。故自責。按。人君爲故制所寄。故歸責於君也。今則不然。匿爲物而愚不識。按。在上以民愚可欺。不識利權之所在。遂匿而不與之也。大爲難而罪不敢。按。故張艱難之事。民不敢爲。遂因而罪之。重爲任而罰不勝。按。里任於民。使民不勝。又從而罰之。遠其塗而誅不至。宣云。遠其程塗。而於不至者加誅。按。皆所以重困民也。民知力竭則以僞繼之。郭云。將以避誅罰也。日出多僞。士民安取不僞。吳汝綸云。二句疑爲注文誤入正文者。夫力不足則僞。知不足則欺。財不足則盜。盜竊之行。於誰責而可乎。郭云。當責上也。按。此亦不盡爲上之責。蓋政治制度。其來久遠。不變革制產之方。將何以救民困哉。事變日繁。刑網日密。民蹈死而不知其由。哀哉。六章。

蘧伯玉行年六十而六十化。宣云。不囿於故也。未嘗不始於是之而卒詘之以非也。始時所是。終絀爲非。順物情之變然也。未知今之所謂是之非五十九年非也。郭云。物情之變。未始有極。王先謙云。與寓言篇孔子同。七章。

萬物有乎生而莫見其根。有乎出而莫見其門。人皆尊其知之所知。而莫知恃其知之所不知。而後知可不謂大疑乎。奚云。疑。說文。惑也。已乎已乎。且無所逃。此則所謂然與然乎。

按。生死之理。人所難知。各以其見。人自謂知。不亦惑乎。即不知生死之理而無可逃於生死之域。亦只有任其本然而已。故曰然於然也。今本於作與者。借字也。然於然。不然於不然。亦見齊物論篇。八章。

仲尼問於大史大弢、伯常騫、狶韋曰。夫衛靈公飲酒湛樂。不聽國家之政。田獵畢弋。不應諸侯之際。其所以爲靈公者何邪。按。靈本神靈令善之義。衛公無道而得稱靈。故以爲疑也。大弢曰。是因是也。按。靈在諡法本爲無道之稱。故曰因是。伯常騫曰。夫靈公有妻三人。同濫而浴。奚云。濫借爲鑑。說文。鑑。大盆也。史鰌奉御而進所。搏幣而扶翼。司馬云。幣音蔽。引衣裳自蔽。扶翼謂公及浴女相扶翼自隱也。其慢若彼之甚也。見賢人若此其肅也。是其所以爲靈公

也。按。謂其肅賢。可補其私慢。此靈字用善義。豨韋曰。夫靈公也。死卜葬於故墓。按。故墓謂所營壽域。不吉。卜葬於沙丘而吉。掘之數仞。得石槨焉。洗而視之。有銘焉。曰。不馮其子。靈公奪而里之。夫靈公之爲靈也久矣。釋文。而。汝也。里。居處也。郭嵩燾云。古之葬者謂子孫無能馮依以保其墓。靈公得而奪之。之二人何足以識之。按。此章非人事而尚命定。似非莊義。命定之說。近於迷信。老子謂前識者。道之華而愚之首是也。世人誤以迷信爲天命。以之附會莊子。不亦誣乎。九章。

少知問於大公調曰。何謂丘里之言。大公調曰。丘里者。合十姓百名而以爲風俗也。合異以爲同。散同以爲異。今指馬之百體而不得馬。而馬係於前者。立其百體而謂之馬也。是故丘山積卑以爲高。江河合水而爲大。大人合并而爲公。俞云。水乃小之誤。馬敘倫云。合幷當作幷私。釋文。李云。四井爲邑。四邑爲丘。五家爲鄰。五鄰爲里。古者鄰里井邑。土風不同。猶今鄉曲各有

方俗。而物不齊同。十姓百名。則有異有同。故合散以定之。合羣小之稱以爲至公之一也。宣云。可見合異爲同。方能見道。天下理皆如此。是以自外入者。有主而不執。由中出者。有正而不距。按。正應作疋。說詳天運篇。此以旅行出入喻遊心於世。四時殊氣。天不賜。故歲成。按。賜謂私與。天行無私。故寒暑迭更。苟欲私惠。轉紊四時之序也。五官殊職。君不私。故國治。按。五官猶言百官。急就章注云。古言五官者。總舉衆職。無所不苞。若今言百官也。郭云。殊職自有其才。故任之耳。非私而與之。文武大人不賜。故德備。郭云。文者自文。武者自武。非大人所賜也。若由賜而能。則有時而闕矣。豈唯文武。凡性皆然。王先謙云。宣本武下有殊材二字。然郭注、陸釋文、成疏皆無。自係後人增竄。萬物殊理。道不私。故無名。無名故無爲。無爲而無不爲。時有終始。世有變化。禍福湻湻。至有所拂者。而有所宜。按。湻字誤疊。應讀至至字爲句。釋文謂湻流動貌。言禍福流行相乘至也。拂謂禍。宜謂福。而疑亦字誤。禍福二句。與下自殉二句相偶儷。自殉殊面。有所正者有所差。釋文。廣雅云。面。向也。謂心各不同而自殉焉。殊向自殉。是非天隔。故有所正者亦有所差。按。丘里之言。是非雜陳。此即漢志所謂小說家言。街談巷議者也。比於大澤。百材皆度。郭云。無棄材也。釋文。度。居也。觀乎大

山。木石同壇。郭云。合異以爲同也。此之謂丘里之言。胡遠濬云。孟子曰。所欲與聚。所惡勿施。使散十姓百名以求其好惡。則固各異。其得失是非。自有拂有宜。有正有差矣。然使十姓百名。舍己之私。合而推之。又必有其理之同而爲公。欲公惡者。此則大人之所與聚勿施者也。故丘里之言。公言也。少知曰。然則謂之道足乎。大公調曰。不然。今計物之數不止於萬。而期曰萬物者。以數之多者號而讀之也。是故天地者。形之大者也。陰陽者。氣之大者也。道者爲之公。因其大以號而讀之則可也。已有之矣。乃將得比哉。則若以斯辯。譬猶狗馬。其不及遠矣。成云。期。限也。李云。讀猶語也。按。號。名也。胡遠濬云。道大無量。丘里之言雖公。以其局於現時。囿於方隅。較道之大有限者也。故不足。按。丘里之言。未嘗非道。特道大難名。豈可以丘里之言限之。故謂之不然也。物多而限之以萬。道大而強名曰道。猶之呼狗馬者。豈足以爲常名哉。執著假名。以爲至道。則去道也遠矣。少知曰。四方之內。六合之裡。萬物之所生。惡起。郭云。問此者。或謂道能生之。大公調曰。陰陽相照相蓋相治。俞云。蓋。舍人本作害。是也。

蓋害古字通。四時相代相生相殺。言此皆其自爾。非有所生。欲惡去就。於是橋起。章云。釋木。上句曰喬。橋起即喬起。雌雄片合。於是庸有。釋文。片。音判。成云。庸。常也。安危相易。禍福相生。緩急相摩。聚散以成。此名實之可紀。精微之可志也。郭云。過此以往。至於自然。自然之故。誰知所以也。隨序之相理。橋運之相使。馬敘倫云。橋即桔橰。窮則反。終則始。此物之所有。物所本有。謂自然也。言之所盡。知之所至。極物而已。極其可言可知之物性而已。覩道之人。不隨其所廢。不原其所起。此議之所止。道所廢起。皆緣自爾。非人所可知。故止也。少知曰。季眞之莫爲。接子之或使。俞云。禮祭義鄭注、孟子公孫丑趙注並云。或。有也。此文或與莫對。莫。無也。或。有也。易益上九。莫益之。或擊之。亦以莫或相對。二家之議。孰正於其情。孰偏於其理。奚云。偏爲偏之誤。故徐音篇。按。接子謂世有造物。季眞謂物生於無。古代宇宙論之二宗也。二家皆就物論。故皆非道。大公調曰。雞鳴狗吠。是人之所知。雖有

大知。不能以言讀其所自化。又不能以意其所將爲。按。雞狗鳴吠。日用尋常之事。百姓之所與知也。然鳴吠之先。何自而化。不能詳言者也。鳴吠之後。將何所爲。不能逆億者也。則生乎何自。死乎何往。舉不可知。二家之識。其皆非道乎。斯而析之。斯。說文。析也。精至於無倫。大至於不可圍。或之使。莫之爲。未免於物。而終以爲過。宣云。二說猶未免物累。終是立言之過。或使則實。莫爲則虛。實則滯有。虛則溺無。有名有實。是物之居。宣云。說實則是物之所居也。此或使之說之過。按。此執著虛幻爲實有。無名無實。在物之虛。宣云。說虛則是全空。此莫爲之說之過。按。此陷斷滅過。可言可意。言而愈疏。王先謙云。言詮意測。去道愈遠。未生不可忌。忌。禁也。已死不可阻。阻。本作徂。此從一本。死生非遠也。理不可覩。郭云。近在身中。猶莫見其自爾而欲憂之。或之使。莫之爲。疑之所假。王先謙云。二說爲後世獻疑者之所借端。吾觀之本。其往無窮。吾求之末。其來無止。無窮無止。言之無也。與物同理。謂物理非言可詮。或使

莫爲。言之本也。與物終始。二家欲完本根之道。而終始未離於物。道不可有。有不可無。下有字同。又。道之爲名。所假而行。道本無名。或使莫爲。在物一曲。夫胡爲於大方。二說偏曲。皆非大方。言而足。則終日言而盡道。卮言日出。和以天倪。則可以盡道。言而不足。則終日言而盡物。不辭而應。不慮而對。偏爲萬物說。弱於德。強於物。適足以盡物而不足以盡道。道物之極。言默不足以載。非言非默。議其有極。宣云。離乎言默。可以求道。此至論也。按。其同豈。十章。

莊子詁義卷第九　　蘦硯齋叢箸

淮陰。范耕研　伯子

外物第二十六

外物不可必。郭云。善惡之所致。俱不可必也。釋文。王云。夫忘懷於我者。固無對於天下。然後外物無所用必焉。若乃有所執爲者。諒亦無時而妙矣。故龍逢誅。比干戮。箕子狂。惡來死。桀紂亡。人主莫不欲其臣之忠。而忠未必信。故伍員流於江。萇弘死於蜀。藏其血三年而化爲碧。馬敘倫云。呂覽必己篇有此文。無於蜀二字。當依刪。人親莫不欲其子之孝。而孝未必愛。故孝己憂而曾參悲。郭云。是以至人無心而應物。唯變所適。按。外物不可必之意。亦見山木篇首章。釋文。孝己。李云。殷高宗太子。一章。

木與木相摩則然。摩擦生熱而然。金與火相守則流。金遇高熱。則銷融爲液。陰陽錯

行。則天地大絯。於是乎有雷有霆。水中有火。乃焚大槐。釋文。絯音駭。司馬云。水中有火謂電也。按。槐借爲塊。大塊謂天地。蓋上古霆雨爲災。雷電交作。火流於天。古人以謂宇宙將有燬滅之虞。是則陰陽乖錯。萬物爲之驚駭矣。有甚憂兩陷而無所逃。按。兩陷謂天地崩墜。蓋人覩天地大絯。有雷有霆。則天地亦將不能長存。因而甚憂也。若列子所載杞人之事。殆古人同具之見。故舉爲例。司馬謂憂心膽破陷。則何能謂無所逃乎。螴蜳不得成。司馬云。螴蜳。讀曰忡融。言怖畏之氣。忡融兩溢。不安定也。心若縣於天地之間。按。縣謂心不安寧也。慰暋沈屯。李云。慰。鬱也。暋。悶也。司馬云。沈。深也。屯。難也。利害相摩。生火甚多。衆人焚和。利害外鑠。憂心內攻。其禍患有甚於火者。月固不勝火。按。月疑爲肉字之譌。言人血肉之軀豈能勝火。甚矣。憂之能傷人也。舊讀月如字。似誤。於是乎有僓然而道盡。釋文。僓。音頹。宣云。於是乎頹然隳壞。天理盡而生機熄矣。二章。

莊周家貧。故往貸粟於監河侯。監河侯曰。諾。我將得邑金。成云。百姓租賦封邑之物。將貸子三百金。可乎。莊周忿然作色曰。周昨來。有中道而呼者。周顧視車轍中有鮒魚焉。周問

之曰。鮒魚來。子何爲者邪。對曰。我東海之波臣也。司馬云。波蕩之臣。君豈有斗升之水而活我哉。周曰。諾。我且南遊吳越之王。按。遊謂遊說。激西江之水而迎子。可乎。鮒魚忿然作色曰。吾失我常與。按。常謂常度。失常謂失水也。與同歟。嘆詞。我無所處。吾得斗升之水然活耳。馬敘倫云。然借爲能。君乃言此。曾不如早索我於枯魚之肆。郭云。此言當理無小。苟其不當。雖大何益。三章。

任公子爲大鉤巨緇。按。下文牽巨鉤。又御覽八三四引緇作綸。故馬敘倫謂應作巨鉤大綸。五十犗以爲餌。釋文。犗。犍牛也。按。去勢牛。蹲乎會稽。投竿東海。旦旦而釣。期年不得魚。已而大魚食之。牽巨鉤。錎沒而下。釋文。錎。音陷。字林。猶陷字也。騖揚而奮鬐。騖。本作鶩。此從一本。白波若山。海水震蕩。聲侔鬼神。憚赫千

里。郭慶藩云。憚者盛威之名。按。赫亦盛也。皆指魚言。任公子得若魚。釋文。若魚猶言此魚。離而腊之。自制河以東。蒼梧以北。釋文。制河依字應作浙。王先謙云。古折制字通。莫不厭若魚者。厭謂飽食。已而後世輇才諷說之徒。釋文。李云。輇。量人也。皆驚而相告也。按。若斥鴳笑鵬。小大不相及也。夫揭竿累。章云。累乃纍之俗省。說文。纍。大索也。趣灌瀆。守鯢鮒。其於得大魚難矣。飾小說以干縣令。其於大達亦遠矣。按。街談巷議。丘里之言。局於方隅。不足以陳於人主。僅可以干縣令耳。縣令雖秦官。然六國時殆已有之。不然。則此文出秦人手。非莊子作邪。宣解縣令爲賞格。誤。是以未嘗聞任氏之風俗。按。俗字疑衍。其不可與經於世亦遠矣。按。此喻小知不及大知。四章。

儒以詩禮發冢。馬其昶云。太史公謂掘冢姦事也。而田叔以起。蓋自戰國以來。多有發冢致富者矣。莊子言此。以譏世儒之誦詩書而躬穢行者。王先謙云。求詩禮。發古冢。按。近人借口汲冢之事。及西人發掘金字塔爲例。肆行破冢。盜取明器。而自矜有考古之功。姦人用心。古今一轍。可慨也夫。大儒臚傳。釋文。蘇林注漢書曰。上傳語告下曰臚。曰。東方作矣。司馬云。謂日出也。事之何若。馬敘倫云。之猶其也。小儒曰。未解裙

襦。口中有珠。小儒詞止此。下大儒答。詩固有之曰。青青之麥。生於陵陂。生不布施。死何含珠爲。司馬云。此逸詩。刺死人也。接其鬢。擪其顪。擪本誤作壓。此從亦本。釋文。字林云。擪。一指按也。司馬云。顪。頤下毛也。而以金椎控其頤。而本作儒。此從藝文類聚引改。徐別其頰。無傷口中珠。按。此言借詩禮以作姦。略與馬蹄篇同意。五章。

老萊子之弟子出薪。遇仲尼。反以告曰。有人於彼。修上而趨下。郭云。長上而促下也。末僂而後耳。孫詒讓云。說文。周公韈僂。或言背僂。即末僂。是許以末爲背也。郭云。後耳。耳卻近後。視若營四海。郭云。視之儡然。似營他人事者。釋文。勞形役智。以應世務。失其自然者也。不知其誰氏之子。老萊子曰。是丘也。召而來。仲尼至。曰。丘。去汝躬矜。與汝容知。斯爲君子矣。釋文。躬矜謂矜修善行。容知謂飾智爲容好。仲尼揖而退。蹙然改容而問。奚云。蹙與蹴通。禮哀公問。孔子蹴然。鄭注。敬貌。曰。業可得進乎。老萊子

曰。夫不忍一世之傷。而鷔萬世之惡。鷔。本作驁。或作騖。馬敘倫云。作騖者是。騖借爲務。說文。趣也。按。下同。抑固窶邪。亡其略弗及邪。郭慶藩云。窶謂無畜備也。欲營四海而心無所備。故曰窶也。亡讀如無。亡其者。轉語也。謂抑或智略不及邪。惠以歡爲鷔。終身之醜。中民之行進焉耳。鷔本作驁。此從或本。章云。左襄二十六年傳。寺人惠牆伊戾。服虔曰。惠伊。皆發聲。奚云。爾雅釋訓。懽懽愮愮。憂無告也。中借爲得。進當爲盡。言以無可告訴之憂爲鷔。申言上文鷔萬世之患之義。此在己則爲終身之醜。爲人則得民之行亦已盡矣。相引以名。相結以隱。俞云。呂覽圜道篇注。隱。私也。相給以隱。謂相結以恩私也。與其譽堯而非桀。不如兩忘而閉其所譽。反無非傷也。動無非邪也。成云。反於物性。無不傷損。擾動心靈。皆非正法。聖人躊躇以興事。以每成功。釋文。躊躇。從容也。章云。每與漢書賈誼傳品庶每生之每同。猶求成功也。每與謀聲義亦相近。古文謀作㖼。釋文。從容興事。雖有成功。聖人不存。猶致弊迹。流毒百世。況動矜善行而載之不已哉。奈何哉。其載焉終矜爾。六章。

宋元君夜半而夢人被髮闚阿門。釋文。李云。元君。元公也。陸云。名佐。平公之子。阿門。司馬云。阿。屋曲簷也。

曰。予自宰路之淵。李云。宰路。淵名也。予爲淸江使河伯之所。按。謂自江赴河也。漁者余且得予。元君覺。使人占之。曰。此神龜也。君曰。漁者有余且乎。左右曰。有。君曰。令余且會朝。明日余且朝。君曰。漁何得。對曰。且之網得白龜焉。箕圓五尺。章云。箕本其字。圓即員字。西山經。廣員百里。員亦廣也。君曰。獻若之龜。龜至。君再欲殺之。再欲活之。心疑。卜之。曰。殺龜以卜吉。乃刳龜。七十二鑽而無遺筴。王先謙云。每占必鑽龜。凡七十二次皆驗。仲尼曰。神能見夢於元君。神下舊衍龜字。據藝文類聚夢字部引無。刪。而不能避余且之網。知能七十二鑽而無遺筴。不能避刳腸之患。如是。則知有所不周。本作知有所困。此從一本。神有所不及也。雖有至知。萬人謀之。

按。自高其知。則爲人所畏忌而謀之。不如釋知任天之善。魚不畏網而畏鵜鶘。網無情。故魚不畏。鵜鶘有迹。故魚畏之。喻任天者不爲人所忌。去小知而大知明。郭云。小知自私。大知任物。去善而自善矣。去善則無所慕。故人不矯而自善。嬰兒生無碩師而能言。與能言者處也。碩。本作石。此從一本。碩。大也。嬰兒自然能言。不待師教。亦釋知任天之例。七章。

惠子謂莊子曰。子言無用。莊子曰。知無用而始可與言用矣。夫地非不廣且大也。人之所用容足耳。然則廁足而塹之。釋文。廁音側。塹。本作墊。此從又本。釋文。塹。掘也。致黃泉。人尚有用乎。惠子曰。無用。莊子曰。然則無用之爲用也亦明矣。按。地之廣大似乎無用者多。然使側足之外。掘之至於黃泉。則人亦將困躓而無所措。是無用之餘地正屬大用也。八章。

莊子曰。人有能遊。且得不遊乎。人而不能遊。且得遊

乎。按。遊謂消搖遊。夫流遁之志。決絕之行。噫其非至知厚德之任與。按。流遁者。順世也。決絕者。違俗也。志行相反。而皆非至厚之任。故不能消搖遊。覆墜而不反。火馳而不顧。孫詒讓云。火爲兆譌。郭云。人之所好。不避是非。死生以之。雖相與爲君臣。時也。易世而無以相賤。故曰至人不留行焉。唐順之云。名分莫嚴於君臣。易世則變。況其他邪。不留行即無任著意。夫尊古而卑今。學者之流也。按。習於故事而不忘故。尊古滯於舊迹而不進。故卑今。此學人之蔽也。然眞能明徹者。又何所尊卑邪。且以狶韋氏之流觀今之世。夫孰能不波。按。謂使古人而生今世。亦將隨波高下。見古不必尊而今不必卑也。唯至人乃能遊於世而不僻。順人而不失己。按。遊世不僻則不決絕矣。順不失己則不流遁矣。彼教不學。承意不彼。二句未詳。姑附章末。九章。

目徹爲明。耳徹爲聰。鼻徹爲顫。口徹爲甘。心徹爲知。知徹爲德。王先謙云。徹。通也。馬其昶云。顫讀爲馨。禮記郊特牲。焫蕭合羶薌。注。羶當爲馨。聲之誤也。顫與羶同。按。心徹爲知。謂意識也。知徹爲德。謂阿陀那識也。

。阿陀那此云持。故謂之德。德者得也。藏識。莊子謂之靈府。此略之耳。非有闕也。

凡道不欲壅。壅則哽。哽而不止則跈。跈則衆害生。

釋文。跈。本或作蹍。按。兩字音義同。郭云。當通而塞。則理有不泄而相騰踐。衆害起也。按。以道路比人之識。

物之有知者恃息。其不殷非天之罪。天之穿之。日夜無降。人則顧塞其竇。

按。息。呼吸也。殷。當也。人之呼吸以通爲貴。天生鼻肺。賦性中和。其疏數淺深之數。本無不殷。任其自然而性得矣。世人顧欲有心以爲之制。非不得已之符。韓令孔竇哽塞而害其生。此以息之宜通。喻心識宜通。

胞有重閬。心有天遊。

吳汝綸云。胞讀爲庖。郭云。閬。空曠也。按。天遊謂翱翔天衢。無滯塞也。此以庖有空曠。喻心識宜自在。

室無空虛。則婦姑勃谿。

馬敘倫云。勃谿借爲悖謑。司馬云。無空虛以容其私。則反戾共鬭爭也。

心無天遊。則六鑿相攘。

宣云。六鑿。六根之鑿性者也。無閑適處。則六根用事而奪性。

大林丘山之善於人也。亦神者不勝。

宣云。夫心有天遊。則方寸之內。逍搖無際。何假清曠之處適哉。今人見大林丘山之曠而喜以爲善者。亦由平時胸次逼狹。神明不勝故也。十章。

德溢乎名。名溢乎暴。

郭嵩燾云。德所以洋溢。名爲之也。名所以洋溢。表暴以成之也。

謀稽乎誸。知出乎爭。

郭云。誸。急也。釋文。向本作弦。按。事情危急。謀計乃出。物相競爭。智力乃進。

柴生乎守。

按。柴借爲砦。寨也。立寨所以爲守。故曰柴生乎守。

郭訓爲塞。塞即寨也。釋文訓爲積。失之。官事果乎衆宜。郭云。衆之所宜者不一。故官事立也。春雨日時。草木怒生。王先謙云。曰疑曰之誤。銚鎒於是乎始修。按。說文謂銚鎒皆田器。蓋皆鋤類也。草木之到植者過半而不知其然。按。到。至也。草木已至生植之時。則泰半萌發。皆由自爾。孰知其然。司馬注謂反之更生。是以到爲倒也。似誤。靜默可以補病。默本作然。奚侗據文選江文通雜體詩注引改。揃搣可以休老。揃搣。本作眥搣。此從一本。說文。揃搣者。搣挲也。廣韻。搣。案也。摩也。按摩養生之一術。孟子爲長者折枝。趙氏解爲按摩。與此文休老意正合。寧可以止遽。按。寧下疑脫一字。雖然。若是勞者之務也。非佚者之所未嘗過而問焉。按。靜默揃搣及寧三事。皆勞者所渴望。而佚者固已有之。故不復措之意也。以下文爲例。非之所三字疑羨。聖人之所以駴天下。神人未嘗過而問焉。賢人所以駴世。聖人未嘗過而問焉。君子所以駴國。賢人未嘗過而問焉。按。駴同駭。有爲之迹。雖有高下。然徒使人駭耳。小人所以合時。君子未嘗過而問焉。按。合時謂乘時趨利。乃萌庶之事。士君子所不屑也。德名謀知。皆人事變易。故有高下。各行其是。不相過問。皆自然耳。十一章。

演門有親死者。以善毀。爵爲官師。釋文。演門。宋城門名。按。毀謂居喪毀瘠。其黨人毀而死者半。郭云。慕賞而孝。去眞遠矣。斯尚賢之過也。堯與許由天下。許由逃之。湯與務光。務光怒之。紀他聞之。帥弟子而踆於窾水。諸侯弔之三年。申徒狄因以踣河。按。釋文引字林謂踆爲古蹲字。然蹲爲蹲踞。與此不合。玉篇訓踆爲退。謂退居於窾水也。宜從玉篇。踣。說文。僵也。其始聞讓。不過逃隱。終乃至於踣僵。亦殉名之過也。故與毀死者同譏。十二章。

荃者所以在魚。得魚而忘荃。釋文。荃。香草也。可以餌魚。按。字亦作筌。魚笱也。蹄者所以在兔。得兔而忘蹄。釋文。蹄。兔弶也。係其腳。故云蹄也。按。此器亦名係蹄。見趙策。是蹄乃省文。非正名也。言者所以在意。得意而忘言。言雖爲意所寄。而言終非意。故得意者可以忘言也。吾安得夫忘言之人而與之言哉。姚鼐云。荃者一段。宜合寓言十九爲一章。按。欲述立言之旨。先以忘言發端也。十三章。

寓言弟二十七

寓言十九。[郭云。寄之地人。則十言而九見信。]重言十七。[郭云。世之所重。則十言而七見信。釋文。重言。謂爲人所重者之言也。]卮言日出。和以天倪。[按。釋文引字略云。巵。圓酒器也。以喻其言圓融精博。故莊子自謂和以天倪。因以曼衍。自然有分。圓融也。因應無窮。精博也。舊注滿傾空仰。又謂支離無首尾。又或以謂燕閒諧語。無關輕重。皆非也。郭云。日出謂日新也。按。當機說法。不主故常。故曰日出也。天倪。說詳齊物論。]寓言十九。藉外論之。[郭云。言出於己。俗多不受。故借外耳。李云。藉。因也。]親父不爲其子媒。親父譽之。不若非其父者也。[郭云。父之譽子。誠多不信。然時有信者。輒以常嫌見疑。故借外論也。]非吾罪也。人之罪也。[按。即令不位。亦不可諉罪於人也。人間世篇所謂古之有也。非吾有也。若然者。雖直不爲病也。]與己同則應。不與己同則反。同於己爲是之。異於己爲非之。[言者所據。當立敵共許。故須借外論之也。]重言十七。所以已言也。[郭云。以其耆艾。故俗共重之。]是爲耆艾。年先矣。而無經緯本末以期年耆者。是非先也。[郭云。年在物先耳。其餘本末。無以待人。則非所以先也。期。待也。]人而無以先人。無人道也。人而無人道。是之謂陳人。[郭云。直是陳久之人耳。而俗便共信]

之。此俗之所以爲安故而習常也。章炳麟云。依據故言。若因明所謂聖教量者。足以暫寧諍論。止息人言。乍似可任。而非智者所服。卮言日出。和以天倪。因以曼衍。所以窮年。解在齊物論篇。不言則齊。齊與言不齊。言與齊不齊也。故曰無言。言無言。終身言。未嘗言。終身不言。未嘗不言。姚鼐云。卮以盛水。而卮非水也。言中有道。而言非道也。不言而道存。則物自齊矣。然知其齊者。與世之所言不可得而齊也。故不得已而言。以齊其不齊也。故雖言而猶之無言。有自也而可。有自也而不可。有自也而然。有自也而不然。惡乎然。然於然。惡乎不然。不然於不然。惡乎可。可於可。惡乎不可。不可於不可。物固有所然。物固有所可。無物不然。無物不可。解在齊物論篇。非卮言日出。和以天倪。孰得其久。王先謙云。非此無言之言。孰能傳久。萬物皆種也。以不同形相禪。按。此即古代氣化之說。亦即佛家藏識種子。流傳不息。與近世進化論不同。始卒若環。

莫得其倫。是謂天均。天均者天倪也。姚鼐云。寓言一章。正與上篇荃者一節相續。分篇者殊爲不審也。又云。齊物論何謂和之以天倪八十四字。當在此天倪也下。其末忘年忘義。與首忘言亦正正相應。按。姚説雖以意移合。別無所本。而文義首尾相貫。理或然也。一章。

莊子謂惠子曰。孔子行年六十而六十化。始時所是。卒而非之。未知今之所謂是之非五十九非也。按。謂日新也。亦即巵言日出之證。惠子曰。孔子勤志服知也。按。也讀邪。莊子曰。孔子謝之矣。而其未之嘗言。孔子云。夫受材乎大本。復靈以生。鳴而當律。言而當法。利義陳乎前。而好惡是非。直服人之口而已矣。使人乃以心服。而不敢蘁。立定天下之定。已乎已乎。吾且不得及彼乎。釋文。蘁。逆也。姚鼐云。勤志服知。孔子所言以教弟子者。然非孔子之所以爲孔子。故曰謝之。若所未嘗言者。乃所爲孔子云也。何也。蓋有大本存焉。受才於大本。復善以反其生。孔子所以爲孔子也。還其天而已矣。若夫當律當法而明是非。此德之小者。豈孔子之謂哉。二章。

曾子再仕而心再化。曰。吾及親仕三釜而心樂。後仕三千鍾不洎。吾心悲。郭云。洎。及也。按。謂不及親。弟子問於仲尼曰。若參者。可謂無所縣其罪乎。郭云。縣。係也。章云。說文。罪。捕魚竹網也。按。弟子以曾子之心再化。似不爲利祿所網羅也。曰。既已縣矣。按。言爲哀所係也。夫無所縣者。可以有哀乎。郭云。夫養親以適。不問其具。若能無係。則不以貴賤經懷。而平和怡暢。盡色養之宜矣。彼視三釜三千鍾。如鸛蚊相過乎前也。鸛蚊本作觀雀蚊虻。此從元嘉本。刪雀虻二字。釋文。王云。鸛蚊取大小相縣。喻三釜三千鍾之多少。司馬云。相過。忽然不覺也。按。曾子祿仕。繫情於親。言其化而非化也。三章。

顏成子游謂東郭子綦曰。自吾聞子之言。一年而野。二年而從。三年而通。四年而物。五年而來。六年而鬼入。七年而天成。八年而不知死不知生。九年而大妙。成云。野謂質樸也。從謂順於俗也。通謂不滯境也。物謂與物同也。來謂衆歸之也。鬼入謂神會物理也。天成謂合自然成也。八年不覺死生聚散之異也。妙。精微也。知照宏博。故稱大也。四章。

生有爲死也。按。有讀爲又。生又爲死矣。言無常也。勸公。宣云。設爲勸人之語如下二句。按。世人爭於名實。故以生死之無常告之。冀息其爭。以其私死也有自也。而生陽也無自也。私字本脫。奚氏據闕誤張君房本補。馬敘倫謂據下文生陽也。則死下應有陰字。按。馬說近是。蓋陰有私義。故張君房本有私字。特誤倒耳。應乙也。郭注。謂其死由私。是郭本亦有私字。且在下也。私謂陰闇。蓋死之理闇曶難知。然必有其死之故。故曰其死私也有自也。陽謂顯白。生之事人所共經。然亦不知其所自來。故曰生陽也無自也。而果然乎。惡乎其所適。惡乎其所不適。按。謂生死皆自然。無所謂適不適也。天有歷數。地有人據。吾惡乎求之。章云。人借爲侇。說文。平也。據借爲勮。夷勮猶言夷險難易耳。按。天道圜。無往不復。地道方。無平不陂。故曰吾惡乎求之。莫知其所終。若之何其無命也。莫知其所始。若之何其有命也。有以相應也。若之何其無鬼邪。無以相應也。若之何其有鬼邪。按。儒主命而莫審其終始。墨主鬼而莫決其應否。則儒墨兩家皆不足信矣。非有命。非無命。非有鬼。非無鬼。殆佛家所謂緣生輪迴者邪。此章以生死天地命鬼四事。證物化之日新。五章。

衆罔而問於景曰。若向也俯而今也仰。向也括而今也被

髮。向也坐而今也起。向也行而今也止。何也。司馬云。括謂括髮也。景曰。搜搜也奚稍問也。劉師培云。搜讀若禮樂記謏聞之謏。猶區區也。奚云。稍字無義。當是屑字之誤。說文。勞也。成疏。何勞見問。是成本亦作屑也。予有而不知其所以。郭云。自爾。故不知所以。予蜩甲也。蛇蛻也。似之而非也。郭云。影似形而非形。火與日。吾屯也。馬敘倫云。屯借爲庉。廣雅。庉。舍也。陰與夜。吾代也。司馬云。代謂使得休息也。彼吾所以有待邪。而況乎以有待者乎。彼來則我與之來。彼往則我與之往。彼強陽則我與之強陽。強陽者則又何以有問乎。按。強陽即相佯。即趨趕。王先謙云。有即上文予有之有也。按。此以形景證變而有待。六章。

陽子居南之沛。老聃西遊於秦。邀於郊。至於梁而遇老子。老子中道仰天而嘆曰。始以汝爲可教。今不可也。陽子居不答。至舍進盥漱巾櫛。脫屨戶外。膝行而前

曰。向者弟子欲請夫子。夫子行不閒。奚云。閒讀間斷之間。猶人間世篇行不輟也。是以不敢。今閒矣。請問其過。老子曰。而睢睢盱盱。而誰與居。按。而。汝也。郭云。睢睢盱盱。跋扈之貌。人將畏而疏遠。大白若辱。盛德若不足。陽子居蹵然變容曰。敬聞命矣。其往也。舍者迎將。將。送也。其家公執席。妻執巾櫛。舍者避席。煬者避竈。郭云。尊形自異。故憚而避之也。其反也。舍者與之爭席矣。郭云。去其夸矜故也。按。謂陽子變而至道。七章。

讓王第二十八

釋文云。以事名篇。王先謙云。讓王下四篇。古今學者多以爲僞作。

堯以天下讓許由。許由不受。又讓於子州支父。子州支父曰。以我爲天子。猶之可也。雖然。我適有幽憂之病。方且治之。未暇治天下也。按。幽。深也。隱也。深隱之憂。謂悲天閔人。夫天下至

重也。而不以害其生。又況他物乎。唯無以天下爲者。可以託天下也。吳汝綸云。亦見呂覽貴生篇。一節。舜讓天下於子州支伯。俞云。漢書古今人表有支父。無支伯。殆一人也。子州支伯曰。予適有幽憂之病。方且治之。未暇治天下也。故天下大器也。而不以易生。此有道者之所以異乎俗者也。二節舜以天下讓善卷。善卷曰。余立於宇宙之中。冬日衣皮毛。夏日衣葛絺。春耕種。形足以勞動。秋收斂。身足以休食。按。食一本作息。日出而作。日入而息。消搖於天地之間。而心意自得。吾何以天下爲哉。悲夫。子之不知余也。遂不受。於是去而入深山。莫知其處。三節舜以天下讓其友石戶之農。石戶之農曰。捲捲

乎。后之爲人。葆力之士也。朱駿聲云。捲借爲券。說文作劵。勞也。按。后謂舜也。以舜之德

爲未至也。於是夫負妻戴。攜子以入於海。終身不反

也。司馬云。入謂居州島上與曲限中也。四節。大王亶父居邠。狄人攻之。事之以皮帛

而不受。事之以犬馬而不受。事之以珠玉而不受。狄人

之所求者土地也。大王亶父曰。與人之兄居。而殺其

弟。與人之父居。而殺其子。謂以爭地而戰。殺人子弟。吾不忍也。子皆勉

居矣。爲吾臣與爲狄人臣奚以異。且吾聞之。不以所用

養害所養。按。所用養。土地也。所養。人民也。因杖策而去之。策。本作筴。從御覽四一九引改。民相連

而從之。按。相連。謂相連續而從之。如孟子所謂從之如歸市。淮南所謂扶老攜幼以從之是也。司馬讀爲輦。似非。遂成國於岐山之

下。夫大王亶父可謂能尊生矣。能尊生者。雖富貴不以

養傷身。雖貧賤不以利累形。今世之人。居高官尊爵
者。皆重失之。見利輕亡其身。以失官爲重。亡身爲輕。豈不惑哉。吳汝綸云。亦見呂
覽審爲篇、淮南道應篇。五節。越人三世弒其君。王子搜患之。逃乎丹穴。而
越國無君。求王子搜不得。從之丹穴。王子搜不肯出。
越人薰之以艾。乘以王輿。王子搜援綏登車。仰天而呼
曰。君乎君乎。獨不可以舍我乎。王子搜非惡爲君也。
惡爲君之患也。若王子搜者。可謂不以國傷生矣。此固
越人之所欲得爲君也。吳汝綸云。見呂覽貴生篇。六節。韓魏相與爭侵地。子華
子見昭僖侯。昭僖侯有憂色。次昭字各本脫。從一本補。子華子曰。今使天
下書銘於君之前。馬敘倫云。天下二字。涉下文而衍。書之言曰。左手攫之。則右

手廢。右手攫之。則左手廢。然而攫之者必有天下。君能攫之乎。（馬敘倫云。能借爲寧。）昭僖侯曰。寡人不攫也。子華子曰。甚善。自是觀之。兩臂重於天下也。身亦重於兩臂。韓之輕於天下亦遠矣。今之所爭者其輕於韓又遠。君固愁身傷生以憂戚不得也。（按。固讀爲胡。也讀爲邪。）僖侯曰。善哉。教寡人者衆矣。未嘗得聞此言也。（王先謙云。僖上脫昭字。）子華子可謂知輕重矣。

（吴汝綸云。見呂覽審爲篇。七節。）魯君聞顏闔得道之人也。使人以幣先焉。顏闔守陋閭。麤布之衣而自飯牛。（麤。本作苴。此從或本。呂覽作鹿。即麤壞字。俗或作粗。因譌苴耳。）魯君之使者至。顏闔自對之。使者曰。此顏闔之家與。顏闔對曰。此闔之家也。使者致幣。顏闔對曰。恐聽謬。（各本聽下有者字。）

闕誤張君房本、御覽八二〇引。並無。而遺使者罪。不若審之。使者還反審之。復來求之。則不得已。故若顏闔者。眞惡富貴也。奚云。此句語意率然。與篇旨亦不合。呂覽貴生篇。故若顏闔者。非惡富貴也。由重生惡之也。當據補。故曰。道之眞以治身。其緒餘以爲國家。其土苴以治天下。由此觀之。帝王之功。聖人之餘事也。非所以完身養生也。今世俗之君子。多危身棄生以殉物。豈不悲哉。凡聖人之動作也。必察其所以之。與其所以爲。今且有人於此。以隨侯之珠彈千仞之雀。世必笑之。是何也。則其所用者重。而所要者輕也。夫生者豈特隨侯之重哉。俞云。呂覽侯下有珠字。是也。八節。

子列子窮。容貌有飢色。客有言之於鄭子陽者曰。列禦寇蓋有道之士

也。居君之國而窮。君無乃爲不好士乎。鄭子陽即令官遺之粟。子列子見使者再拜而辭。使者去。子列子入。其妻望之而拊心曰。妾聞爲有道者之妻子。皆得佚樂。今有飢色。君遇而遺先生食。（遇。本作過。此從亦本。按。遇。偶也。）先生不受。豈不命邪。（王引之云。不與非同。）子列子笑謂之曰。君非自知我也。以人之言而遺我粟。至其罪我也。又且以人之言。此吾所以不受也。其卒。民果作難。而殺子陽。（吳汝綸云。亦見呂覽觀世篇、列子說符篇。九節。）楚昭王失國。屠羊說走而從於昭王。昭王反國。將賞從者。及屠羊說。屠羊說曰。大王失國。說失屠羊。大王反國。說亦反屠羊。臣之爵祿已復矣。又何賞之有。王

曰。強之。胡遠濬云。韓詩外傳無此曰字。屠羊說曰。大王失國。非臣之罪。故不敢伏其誅。大王反國。非臣之功。故不敢當其賞。王曰。見之。屠羊說曰。楚國之法。必有重賞大功而後得見。馬敘倫云。賞應作勛。今臣之知不足以存國。而勇不足以死寇。吳軍入郢。說畏難而避寇。非故隨大王也。今大王欲廢法毀約而見說。此非臣之所以聞於天下也。王謂司馬子綦曰。屠羊說居處卑賤。而陳義甚高。子其爲我延之以三珪之位。按。其或誤作綦。珪。本作旌。此從司馬本。孫詒讓云。楚爵以執珪爲最貴。楚辭大招曰。三圭重侯。戰國楚策。昭陽說楚貴爵爲上執珪。然則執珪有上中下之異歟。屠羊說曰。夫三珪之位。吾知其貴於屠羊之肆也。萬鍾之祿。吾知其富於屠羊之利也。然豈可以貪爵祿而使吾君

有妄施之名乎。說不敢當。願復反吾屠羊之肆。遂不受也。吳汝綸云。亦見韓詩外傳廉稽篇。十節。原憲居魯。環堵之室。茨以生草。蓬戶不完。桑以爲樞而甕牖。各本此下有二室褐以爲塞六字。馬敘倫謂藝文類聚、御覽、史記遊俠傳正義、後漢書橋玄傳注引。皆無。逕刪。上漏下濕。匡坐而弦歌。司馬云。匡。正也。按。各本脫歌字。奚侗據御覽四八五引、闕誤張君房本補。韓詩新序亦同。子貢乘大馬。中紺而表素。軒車不容巷。往見原憲。原憲華冠縰履。釋文。華冠。以華木皮爲冠。李云。縰履。謂履無跟。杖藜而應門。子貢曰。嘻。先生何病。原憲應之曰。憲聞之。無財謂之貧。學而不能行謂之病。今憲貧也。非病也。子貢逡巡而退有愧色。退字各本脫。馬敘倫據意林及類聚三五、御覽四八五引。補。原憲笑曰。夫希世而行。司馬云。希。望也。所行常顧世譽而動。曰希世而行。比周而友。葉大壯云。周州古通。廣雅。州。國也。比州。猶言比國。謂子貢交遊之廣。學以爲人。教以爲己。釋文。學當爲己。教當爲人

。今反不然也。仁義之慝。按。慝借爲暱。言託於仁義。相與親暱也。舊注姦惡。似非。輿馬之飾。憲不忍爲也。吳汝綸云。亦見韓詩外傳曾子仕篇、新序節士篇。十一節。

曾子居衛。縕袍無表。顏色腫噲。章云。噲讀爲殨。説文。殨爛也。噲殨相通。猶繪績互用矣。手足胼胝。三日不舉火。十年不製衣。正冠而纓絕。捉衿而肘見。納屨而踵決。曳縱而歌商頌。聲滿天地。若出金石。天子不得臣。諸侯不得友。故養志者忘形。養形者忘利。致道者忘心矣。奚云。韓詩外傳、新序並以此爲原憲事。十二節。

孔子謂顏回曰。回來。家貧居卑。胡不仕乎。顏回對曰。不願仕。回有郭外之田五十畝。足以給飦粥。郭內之田十畝。足以爲絲麻。鼓琴足以自娛。所學夫子之道者。足以自樂也。回不願仕。孔子愀然變容曰。善

哉。回之意。奚云。禮哀公問鄭注。愀然。變動貌。丘聞之。知足者不以利自累也。審自得者。失之而不懼。行修於內者。無位而不作。丘誦之久矣。今於回而後見之。是丘之得也。十三節。

中山公子牟謂瞻子曰。身在江海之上。心居乎魏闕之下。奈何。司馬云。魏。象魏觀闕。人君門也。按。言雖隱居猶係念國事而不能忘。又。按中山在北。不得言江海。此秦漢人語。寓言非實。瞻子曰。重生。重生則利輕。馬敘倫云。呂覽審爲篇、淮南道應訓並作輕利。當從之。中山公子牟曰。雖知之。未能自勝也。瞻子曰。不能自勝。則從。神無惡乎。俞云。呂覽不能自勝則縱之。神無惡乎。文子淮南並疊從之。此從字句絕。不能自勝而強不從者。此之謂重傷。重再也。重傷之人無壽類矣。奚云。謂必致夭殞札瘥也。魏牟。萬乘之公子也。其隱巖穴也。難爲於布衣之士。雖未至乎道。可謂有其意

矣。吳汝綸云。亦見呂覽審爲篇、淮南道應篇。十四節。孔子窮於陳蔡之間。七日不火食。藜
羹不糝。顏色甚憊。而弦歌於室。顏回擇菜。奚云。呂覽愼人篇。菜下有於外二字
。當據補。子路子貢相與言曰。夫子再逐於魯。削迹於衛。伐
樹於宋。窮於商周。圍於陳蔡。殺夫子者無罪。藉夫子
者無禁。釋文。藉。陵藉也。弦歌鼓琴。未嘗絕音。君子之無恥也若
此乎。顏回無以應。入告孔子。孔子推琴喟然而嘆曰。
由與賜。細人也。召而來。吾語之。子路子貢入。子路
曰。如此者可謂窮矣。孔子曰。是何言也。君子通於道
之謂通。窮於道之謂窮。今丘抱仁義之道。以遭亂世之
患。其何窮之爲。奚云。爲猶有也。呂覽正作有。故內省而不窮於道。臨難而

不失其德。天寒既至。俞云。呂覽作大寒既至。是也。霜雪既降。吾是以知松柏之茂也。桓公得之莒。文公得之曹。越王得之會稽。桓公下三句。各本脫。馬敘倫據闕誤江南古藏本補。陳蔡之隘。釋文。隘。音厄。於丘其幸乎。孔子削然反琴而弦歌。子路扢然執干而舞。奚云。呂覽削作烈。扢作抗。烈借爲厲。嚴也。抗借爲忼。慨也。壯士不志於心也。當據改。子貢曰。吾不知天之高也。地之下也。古之得道者。窮亦樂。通亦樂。所樂非窮通也。道得於此。則窮通爲寒暑風雨之序矣。故許由娛於潁陽。而共伯得志乎共首。志字本脫。據闕誤江南古藏本補。釋文以此共伯即共伯和。未知確否。十五節。舜以天下讓其友北人無擇。北人無擇曰。異哉后之爲人也。居於畎畝之中。而遊堯之門。不若是而已。又欲以其辱行漫我。吾羞見之。田自投淸

泠之淵。（吳汝綸云。亦見呂覽離俗篇、淮南齊俗篇。十六節。）湯將伐桀。因卞隨而謀。卞隨曰。非吾事也。湯曰。孰可。曰。吾不知也。湯又因瞀光而謀。瞀光曰。非吾事也。湯曰。孰可。曰。吾不知也。湯曰。伊尹何如。曰。強力忍垢。吾不知其他也。湯遂與伊尹謀伐桀。剋之。（按。剋應作克。）以讓卞隨。卞隨辭曰。后之伐桀也。謀乎我。必以我爲賊也。勝桀而讓我。必以我爲貪也。吾生乎亂世。而無道之人再來漫我以其辱行。吾不忍數聞也。乃自投椆水而死。（釋文又作桐。云。司馬本作洞。云。洞水在潁川。一云。在范陽郡界）。湯又讓瞀光。曰。知者謀之。武者遂之。仁者居之。古之道也。吾子胡不立乎。瞀光辭曰。廢上非義也。殺

民非仁也。人犯其難。我享其利。非廉也。吾聞之曰。非其義者。不受其祿。無道之世。不踐其土。況尊我乎。吾不忍久見也。乃負石而自沈於廬水。（釋文。夫輕天下者。不得有所重。汎然從衆。得失無槩於懷。何自投之爲哉。若二子者。可以爲殉名慕高矣。未可謂外天下也。按。二子似可無死。故陸氏譏之。然養生主謂畜樊之雉。雖王而不善。是莊子固不以屈辱之生爲貴也。吳汝綸云。亦見呂覽離俗篇。十七節。）

昔周之興。有士二人。處於孤竹。曰伯夷叔齊。二人相謂曰。吾聞西方有人。似有道者。試往觀焉。至於岐陽。武王聞之。使叔旦往見之。與之盟曰。加富二等。就官一列。血牲而埋之。二人相視而笑曰。嘻。異哉。此非吾所謂道也。昔者神農之有天下也。時祀盡敬。而不祈喜。（俞云。喜應作禧。禧。福也。）其於人也。忠信盡治而無求焉。樂與政

爲政。樂與治爲治。[俞云。呂覽誠廉篇作樂正與爲正。樂治與爲治。此疑誤倒。]不以人之壞自成也。不以人之卑自高也。不以遭時自利也。今周見殷之亂而遽爲政。[馬敍倫云。呂覽作而遽爲之正與治。當據補。]上謀而下行貨。[王念孫云。下字誤加。上與尚同。呂覽正作上謀而行貨。可證。]阻兵而保威。割牲而盟以爲信。揚行以說衆。殺伐以要利。是推亂以易暴也。吾聞古之士。遭治世不避其任。遇亂世不爲苟存。今天下闇。周德衰。其並乎周以塗吾身也。[按。其與豈同。也與邪同。並乎周猶言合乎周。塗。汙也。]不如避之以絜吾行。[按。絜同潔。]二子北至於首陽之山。遂餓而死焉。若伯夷叔齊者。其於富貴也。苟可得已。[已。止也。]則必不賴。[章云。方言。賴。取也。]高節戾行。[按。與俗違戾。]獨樂其志。不事於世。此二士之節也。[郭云。夷許之徒。其事雖難爲。然其風稍弊。曰。弊安在。]

曰。許由之弊。使人飾讓以求進。遂至乎之噲也。伯夷之風。使暴虐之君。得肆其毒而莫之敢亢也。伊呂之弊。使天下貪冒之雄敢行簒逆。唯聖人無迹。故無弊也。吳汝綸云。亦見呂覽誠廉篇。十八節。

盜跖第二十九

馬其昶云。太史公稱漁父盜跖以詆訾孔子之徒。以明老子之術。今盜跖直詆孔子。又無所謂明老子之術。其爲憤決也。是今本盜跖又非史公所見之盜跖矣。世或以此篇見稱史公。疑其非僞。得馬說可以曉然矣。

孔子與柳下季爲友。柳下季之弟名曰盜跖。釋文。柳下惠。姓展。名獲。字季禽。惠。謚也。柳下。邑名。是魯僖公時人。至孔子生八十餘年。若至子路之死百五六十歲。不得爲友。是寄言也。李奇注漢書云。跖。秦之大盜也。按。亦非柳下之弟。盜跖從卒九千人。橫行天下。侵暴諸侯。穴室摳戶。摳。本作樞。孫詒讓云。徐音苦溝反。是字當作摳。般敬順列子釋文云。摳。探也。奚云。摳。闕誤引劉得一本正作摳。驅人牛馬。取人婦女。貪得忘親。不顧父母兄弟。不祭先祖。所過之邑。大國守城。小國入保。萬民苦之。釋文。鄭注禮記。小城曰保。孔子謂柳下季曰。夫爲人父者。必能詔其子。爲人兄者。必能敎其弟。若父不能詔其子。

兄不能教其弟。則無貴父子兄弟之親矣。今先生。世之才士也。弟爲盜跖。爲天下害。而弗能教也。丘竊爲先生羞之。丘請爲先生往說之。柳下季曰。先生言爲人父者必能詔其子。爲人兄者必能教其弟。若子不聽父之詔。弟不受兄之教。雖今先生之辯。將奈之何哉。且跖之爲人也。心如涌泉。意如飄風。強足以拒敵。辯足以飾非。順其心則喜。逆其心則怒。易辱人以言。先生必無往。孔子不聽。顏回爲馭。子貢爲右。往見盜跖。盜跖乃方休卒徒大山之陽。膾人肝而餔之。按。膾。細切肉也。餔。日申時食也。孔子下車而前見謁者曰。魯人孔丘。聞將軍高義。敬再拜

謁者。謁者入通。盜跖聞之大怒。目如明星。髮上指冠。曰。此夫魯國之巧僞人孔丘非邪。爲我告之。爾作言造語。妄稱文武。冠枝木之冠。司馬云。冠多華飾。如木之枝繁。帶死牛之脅。司馬云。取牛皮爲大革帶。多辭繆說。章云。繆猶繁也。不耕而食。不織而衣。搖脣鼓舌。擅生是非。以迷天下之主。使天下學士不反其本。妄作孝弟而儌倖於封侯富貴者也。子之罪大極重。俞云。極同殛。誅也。疾走歸。不然。我將以子肝益晝餔之膳。孔子復通曰。丘得幸於季。願望履幕下。按。言不敢望跖。僅從幕下望其履耳。司馬本作綦。誤。謁者復通。盜跖曰。使來前。孔子趨而進。避席反走再拜盜跖。盜跖大怒。兩展其足。案劍瞋目。聲如乳虎。曰。

丘來前。若所言順吾意則生。逆吾心則死。孔子曰。丘聞之。凡天下人有三德。（各本脫人字。馬敘倫依闕誤引張君房本補。）生而長大美好無雙。少長貴賤見而皆說之。此上德也。知維天地。能辯諸物。此中德也。勇悍果敢。聚衆率兵。此下德也。凡人有此一德者。足以南面稱孤矣。今將軍兼此三者。身長八尺二寸。面目有光。脣如激丹。（司馬云。激。明也。章云。此借爲敫。光景流也。故司馬訓明。）齒如齊貝。音中黃鍾。而名曰盜跖。丘竊爲將軍恥不取焉。將軍有意聽臣。臣請南使吳越。北使齊魯。東使宋衞。西使晉楚。使爲將軍造大城數百里。立數十萬戶之邑。尊將軍爲諸侯。與天下更始。罷兵休卒。收養昆

弟。共祭先祖。王先謙云。共讀曰供。此聖人才士之行。而天下之願也。盜跖大怒曰。丘來前。夫可規以利而可諫以言者。皆愚陋恆民之謂耳。今長大美好人見而說之者。此吾父母之遺德也。丘雖不吾譽。吾獨不自知邪。且吾聞之。好面譽人者。亦好背而毀之。今丘告我以大城衆民。是欲規我以利而恆民畜我也。安可長久也。也讀邪。城之大者。莫大乎天下矣。堯舜有天下。子孫無置錐之地。湯武立爲天子。而後世絕滅。按。莊子時周尚未亡。則此文其秦漢人作邪。非以其利大故邪。且吾聞之。古者禽獸多而人少。於是民皆巢居以避之。晝拾橡栗。暮栖木上。故命之曰有巢氏之民。古者民不知

衣服。夏多積薪。冬則煬之。故命之曰知生之民。神農之世。臥則居居。起則于于。（成云。居居。安靜之容。郭慶藩云。于于。廣大之貌。）民知其母不知其父。與麋鹿共處。耕而食。織而衣。無有相害之心。此至德之隆也。然而黃帝不能致德。與蚩尤戰於涿鹿之野。流血百里。堯舜作。立羣臣。湯放其主。武王殺紂。自是之後。以強陵弱。以衆暴寡。湯武以來。皆亂人之徒也。今子脩文武之道。掌天下之辯。以教後世。（按。掌借爲尚。尊崇也。）縫衣淺帶。（郭慶藩云。縫本作摓。或作逢。禮儒行。逢掖之衣。鄭注。逢猶大也。釋文。淺帶。縫帶使淺狹。）矯言僞行以迷惑天下之主。而欲求富貴焉。盜莫大於子。天下何故不謂子爲盜丘。而乃謂我爲盜跖。子以甘辭說子路

而使從之。使子路去其危冠。解其長劍。而受教於子。天下皆曰孔丘能止暴禁非。其卒之也。子路欲殺衛君而事不成。身菹於衛東門之上。按。漢書刑法志注。菹與醢同義。謂臠割肢體。若後世之凌遲。是子教之不至也。子自謂才士聖人邪。則再逐於魯。削迹於衛。窮於齊。圍於陳蔡。不容身於天下。子教子路菹。此患上無以爲身。下無以爲人。子之道豈足貴邪。世之所高莫若黃帝。黃帝尚不能全德而戰涿鹿之野。流血百里。堯不慈。舜不孝。禹偏枯。湯放其主。馬敘倫云。韓非説疑篇曰。記曰。堯誅丹朱。韓非忠孝篇曰。瞽叟爲舜父。而舜放之。呂覽當務篇曰。堯有不慈之名。舜有不孝之行。禹有淫湎之意。湯武有放殺之事。文義相類。疑此亦當作禹淫湎。武王伐紂。文王拘羑里。馬敘倫云。依次文王當在武王上。然下文稱六子。則是不數文王也。疑後人增。此六子者。世之所高也。孰論

之。皆以利惑其眞而強反其情性。其行乃甚可羞也。世之所謂賢士。伯夷叔齊。辭孤竹之君而餓死於首陽之山。骨肉不葬。鮑焦飾行非世。抱木而死。馬敘倫云。鮑焦事見史記鄒陽傳正義引韓詩外傳。申徒狄諫而不聽。負石自投於河。爲魚鼈所食。朱桂曜云。釋文用韓詩外傳。但脫落甚多。故不可解。外傳云。申徒狄非其世。將自投於河。崔嘉聞而止之曰。吾聞聖人仁士之於天地之間也。民之父母也。今爲儒雅之故。不救溺人可乎。申徒狄曰。不然。桀殺關龍逢。紂殺王子比干。而亡天下。吳殺子胥。陳殺泄冶。而滅其國。故亡國滅家。非無聖智也。不用故也。遂抱石而沈于河。惟儒雅二字。當從釋文作濡足。姓纂引尸子。謂申徒狄夏賢也。而外傳述及子胥比干者。後人緣飾之詞也。介子推至忠也。自割其股以食文公。文公後背之。子推怒而去。抱木而燔死。尾生與女子期於梁下。女子不來。水至不去。抱梁柱而死。此六子者。無異於磔犬流豕。操瓢而乞者。孫詒讓云。流疑當作沈。周禮大宗伯。以貍沈祭山林川澤。以疈辜祭四方百物。此磔犬即疈辜。沈豕即所謂沈。馬敘倫云。此言沈磔之物。而乞者操瓢乞之也。皆離

名輕死。不念本養壽命者也。世之所謂忠臣者。莫若王子比干伍子胥。子胥沈江。比干剖心。此二子者。世謂忠臣也。然卒爲天下笑。自上觀之。至於子胥比干。皆不足貴也。丘之所以說我者。若告我以鬼事。則我不能知也。若告我以人事者。不過此矣。皆吾所聞知也。今吾告子以人之情。目欲視色。耳欲聽聲。口欲察味。志氣欲盈。人上壽百歲。中壽八十。下壽六十。除病瘦死喪憂患。王念孫云。瘦當作瘐。病也。其中開口而笑者。一月之中不過四五日而已矣。天與地無窮。人死者有時。操有時之具而託於無窮之間。忽然無異騏驥之馳過隙也。不能說其志

意。釋文。說音悅。養其壽命者。皆非通道者也。丘之所言皆吾之所棄也。亟去走歸。無復言之。子之道狂狂汲汲。詐巧虛僞事也。非可以全眞也。奚足論哉。孔子再拜趨走。出門上車。執轡三失。目芒然無見。色若死灰。據軾低頭。不能出氣。歸到魯東門外。適遇柳下季。柳下季曰。今者闕然數日不見。車馬有行色。得微往見跖邪。按。微讀若微行之微。言潛往也。孔子仰天而嘆曰。然。柳下季曰。跖得無迹汝意若前乎。孔子曰。然。丘所謂無病而自灸也。疾走料虎頭。編虎須。幾不免虎口哉。按。料借爲捋。雙聲也。本章憤世過激之詞。極多害理。迥非莊生巵言圓融可比。而郭象以爲有所寄託。誤也。一章。

子張問於滿苟得曰。盍不爲行。釋文。勸何不爲德行。無行則不信。不信則不任。不任則不利。故觀之名。計之利。而義眞是也。若棄名利反之於心。則夫士之爲行。不可一日不爲乎。按。不可猶豈可。滿苟得曰。無恥者富。多信者顯。馬敍倫云。多疑爲失字或不字之誤。夫名利之大者。幾在無恥而信。馬敍倫云。而字疑爲不字之誤。故觀之名。計之利。而信眞是也。按。而亦疑當作不。若棄名利。反之於心。則夫士之爲行。抱其天乎。子張曰。昔者桀紂貴爲天子。富有天下。今謂臧聚曰。汝行如桀紂。則有作色。有不服之心者。小人所賤也。孫詒讓云。臧謂臧獲。聚當讀爲騶。說文。廐御也。即養馬者。仲尼墨翟窮爲匹夫。今謂宰相曰。子行如仲尼墨翟。則變容易色稱不足

者。士誠貴也。故勢爲天子。未必貴也。窮爲匹夫。未必賤也。貴賤之分。在行之美惡。滿苟得曰。小盜者拘。大盜者爲諸侯。諸侯之門。義士存焉。劉師培云。義士當依胠篋篇作仁義。昔者桓公小白。殺兄入嫂。馬敘倫云。入嫂事未詳。而管仲爲臣。田成子常殺君竊國。而孔子受幣。馬敘倫云。墨子非儒篇載孔某與田常事。而受幣事無聞。論則賤之。行則下之。是則言行之情悖戰於胸中也。不亦拂乎。故書曰。孰惡孰美。成者爲首。不成者爲尾。子張曰。子不爲行。即將疏戚無倫。貴賤無義。長幼無序。五紀六位。將何以爲別乎。俞云。五紀即五倫。六位即六紀。謂諸父、兄弟、族人、諸舅、師長、朋友也。滿苟得曰。堯殺長子。舜流母弟。疏戚有倫乎。湯放桀。武王殺紂。

貴賤有義乎。王季爲適。周公殺兄。長幼有序乎。儒者僞辭。墨者兼愛。五紀六位將有別乎。且子正爲名。我正爲利。名利之實。不順於理。不監於道。按。詩。所用不監。傳。監。視也。吾日與子訟於無約。按。約。期也。言日相評論。終無盡期。曰。小人殉財。君子殉名。其所以變其情易其性則異矣。乃至於棄其所爲而殉其所不爲。則一也。故曰無爲小人。反殉而天。無爲君子。從天之理。馬敘倫云。從爲北譌。蓋北譌爲从。又譌從也。若枉若直。相而天極。面觀四方。與時消息。若是若非。執而圓機。獨成而意。與道徘徊。無轉而行。王念孫云。轉與專通。無成而義。將失而所爲。無赴而富。無殉而成。將棄而天。比干剖心。子胥

抉眼。忠之禍也。直躬證父。尾生溺死。信之患也。鮑子立乾。勝子不自理。釋文作勝子自理。云本又作申子自理。或云謂申徒狄抱甕之河也。一本作申子不自理。謂申生也。廉之害也。孔子不見母。釋文。李云。未聞。匡子不見父。王先謙云。事見孟子。義之失也。此上世之所傳。下世之所語。以爲士者正其言。必其行。故服其殃。離其患也。按。此章輕名重利。與列子楊朱篇義略同。非莊子之勝義也。二章。

無足問於知和曰。人卒未有不興名就利者。按。人卒猶人士也。說見前。彼富則人歸之。歸則下之。下則貴之。夫見下貴者。所以長生安體樂意之道也。今子獨無意焉。知不足邪。意知而力不能行邪。故推正不忘邪。按。故讀爲胡。言子胡爲斤斤焉推求正道。念念不忘而外富貴邪。知和曰。今夫此人以爲與己同時而生。同鄉而處者。按。謂得於天者同也。

以爲夫絕俗過世之士焉。按。謂有超卓之德。以其修持者異也。是專無主正。王先謙云。尊於無爲。主於正道。所以覽古今之時是非之分也。按。通古今。明是非。此其所以超卓也。與俗化世。王先謙云。混同於俗。化合於世。其去絕俗過世之士遠矣。按。舊至化字句。誤。去至重。棄至尊。以爲其所爲也。王先謙云。去至重之生。棄至尊之道。以爲其所謂富貴者。此其所以論長生安體樂意之道。不亦遠乎。慘怛之疾。恬愉之安。不監於體。怵惕之恐。欣懽之喜。不監於心。知爲爲而不知所以爲。是以貴爲天子。富有天下。而不免於患也。無足曰。夫富之於人無所不利。窮美究埶釋文。埶音勢。本亦作勢。至人之所不得逮。聖人之所不能及。挾人之勇力而以爲威強。奚云。說文。夾。持也。經傳多假俠。按。而字疑衍。下三句皆無而字。不應此句獨有。秉人之知謀以爲明察。因人之德以爲賢良。非享國而嚴

若君父。按。此非羨富之詞。正以見爲富不仁之罪。所謂正言若反也。且夫聲色滋味權勢之於人。心不待學而樂之。體不待象而安之。夫欲惡避就。固不待師。此人之性也。天下雖非我。按。非同誹。孰能辭之。知和曰。知者之爲。故動以百姓。不違其度。按。此數句之意。蓋謂知者之所爲。動以百姓心爲心。故百姓不違其法度也。文有脫誤。又不重百姓二字。遂覺費解。是以足而不爭。無以爲故不求。不足故求之。爭四處而不自以爲貪。成云。四處猶四方也。有餘故辭之。棄天下而不自以爲廉。廉貪之實。非以迫外也。反監之度。勢爲天子而不以貴驕人。富有天下而不以財戲人。計其患。慮其反。王先謙云。詩衛風。不思其反。以爲害於性。故辭而不受也。非以要名譽也。堯舜爲帝而雍。王先謙云。黎民時雍。非仁天下也。不以

美害生也。按。美謂美名。善卷許由得帝而不受。非虛辭讓也。不以事害己。此皆就其利。辭其害。而天下稱賢焉。則可以有之。彼非以興名譽也。無足曰。必持其名。苦體絕甘。約養以持生。則亦猶久病長阨而不死者也。各本脫猶字。從闕誤引江南古藏本補。知和曰。平爲福。有餘爲害者。物莫不然。而財其甚者也。今富人。耳營鐘鼓筦籥之聲。口嗛於芻豢醪醴之味。營。惑也。嗛。口有所快也。以感其意。遺忘其業。可謂亂矣。侅溺於馮氣。馬敘倫云。侅借爲閡。溺借爲搦。馮借爲懣。下同。若負重行而上也。可謂苦矣。貪財而取辱。辱。本作慰。此從闕誤引張君房本改。貪權而取竭。靜居則溺。體澤則馮。可謂疾矣。爲欲富就利。故滿若堵耳而不知避。且

馮而不舍。可謂辱矣。財積而無用。服膺而不舍。或說服膺即馮膺。亦即馮而不舍之馮。滿心戚醮。馬敘倫云。滿爲懣省。奚云。醮爲醮誤。求益而不止。可謂憂矣。內則疑劫請之賊。外則畏寇盜之害。內周樓疏。章云。疏正作⿰囪疋。說文。門戶青疏窗也。古詩交疏結綺窗。所以交疏者。本由防盜。釋名。樓謂牖戶之間有射孔。慺慺然也。射孔亦防盜之用。外不敢獨行。可謂畏矣。此六者天下之至害也。皆遺忘而不知察。及其患至。求盡性竭財。蕲以反一日之無故。蕲本作單。此從或本。而不可得也。故觀之名則不見。求之利則不得。繚意絕體而爭此。不亦惑乎。奚云。繚。說文。纏也。謂纏束其志意。郭云。此章言知足者常足。三章。

莊子詁義卷第十

靄硯齋叢箸

淮陰　范耕研　伯子

說劍第三十

音義曰。以事名篇。馬驌云。語近國策。非莊生本書。

昔趙文王喜劍。劍士夾門而客三千餘人。日夜相擊於前。死傷者歲百餘人。好之不厭。如是三年。國衰。諸侯謀之。太子悝患之。募左右曰。孰能說王之意止劍士者。賜之千金。左右曰。莊子當能。太子乃使人以千金奉莊子。莊子弗受。與使者俱往見太子曰。太子何以教周。賜周千金。太子曰。聞夫子明聖。謹奉千金。以幣從者。馬敘倫云。幣從者猶言贈從者。史記趙世家。孝成王曰。今以城市邑十七幣吾國。然則蓋趙語。夫子弗受。悝尚何敢言。

莊子曰。聞太子所欲用周者。欲絕王之喜好也。使臣上說大王而逆王意。下不當太子。則身刑而死。周尚安所事金乎。使臣上說大王。下當太子。趙國何求而不得也。太子曰。然。吾王所見唯劍士也。莊子曰。諾。周善爲劍。太子曰。然。吾王所見劍士。皆蓬頭突鬢垂冠。（司馬云。將欲鬬。故冠低傾也。）曼胡之纓。（司馬云。麤纓無文理也。吳汝綸云。曼胡。堅固之意。呂覽。其蟲介。高注。象冬閉固。皮曼胡也。）短後之衣。（司馬云。爲便於事也。）瞋目而語難。（釋文。難如字。艱難也。勇士憤氣積於心胸。言不流利也。又乃旦反。既怒而語。爲人所畏難。）王乃說之。今夫子必儒服而見王。事必大逆。莊子曰。請治劍服。治劍服三日。乃見太子。太子乃與見王。王脫白刃待之。莊子入殿門不趨。見王不拜。王曰。子欲何以教

寡人。使太子先。曰。臣聞大王喜劍。故以劍見王。王
曰。子之劍何能禁制。曰。臣之劍十步一人。千里不留
行。按。言劍之利。無人能阻留之也。王大說之曰。天下無敵矣。莊子曰。夫爲
劍者。示之以虛。開之以利。後之以發。先之以至。願
得試之。王曰。夫子休就舍待命。令設戲。請夫子。馬敘倫云
戲借爲麾。漢書高紀諸侯罷戲下。師古曰。軍中之旌旗也。王乃校劍士七日。死傷者六十餘人。得
五六人。使奉劍於殿下。乃召莊子。王曰。今日試使士
敦劍。郭嵩燾云。魯頌。敦商之旅。箋。敦。治也。莊子曰。望之久矣。王曰。夫子所御
杖長短何如。成云。御。用也。王先謙云。杖。持也。曰。臣之所奉。皆可。奉。司馬本作奏。然
臣有三劍。唯王所用。請先言而後試。王曰。願聞三

劍。曰。有天子劍。有諸侯劍。有庶人劍。王曰。天子之劍何如。曰。天子之劍。以燕谿石城爲鋒。齊岱爲鍔。司馬云。鍔。劍刃。一云劍稜。晉衛爲脊。衛本作魏。依書鈔一二二、類聚六十、御覽二四四引改。周宋爲鐔。鐔。說文。劍鼻也。韓魏爲夾。一本作鋏。包以四夷。裹以四時。繞以渤海。帶以常山。制以五行。馬敘倫云。本書不言五行。此雖泛論。可致疑也。論以刑德。開以陰陽。待以春夏。行以秋冬。此劍直之無前。舉之無上。案之無下。運之無旁。上決浮雲。下絕地紀。此劍一用。匡諸侯。天下服矣。此天子之劍也。文王芒然自失。曰。諸侯之劍何如。曰。以知勇士爲鋒。以清廉士爲鍔。以賢良士爲脊。以忠勝士爲鐔。勝。一本作聖。以豪傑士

爲夾。此劍直之亦無前。舉之亦無上。案之亦無下。運之亦無旁。上法圓天以順三光。下法方地以順四時。中和民意以安四鄉。此劍一用。如雷霆之震也。四封之內。無不賓服而聽從君命者矣。此諸侯之劍也。王曰。庶人之劍何如。曰。庶人之劍。蓬頭。突鬢。垂冠。曼胡之纓。短後之衣。瞋目而語難。相擊於前。上斬頸領。下決肝肺。此庶人之劍。無異於鬭雞。一旦命已絕矣。無所用於國事。今大王有天子之位。而好庶人之劍。臣竊爲大王薄之。王乃牽而上殿。宰人上食。王三環之。釋文。聞義而愧。繞饌三周。不能坐食。莊子曰。大王安坐定氣。劍事已畢奏

矣。於是文王不出宮。三月。劍士皆服斃其處也。司馬云。忿不見禮皆自殺也。按服伏古通。

漁父弟三十一

音義云。以人名篇。

孔子遊乎緇帷之林。休坐乎杏壇之上。弟子讀書。孔子弦歌鼓琴。奏曲未半。有漁父者下船而來。須眉交白。被髮揄袂。行原以上。距陸而止。左手據膝。右手持頤。以聽曲終。而招子貢子路。二人俱對。客指孔子曰。彼何爲者也。子路對曰。魯之君子也。客問其族。子路對曰。族孔氏。客曰。孔氏者何治也。子路未應。子貢對曰。孔氏者性服忠信。身行仁義。飾禮樂。選人

倫。上以忠於世主。下以化於齊民。將以利天下。此孔氏之所治也。又問曰。有土之君與。子貢曰。非也。侯王之佐與。子貢曰。非也。客乃笑而還。行言曰。仁則仁矣。恐不免其身。苦心勞形以危其眞。嗚呼遠哉。其分於道也。章云。說文。異。分也。子貢還報孔子。孔子推琴而起曰。其聖人與。乃下求之。至於澤畔。方將杖挐而引其船。司馬云。拏。橈也。按。橈即楫也。黎刻古逸叢書本作拏。顧見孔子。還鄉而立。孔子反走。再拜而進。客曰。子將何求。孔子曰。曩者先生有緒言而去。丘不肖。未知所謂。竊待於下風。幸聞咳唾之音以卒相丘也。客曰。嘻。甚矣。子之好學也。孔子再拜而起

曰。丘少而脩學。以至於今。六十九歲矣。無所得聞至敎。敢不虛心。客曰。同類相從。同聲相應。固天之理也。吾請釋吾之所有而經子之所以。（釋文。經。經營也。司馬云。經理也。馬敘倫云。經借爲行。）子之所以者人事也。天子諸侯大夫庶人。此四者自正。治之美也。四者離位。而亂莫大焉。官治其職。人憂其事。（馬敘倫云。說文。憂。行之和也。）乃無所陵。故田荒室露。（方言。露。敗也。）衣食不足。徵賦不屬。妻妾不和。長少無序。庶人之憂也。能不勝任。官事不治。行不清白。羣下荒怠。功美不有。爵祿不持。大夫之憂也。廷無忠臣。國家昏亂。工技不巧。貢職不美。春秋後倫。（釋文。職或作賦。春秋後倫。朝覲不及等比也。）不順天子。諸侯之

憂也。陰陽不和。寒暑不時。以傷庶物。諸侯暴亂。擅相攘伐。以賤民人。（賤。一本作殘。）禮樂不節。財用窮匱。人倫不飭。百姓淫亂。天子有司之憂也。（馬敘倫云。有司涉下文而衍。）今子既上無君侯有司之勢。而下無大臣職事之官。而擅飾禮樂。選人倫。以化齊民。不泰多事乎。且人有八疵。事有四患。不可不察也。非其事而事之謂之總。（章云。總借爲傯。地官廛人。掌斂市總布。肆長斂其總布。杜子春皆云。總當爲傯。曲禮。長者不及。毋傯言。是傯者不應預而預之也。）莫之顧而進之謂之佞。希意道言謂之諂。不擇是非而言謂之諛。好言人之惡謂之讒。析交離親謂之賊。稱譽詐僞以敗惡人謂之慝。（姚鼐云。張本惡作德。謂顚倒是非。以敗人之德也。意尤警。）不擇善否。兩容頰適。偸拔其所欲。謂之險。（按。頰借爲夾。夾適與兩容

同義。亦即所謂不擇善否也。此八疵者。外以亂人。內以傷身。君子不友。明君不臣。所謂四患者。好經大事。變更易常。以挂功名。謂之叨。章云。說文。挂。畫也。畫引申爲謀畫。功名謂圖功名也。叨。貪也。專知擅事。侵人自用。謂之貪。見過不更。聞諫愈甚。謂之很。說文。很。言不聽從也。人同於己則可。不同於己雖善不善。謂之矜。此四患也。能去八疵。無行四患。而始可教已。孔子愀然而歎。再拜而起曰。丘再逐於魯。削迹於衛。伐樹於宋。圍於陳蔡。丘不知所失。而離此四謗者。何也。客悽然變容曰。甚矣子之難悟也。人有畏影惡迹而去之走者。舉足愈數。而迹愈多。走愈疾而影不離身。自以爲尚遲。疾走不

休。絕力而死。不知處陰以休影。處靜以息迹。愚亦甚矣。子審仁義之間。察同異之際。觀動靜之變。適受與之度。理好惡之情。和喜怒之節。而幾於不免矣。謹脩而身。愼守其眞。還以物與人。則無所累矣。今不脩之身而求之人。不亦外乎。孔子愀然曰。請問何爲眞。客曰。眞者。精誠之至也。不精不誠。不能動人。故強哭者雖悲不哀。強怒者雖嚴不威。強親者雖笑不和。眞悲無聲而哀。眞怒未發而威。眞親未笑而和。眞在內者。神動於外。是所以貴眞也。其用於人理也。人理謂人倫。事親則慈孝。王引之云。慈即孝也。如慈烏慈孫。事君則忠貞。飲酒則歡樂。處喪則悲

哀。忠貞以功爲主。飲酒以樂爲主。處喪以哀爲主。事親以適爲主。功成之美無一其迹矣。事親以適。不論所以矣。飲酒以樂。不選其具矣。處喪以哀。無問其禮矣。禮者。世俗之所爲也。眞者。所以受於天也。自然不可易也。故聖人法天貴眞。不拘於俗。愚者反此。不能法天而恤於人。王先謙云。惟人事是憂。不知貴眞。祿祿而受變於俗。奚云。祿借爲娽。說文。娽。隨從也。或作錄。漢書蕭何傳。師古注。錄錄猶鹿鹿。言在凡庶之中。故不足。惜哉。子之早湛於人僞而晚聞大道也。孔子又再拜而起曰。今者丘得遇也。若天幸然。先生不羞而比之服役。而身教之。敢問舍所在。請因受業而卒學大道。客曰。吾聞之。可與往者與

之。至於妙道。不可與往者。不知其道。愼勿與之。身乃無咎。子勉之。吾去子矣。吾去子矣。乃刺船而去。延緣葦間。顏淵還車。子路授綏。孔子不顧。待水波定。不聞挐音而後敢乘。子路旁車而問曰。由得爲役久矣。未嘗見夫子遇人如此其威也。（威。畏也。）萬乘之主。千乘之君。見夫子未嘗不分庭伉禮。夫子猶有倨敖之容。今漁父杖挐逆立。而夫子曲要磬折。言拜而應。得無太甚乎。門人皆怪夫子矣。漁人何以得此乎。孔子伏軾而歎曰。甚矣由之難化也。湛於禮義有間矣。而樸鄙之心至今未去。進。吾語汝。夫遇長不敬。失禮也。見賢不

尊。不仁也。彼非至人。不能下人。下人不精。不得其眞。故長傷身。惜哉。不仁之於人也。禍莫大焉。而由獨擅之。且道者。萬物之所由也。庶物失之者死。得之者生。爲事逆之則敗。順之則成。故道之所在。聖人尊之。今漁父之於道。可謂有矣。吾敢不敬乎。

列禦寇弟三十二

列禦寇之齊。中道而反。遇伯昏瞀人。伯昏瞀人曰。奚方而反。（釋文。李云。方。道也。馬敘倫云。方借爲妨。）曰。吾驚焉。曰。惡乎驚。曰。吾嘗食於十䊢。（司馬云。䊢讀曰漿。郭云。賣漿之家。）而五䊢先饋。（姚範云。賣漿都應以人至之先後爲次。列子次在第十。而先於五漿以饋。以其形神足以動其敬畏故也。）伯昏瞀人曰。若是則汝何爲驚已。曰。夫內

誠不解。馬敘倫云。解爲懈省。形諜成光。孫詒讓云。諜借爲渫。謂形宣渫於外。以外鎭人心。郭云。其內實不足以服物。使人輕乎貴老。釋文。謂重桀寇過乎老人也。而韲其所患。馬敘倫云。韲借爲齎。說文。持遺也。夫漿人特爲食羹之貨。無多餘之贏。各本脫無字。奚據闕誤江南李氏本、張君房本補。列子亦同。其爲利也薄。其爲權也輕。而猶若是。而況於萬乘之主乎。身勞於國而知盡於事。彼將任我以事而效我以功。吾是以驚。伯昏瞀人曰。善哉觀乎。汝處己。奚云。處當訓審。見王引之經義述聞。處己謂審乎己也。人將保汝矣。無幾何而往。則戶外之屨滿矣。伯昏瞀人北面而立。敦杖蹙之乎頤。奚云。邶風鄭箋。敦。投擲也。按。敦借爲拄。支掌也。敦杖蹙頤。亦即齊策修劍拄頤之意。立有間。不言而出。賓者以告列子。列子提屨跣而走。暨乎門曰。先生旣來。曾不發藥乎。曰。已矣。吾固告汝

曰。人將保汝。果保汝矣。非汝能使人保汝。而汝不能使人無保汝也。而焉用之感。豫出異也。必且有感。搖而本才。又無謂也。按。列子黃帝篇。必且有感下有也字。是也。必且有感應在豫出異也句上。言人之保汝。汝何以感之邪。此固必有感矣。特豫出爲足異耳。如此更將搖撼本性。又非道德之謂也。與汝遊者又莫汝告也。彼所小言盡人毒也。馬其昶云。甘言爲患。莫覺莫悟。何相孰也。馬其昶云。漢書進孰注云。美語如成熟。巧者勞而知者憂。無能者無所求。飽食而遨遊。汎若不繫之舟。虛而遨遊者也。郭云。夫無其能者。唯聖人耳。過此以下。至於昆虫。未有自忘其能而任衆人者也。一章。

鄭人緩也。呻吟裘氏之地。郭云。呻吟。吟詠之謂。按。儒本有緩義。故名。祇三年而緩爲儒。郭云。祇。適也。河潤九里。澤及三族。宣云。喻學問既成必及人。使其弟墨。釋文。謂使弟成墨也。儒墨相與辯。其父助翟。郭云。翟。緩弟名。按。弟爲墨。故以墨子之名爲名也。十年而緩自

殺。郭云。怨其父助弟。故感激自殺。其父夢之曰。使而子爲墨者予也。馬其昶云。緩見夢祇此一語。闔胡以下。莊子譏緩不自知墓木已拱。雖死而恨久不忘。闔胡嘗視其良。既爲秋柏之實矣。釋文。闔。語助也。胡。何也。良或作埌。冢也。奚云。爲借爲有。秋借爲楸。夫造物者之報人也。不報其人而報其人之天。按。謂因果報應。皆循自然。非人力所可轉移也。彼故使彼。郭云。彼有彼性。故使習彼。按。謂弟有墨性。夫人以己爲有以異於人。以賤其親。齊人之井飲者相捽也。故曰。今之世皆緩也。孫詒讓云。賤爲賊之誤。馬其昶云。儒墨之自貴而相賤。皆以有我也。緩爲儒而厚祿。乃故使其弟墨。欲以自異。適足戕其生耳。同居一井之中。飲而相捽。喻同處造化之內。而儒墨相爭。自是。按。緩自是而非人。蓋有近名之害。有德者以不知也。而況有道者乎。按。以己古通。自是非人。不足爲有德。去有道更遠。古者謂之遁天之刑。遁天猶言背天。語亦見養生主篇。二章。

聖人安其所安。不安其所不安。衆人安其所不安。不安其所安。按。所安謂內心。所不安謂外物。一節。

莊子曰。知道易。勿言難。知而不

言。所以之天也。知而言之。所以之人也。古之人。天而不人。胡遠濬云。道不可言。炫己之知而強爲之言。非近名邪。二節。朱泙漫學屠龍於支離益。單千金之家。三年技成。而無所用其巧。釋文。單。盡也。郭云。事在於適。無貴於遠功。三節。

聖人以必不必。故無兵。衆人以不必必之。故多兵。順於兵故行有求。兵。恃之則亡。郭云。理雖必然。猶不必之。斯至順矣。兵其安有。理雖未必。抑而必之。各必其所見。則乖逆生也。四節。小夫之知。不離苞苴竿牘。司馬云。苞苴。有苞裹也。宣云。詩鄭箋。以果實相遺者。必苞苴之。司馬云。竿牘。謂竹簡爲書。以相問遺。章云。竿借爲簡。古干聲與間聲通也。聘禮。皮馬相間。古文間作干。郭云。遺問之具。小知所殉。敝精神乎蹇淺。馬敍倫云。蹇淺借爲次羨。而欲兼濟道物。太一形虛。若是者迷惑於宇宙。形累不知太初。馬敍倫云。形累二字。涉注而衍。郭云。小夫之知。而欲兼濟導物。經虛涉遠。志大神敝。形爲之累。則迷惑而失致也。彼至人者。歸精神乎無始。而甘瞑乎無何有之鄉。瞑。本作冥。俞氏謂作瞑者是。瞑即眠字也。水流乎無

形。發泄乎太清。郭云。泊然無爲而任其天行也。悲哉乎。汝爲知在豪毛。而不知大寧。王先謙云。言人見小而遺大。五節。宋人有曹商者。爲宋王使秦。其往也得車數乘。王說之。益車百乘。反於宋。見莊子曰。夫處窮閭阨巷。阨同隘。困窘織屨。槁項黃馘者。馘借爲𤸷。說文。頭痛也。商之所短也。一悟萬乘之主。而從車百乘者。商之所長也。莊子曰。秦王有病召醫。破癰潰痤者得車一乘。舐痔者得車五乘。所治愈下。得車愈多。子豈治其痔邪。何得車之多也。子行矣。按。記此者莊徒之陋。六節。魯哀公問乎顏闔曰。吾以仲尼爲貞幹。按。與楨幹同。國其有瘳乎。曰。殆哉圾乎。仲尼方且飾羽而畫。從事華辭。以支爲旨。忍性以視民而

不知不信。受乎心。宰乎神。夫何足以上民。彼宜女與。予頤與。誤而可矣。今使民離實學僞。非所以視民也。爲後世慮。不若休之。難治也。七節。施於人而不忘。非天布也。商賈不齒。雖以事齒之。神者弗齒。按。布猶施也。施於人而不忘。未能忘名則離於天地遠矣。商賈爲士君子所不齒。以其有利心也。雖偶以事齒之。然心神猶不齒之。鄙之至也。今施而不忘。有相市之意。與商賈等矣。八節。爲外刑者。金與木也。爲內刑者。動與過也。宵人之離外刑者。金木訊之。學記鄭注。宵之言小也。訊。本誤作訙。此從又本。離內刑者。陰陽食之。夫免乎外內之刑者。唯眞人能之。九節。孔子曰。凡人心險於山川。難於知天。御覽三七六引作難知於天。天猶有春秋冬夏旦暮之期。人者厚貌深情。故有貌愿而益。愿。謹愨也。益謂驕溢。有長若不肖。若疑當作者。長者謂善厚之人。不肖上脫而字。

有順懁而達。胡遠濬云。順讀愼。懁。狷也。達。佻達也。有堅而縵。俞云。縵借作慢。有緩而釬。俞云。釬借爲悍。故其就義若渴者。其去義若熱。陳壽昌云。孔言止此。故君子遠使之而觀其忠。近使之而觀其敬。煩使之而觀其能。卒然問焉而觀其知。急與之期而觀其信。委之以財而觀其仁。按。仁同人。告之以危而觀其節。醉之以酒而觀其則。按。則謂儀度。雜之以處而觀其色。按。色謂形於外者。九徵至。不肖人得矣。按。人心雖險。知之有術。十節。

正考父一命而傴。再命而僂。三命而俯。循牆而走。孰敢不軌。按。軌。法也。謹愼戒懼如此。尚敢蹈行不法乎。郭注似非。如而夫者。章云。而。女也。而夫指斥輕賤之詞。一命而呂鉅。馬敘倫云。後漢書馬援傳。黜欲旅距。李賢注。旅距。不從之貌。此文則應作倨。不遜之義。再命而於車上儛。三命而名諸父。孰協唐許。釋文。協。同也。唐堯許由。皆崇讓者。言正考父與而夫孰同唐許也。章云。而。女也。而夫。指斥輕賤之詞。十一節。賊莫大

於德有心而心有睫。及其有睫也而內視。內視而敗矣。郭云。有心於爲德。非眞德也。俞云。心有睫。謂以心爲睫也。人於目之所不接。而以意度之。謂其如是。是心有睫也。奚云。淮南主術訓。德有心則險。心有目則眩。正此文之確解。十二節。凶德有五。中德爲首。何謂中德。中德也者。有以自好也。而吡其所不爲者也。郭云。吡。訾也。孫詒讓云。據郭注。是吡乃呲之誤。按。凶德有五。舊未切指其眼耳鼻舌心。邪惑於外物。皆足以害德。故曰凶。中德謂心。德有心故自好。心有睫故善吡。十三節。

窮有八極。達有三必。形有六府。美髯長大壯麗勇敢。八者俱過人也。因以是窮。郭云。窮於受役也。天下恆以所長自困。緣循。偃仰。困畏不若人。三者俱通達。循順自然。俯仰從人。戒慎恐懼。雖不若人。終必通達。知慧外通。馬敘倫云。外通爲多適之譌。勇動多怨。仁義多責。姚鼐云。闕誤引劉得一本。多責下有六者所以刑也一句。達生之情者傀。說文。傀。偉也。達於知者肖。方言。肖。小也。達大命者隨。大命謂世運。委隨於自然。達小命者遭。小命謂人各有命。則安於所遭。十四節。人有見宋王者。錫車十

乘。以其十乘驕穉莊子。郭慶藩云。穉亦驕也。管子軍令篇。上以雕文刻鏤相穉。尹知章注。穉。驕也。莊子曰。河上有家貧恃緯蕭而食者。其子沒於淵。得千金之珠。其父謂其子曰。取石來鍛之。夫千金之珠。必在九重之淵而驪龍頷下。子能得珠者。必遭其睡也。使驪龍而寤。子尚奚微之有哉。今宋國之深。非直九重之淵也。宋王之猛。非直驪龍也。子能得車者。必遭其睡也。使宋王而寤。子爲韲粉夫。十五節。

或聘於莊子。莊子應其使曰。子見夫犧牛乎。衣以文繡。食以芻叔。及其牽而入於大廟。雖欲爲孤犢。其可得乎。十六節。

莊子將死。弟子欲厚葬之。莊子曰。吾以天地爲棺槨。以日月爲連璧。星

辰爲珠璣。萬物爲齎送。吾葬具豈不備邪。何以加此。弟子曰。吾恐烏鳶之食夫子也。莊子曰。在上爲烏鳶食。在下爲螻蟻食。奪彼與此。何其偏也。十七節。以不平平。其平也不平。以不徵徵。其徵也不徵。明者唯爲之使。神者徵之。夫明之不勝神也久矣。而愚者恃其所見。入於人。其功外也。不亦悲乎。按。不平者。不平等之事也。不徵者。無徵驗之說也。明者自恃其知。神者循順自然。明者人爲。神者天成。故明不及神。愚者自恃其所見。遁天殉人。騖功於外。終已無成。故可悲也。十八節。本章各節各明一義。文亦繁碎。殆莊子緒言。其徒所集。綴諸編末者。三章。

天下第三十三

說者謂天下篇爲莊生自敘。或又以爲後學所爲。然其歷述各家學校淵源所自。而品平其高下。凡欲究心古代學術者所不可不讀也。然則儒說於諸家之前。則似尊孔也。謂老聃爲至極。而莊周猶有未盡其抑揚之意。與內七篇亦不相應。以此疑也。

天下之治方術者多矣。皆以其有。爲不可加矣。按。方術亦道術也。易言方

術者。道全而方偏也。舊以有爲連讀。宣茂公讀至有字爲句。是也。其有謂所學。古之所謂道術者。果惡乎在。曰。無乎不在。按。道爲宇宙本原之理。爲天地萬物所不能外。雖稊稗屎溺。未嘗無道。故曰無乎不在。曰。神何由降。明何由出。王先謙云。既無不在。則神聖明王。何由降出獨與衆異。聖有所生。王有所成。皆原於一。按。內聖之工夫在於體道。故曰有所生。外王之治績在於行道。故曰有所成。一亦道也。不曰道而曰一者。以道無所不在。恐人疑其分散而無統貫。故特稱其一也。不離於宗。謂之天人。天道篇云。明白於天地之德者。此之謂大本大宗。天地篇云。無爲爲之之謂天。不離於精。謂之神人。秋水篇云。夫精粗者。期於有形者也。無形者。數之所不能分也。又云。夫精。小之微也。又云。至精無形。不離於眞。謂之至人。按。眞人之義見大宗師。以天爲宗。以德爲本。以道爲門。兆於變化。謂之聖人。按。在宥篇云。中而不可不高者德也。一而不可不易者道也。神而不可不爲者天也。故聖人觀於天而不助。成於德而不累。出於道而不謀。不明於天者不純於德。不通於道者無自而可。此天德道三字之解也。此四名者。內聖之事也。以仁爲恩。以義爲理。以禮爲行。以樂爲和。薰然慈仁。謂之君子。在宥篇云。遠而不可不居者。義也。親而不可不廣者。仁也。節而不可不積者。禮也。故聖人會於仁而不恃。薄於義而不積。應於禮而不諱。

按。仁義禮樂。外王之事也。內聖體道。故變化不居。外王行道。故薰然有迹。內外雖殊。無高下也。以法爲分。以名爲表。以參爲驗。以稽爲決。其數一二三四是也。百官以此相齒。在宥篇云。粗而不可不陳者法也。天地篇云。禮法度數刑名比詳。治之末也。分。職也。百官以守法爲其分職也。表。防也。以刑名相防制也。參者。交互之意。參驗稽決。以求其治之當也。王者行道。處無爲之地。百官相齒。施有爲之政。是處勢有不同。非德有高下也。其數一二三四者。即下文明於本數之數。與係於末度並舉。即所謂典章制度也。此類皆分條列舉。故曰一二三四也。或謂如數一二三四之易。似非也。以事爲常。以衣食爲主。蕃息畜藏。老弱孤寡爲意。皆有以養。民之理也。按。恆民之所希求者。豈有他哉。惟養生送死而已。所謂眾庶每生也。彼體道之聖人。雖所得者備。而其所以養生者。豈能外於此哉。異地則皆然也。梁啓超謂爲意二字應在養字下。理或然也。古之人其備乎。上舉七名。一人耳。所自言之異。配神明。天人醇天地。馬其昶云。醇同厚。左傳注。厚。耦也。按。此神人。育萬物。至人和天下。聖人澤及百姓。君子明於本數。百官係於末度。民六通四辟。小大精粗。其運無乎不在。夫內聖外王。固卓爾殊絕。即數度之粗。亦民生日用所不可或缺。故謂其運無乎不在也。其明而在數度者。舊法世傳之。史

尚多有之。[按。數度雖非道。而爲道所寄。且道虛而數度實。道遠而數度切。雖質文世變。而沿革可循。故爲求道之基。不可忽也。馬敍倫云。尚爲掌省。言史官所掌。亦多有之也。按。舊讀至史字句絕。馬以史字屬下讀。今從馬說。]其在於詩書禮樂者。鄒魯之士。搢紳先生。多能明之。[按。此謂儒家長於數度也。郭云。鄒。莊由反。孔子父所封邑。此以鄒爲鄹之借字也。馬敍倫云。或以此地鄒爲孟子生邑。然孟莊不相稱道。不得於此忽斥言其鄉。]詩以道志。書以道事。禮以道行。樂以道和。易以道陰陽。春秋以道名分。其數散於天下。而設於中國者。百家之學。時或稱而道之。[或稱道之。謂不能得六藝之全也。夫六藝所詳。惟數度耳。莊子謂明大道者。先明天而道德次之。道德尚居其次。況仁義分守刑名等邪。則數度非莊子之所先矣。而儒乃欲由六藝以明道。先後次弟既已不同。故莊子不以儒說爲極至也。然百家之學。又不能得六藝之全。是又下於儒家者矣。故前人或謂莊子尊儒者。蓋以此文而誤會也。]天下大亂。賢聖不明。道德不一。天下多得一察焉以自好。[王念孫云。一察連讀。俞云。察借爲際。一際猶一邊也。得其一邊。謂其不知全體。]譬如耳目鼻口。皆有所明。不能相通。猶百家衆技也。皆有所長。時有所用。雖然。不該

不偏。一曲之士也。判天地之美。析萬物之理。察古人之全。馬敘倫云。俞氏謂察借爲殺。是也。殺有析義削義。寡能備於天地之美。稱神明之容。是故內聖外王之道。闇而不明。鬱而不發。天下之人。各爲其所欲焉以自爲方。悲夫。百家往而不反。必不合矣。後世之學者。不幸不見天地之純。古人之大體。道術將爲天下裂。一章。

不侈於後世。不靡於萬物。不暉於數度。馬敘倫云。靡。說文。披靡也。暉借爲暉、嘽、翬。皆有大義。與侈靡義近。此三句皆有不張大之意。按。不侈於後世。謂節用也。不靡於萬物。謂非樂也。不暉於數度。謂尚賢也。法家任法。故守數度。墨子尚賢。故不以數度爲貴。以繩墨自矯。而備世之急。古之道術有在於是者。墨翟、禽滑釐聞其風而說之。馬敘倫云。風猶凡也。言大凡也。說如字。謂稱述之也。爲之大過。已之大順。梁啓

超云。已。止也。大順即太甚之意。言應做之事及應節止之事。皆太過分。按。爲之大過爲摩頂於踵。已之大順。謂節葬非樂。作爲非樂。命之曰節用。生不歌。死無服。墨子汎愛。兼利而非鬭。其道不怒。按。墨子有非樂節用節葬兼愛非攻諸篇。又好學而博。馬其昶云。墨子南遊。載書甚多。自言嘗見百國春秋。是其好學之事。不異。儒家親親有殺。尊賢有等。墨子兼愛。是無差等。莊子雖非儒家。亦不以兼愛爲然。故謂之爲不異。言其親疏無別也。不與先王同。毀古之禮樂。郭云。嫌其侈靡。按。禮樂。先王所定。今毀之。故曰不與先王同也。黃帝有咸池。堯有大章。舜有大韶。禹有大夏。湯有大濩。文王有辟雍之樂。武王周公作武。古之喪禮。貴賤有儀。上下有等。天子棺槨七重。諸侯五重。大夫三重。士再重。今墨子獨生不歌。死不服。桐棺三寸而無槨。以爲法式。以此教人。恐不愛人。以此自行。固不愛己。未毀墨子道。毀本作敗。此從或本。崔云。未壞其道。按。黃帝有咸

池以下。文繁不殺。疑是舊注誤入正文者。莊子明道之士。豈復斤斤於樂章棺槨之數以爲駁難哉。雖然。歌而非歌。哭而非哭。樂而非樂。是果類乎。馬敘倫云。歌哭與樂情之自然。一切非之。果類物情邪。其生也勤。其死也薄。其道大觳。馬敘倫云。觳讀爲觳抵之觳。意謂抵觸。言生勤死薄。其道相抵觸也。舊說誤。使人憂。使人悲。其行難爲也。恐其不可以爲聖人之道。郭云。夫聖人之道。悅以使民。民得性之所樂則悅。悅則天下無難矣。反天下之心。天下不堪。墨子雖獨能任。奈天下何。離於天下。其去王也遠矣。內不能體道則非聖矣。外不能行道則非王矣。墨子稱道曰。昔者禹之湮洪水。決江河而通四夷九州也。名山三百。俞云。山當作川。支川三千。小者無數。禹親自操槖耜。馬敘倫云。槖耜應作槖梠。梠。說文。臿也。槖以盛土。梠以剌土。而九雜天下之川。九音鳩。聚也。雜。集也。馬其昶云。洪水泛濫。故聚之以歸於海。腓無胈。脛無毛。沐甚雨。奚云。廣雅。甚。劇也。禮玉藻。若有疾風迅雷甚雨則必變。櫛疾風。置萬國。

禹。大聖也。而形勞天下也如此。使後世之墨者多以裘褐爲衣。以跂蹻爲服。李云。麻曰屩。木曰屐。與跂蹻同。一云鞋類也。一云鞋藉也。日夜不休。以自苦爲極。曰。不能如此。非禹之道也。不足謂墨。相里勤之弟子。五侯之徒。孫詒讓云。五與伍同。蓋姓。非五人也。南方之墨者。苦獲、已齒、鄧陵子之屬。馬敘倫云。已當爲辰巳之巳。巳。姓也。俱誦墨經。按。墨子有經上下、經說上下四篇。魯勝所謂墨子者書作辯經。以立名本者也。近人或以此四篇非墨子作。別以親士以下七篇爲經。不知七篇本無經名。奪此與彼。殊乏顯證。甚無謂也。而倍譎不同。按。倍。違戾也。譎。不正也。蓋經上下兩篇。凡百數十條。有兼愛之義。有同異之辨。有製器之方。後學各有專精。互爲詰難。故謂之爲倍譎不同也。觀於此益知諸弟子所誦。決非親士等七篇矣。七篇所述。皆墨學大意。何至誦之而倍譎也。相謂別墨。互詆爲非墨子正宗。以堅白同異之辯相訾。以觭偶不仵之辭相應。訾。毀也。應。和也。馬敘倫謂觭當爲奇。仵借爲伍。不伍猶不倫。按。謂墨家以堅白同異奇偶不仵之諸問題相互訾應耳。非謂訾者限於堅白。應者限於奇偶也。以巨子爲聖人。向云墨家號具道理成者爲巨子。若儒家之碩儒。按。巨子爲墨家宗主。非僅道理成而已。皆願爲之尸。郭云。尸者主也。冀得爲其

後世。至今不決。巨子既爲宗主。似同時止限一人。故人人皆冀得嗣位也。決借爲絕。言其統系相傳不絕也。墨翟、禽滑釐之意則是。其行則非也。將使後世之墨者。必自苦以腓無胈。脛無毛。相進而已矣。馬敘倫云。進借爲盡。亂之上也。郭云。亂莫大於逆物而傷性也。治之下也。郭云。任衆適性爲上。今墨反之。故爲下。雖然。墨子眞天下之好也。按。好讀若能好人能惡人之好。愛也。天下之好。猶言兼愛耳。將求之不得也。雖枯槁不舍也。言不達其志。則雖枯槁而不已也。郭云。所以爲眞好也。才士也夫。胡遠濬云。謂其本質之善。二章。

不累於俗。不飾於物。不苟於人。不忮於衆。章云。苟乃苛之譌。司馬、崔云。忮害也。願天下之安寧。以活民命。人我之養。畢足而止。郭云。不敢望有餘也。以此白心。按。言不僅求得外物之平。亦求合內心之安。古之道術有在於是者。宋鈃、尹文聞其風而說之。馬敘倫云。宋鈃。即孟子之宋牼。本書之宋榮子。作爲華山之冠以

自表。郭云。華山上下均平。接萬物以別宥爲始。別宥猶言解蔽。呂覽有去宥篇。語心之容。語猶論也。心之容謂心之現象也。命之曰心之行。由心容以制行事。則不至違性也。以胹合驩。以調海內請欲。置之以爲主。胹。本作眲。郭嵩燾據闕誤改。云爛也。熟也。軟也。梁啓超云。大概宋尹用軟熟和合歡之教義。以調節海內人之情欲。即以此種之情欲爲學說基礎而置之以爲主也。情請古字通用。墨子多如此也。按。舊以請欲屬下。不如梁氏屬上爲勝。見侮不辱。馬敘倫云。尹文子見侮不辱之說。其略見於呂覽正名篇。救民之鬬。禁攻寢兵。救世之戰。以此周行天下。上說下教。雖天下不取。強聒而不舍者也。馬敘倫云。禁攻及強聒事。見孟子告子篇引宋牼語可證。故曰。上下見厭而強見也。雖然。其爲人太多。其自爲太少。曰。請欲固置五升之飯足矣。先生恐不得飽。弟子雖飢。不忘天下。章云。固借爲姑。林希逸云。言其師弟子皆忍飢以立教。按。舊說宋、尹稱天下爲先生。自稱爲弟子。失之。日夜不休。曰。我必得活哉。宋、尹之意。在人我之養畢足而止。故天下得救而我亦必得所養矣。不似墨子之救人而忘己也。圖傲乎救世之

士哉。郭云。揮斥高大之貌。馬敘倫云。莊稱宋、尹之詞。曰。君子不爲苛察。不以身假物。郭云。必自出其力也。以爲無益於天下者。明之不如已也。志在救世。不尚虛詞。以禁攻寢兵爲外。以情欲寡淺爲內。馬敘倫云。宋鈃情欲寡淺之學說。略見荀子正論篇。其小大精粗。其行適至是而止。外王之事止於禁攻。內聖之事止於寡欲。皆非其至也。三章。

公而不黨。黨本作當。此從崔本。崔云。至公無黨也。易而無私。馬敘倫云。易疑借爲侇。平也。決然無主。按。決借爲缺。言缺然室虛。與物宛轉。故中心若失。不自爲主也。趣物而不兩。馬敘倫云。趣物猶言赴物。不兩謂與物爲一。不顧於慮。不謀於知。馬敘倫云。所謂棄知也。於物無擇。與之俱往。馬敘倫云。所謂去己也。古之道術有在於是者。彭蒙、田駢、愼到聞其風而說之。馬敘倫云。彭蒙姓氏遺說獨存於此。尹文子僞託。不足徵。齊萬物以爲首。言三子之學術。以齊物爲首要也。雖與莊子齊物論似同而實異。曰。天能覆之而不能載之。地能載之而不能覆之。大道能包之而不能辯

之。按。道爲宇宙根本之原理。而非萬物各個一部分之理。故能包萬物而不能別萬物也。辯。別也。知萬物皆有所可。有所不可。按。此言萬物各有所長。亦各有所短。然所長在此。所短在彼。彼此自在。豈可掩漫。然齊之使可不可無別。此三子之失而非莊生之旨也。故曰。選則不偏。教則不至。道則無遺者矣。馬敘倫云。選借爲譔。譔。專教也。譔教皆有不全。惟道能辯可不可而包之也。是故愼到棄知去己而緣不得已。泠汰於物以爲道理。郭云。泠汰。猶聽放也。釋文。一云。猶沙汰也。馬敘倫云。借爲隆替。數說未知孰是。曰。知不知。將薄知而後鄰傷之者也。郭云。謂知力淺。不知任其自然。故薄之而又鄰傷焉。錢基博云。廣雅。薄。迫也。鄰。近也。知止其所不知。至矣。倘強知所不知。不知之知。終不可至。將薄於不知之知。而知之性分亦復鄰於傷矣。孫詒讓云。而後之後。疑復之誤。謑髁無任。而笑天下之尚賢也。馬敘倫云。謑髁即奊骫。猶言傾滑也。縱脫無行。而非天下之大聖。椎拍輐斷。與物宛轉。按。椎拍。猶椎樸也。史記絳侯世家。其椎少文如此。索隱。俗謂愚爲鈍椎。又漢書注。謂樸鈍如椎也。輐斷與下文軏斷同。郭注。謂紖斷無圭角也。愚樸而無圭角。以與物宛轉。即老子挫銳解紛、和光同塵之義。舍是與非。苟可以免。不知師知慮。不知前後。魏然而已矣。推

而後行。曳而後往。若飄風之還。若羽之旋。若磨石之隧。釋文。隧。音遂。回也。全而無非。動靜無過。未嘗有罪。是何故。夫無知之物。無建己之患。無用知之累。動靜不離於理。是以終身無譽。故曰。至於若無知之物而已。無用賢聖。按。此斷滅道也。莊子去知者。去俗知不去眞知也。無己之工夫在於坐忘。故空而非空。無而非無。若三子者。棄知去己。若無知之物。正莊子所謂惟蟲能蟲而已。非莊子所貴也。夫塊不失道。塊謂土塊。言土塊無知。本不失道。稊稗屎溺。無乎不在。惟非道之所貴耳。此莊子譏三子之言。豪傑相與笑之。曰。愼到之道。非生人之行而至死人之理。適得怪焉。豪傑非知道者。亦知笑三子。以其異於生人也。田駢亦然。學於彭蒙。得不敎焉。志在無知。尚何待敎。彭蒙之師曰。古之道人。至於莫之是莫之非而已矣。此謂置是非於不問。愚昧無知而已。莊子之齊是非。在得樞以明。兩者迥異。其風窢然。惡可而言。釋文。窢。又作閾。馬敘倫云。閾。重文作闖。此閾字即借爲侐。說文。侐。靜也。王念孫

云。而猶以也。常反人。不見觀。反人謂反於人之恒情。不見觀謂不自表襮。而不免於魭斷。雖無圭角。終須隨物宛轉。仍不能免於世累也。其所謂道非道。而所言之韙。不免於非。彭蒙、田駢、慎到不知道。胡遠濬云。蒙等但知任物。而不知自有眞君。固未足與於知道者也。雖然。槩乎皆嘗有聞者也。馬敘倫云。田駢學說行事。略見呂覽執一篇、士容篇、淮南道應訓、人間訓、國策、齊策等篇。慎到學說行事。略見韓非難勢篇、呂覽審勢篇、淮南道應訓等。四章。

以本爲精。以物爲粗。以有積爲不足。澹然獨與神明居。按。以有積爲不足者。以有積爲體。不足爲用也。爲學日益。有積也。爲道日損。不足也。知雄知白。有積也。守雌守辱。不足也。體之與用。相反相成。有體無用。則富貴而驕。自遺其咎。強梁者不得其死矣。僅知不足之用。而無有積之體。則終滯於雌辱。不足以爲天下谿谷矣。舊注於此句多忽略不注。故聊發之。古之道術有在於是者。關尹、老聃聞其風而說之。建之以常無有。馬敘倫云。常無有每字讀絕。分建三諦。非並一談。常者和有無之名。故曰知和曰常。按。萬法本幻。不可言有。理非斷滅。不可言無。非有非無。是名爲常。主之以太一。馬敘倫云。古書多言太一。義各有指。此謂常無有之體也。以濡弱謙下爲表。以空虛、不毀、萬物、爲實。錢基博云。表之爲言襲於外也。大盈

若沖。大直若屈。大巧若拙。大辯若訥。此之謂以濡弱謙下爲表也。若云知雄知白知榮。則心之知固未同於濡弱謙下。此濡弱謙下之所以表也。空虛者無也。不毀、萬物者。有也。實者有眞實不虛之意焉。以空虛、不毀、萬物、爲實者。即建之以常無有之證果也。關尹曰。在己無居。按。無居即變動不居之意。謂能忘己也。形物自著。郭云。不自是而委萬物。故物形各自彰著。按。謂能任物也。其動若水。其靜若鏡。其應若響。郭云。常無情也。芴乎若亡。寂乎若清。同焉者和。得焉者失。未嘗先人而常隨人。老聃曰。知其雄。守其雌。爲天下谿。知其白。守其辱。爲天下谷。易順鼎云。今本老子與此異。當以此爲正。人皆取先。己獨取後。曰。受天下之垢。馬叙倫云。此及下文。多不見今老子。蓋莊子取老子之意言之。人皆取實。己獨取虛。無藏也故有餘。巋然而有餘。其行身也徐而不費。馬叙倫云。徐與費對。當借爲賒。意謂暫貸於人。終無消散也。無爲也而笑巧。人皆求福。己獨曲全。曰。苟免於咎。以深爲根。以約爲紀。曰。堅則毀矣。

銳則挫矣。常寬容於物。不削於人。可謂至極。關尹老聃乎。古之博大眞人哉。姚從江南李氏本。改可謂至極爲雖未至極。似對老子亦有所不滿者。其說非是。此篇列論各家。皆有微詞。獨於老子。稱其博大眞人。不應橫稱其未極。蓋莊子固不以老子自囿。而後學不能窺其究竟。故外雜各篇皆引老子爲折中。與內七篇微異。此篇亦殆出後學之手。故尊老謂之至極。而抑莊謂有未盡。軒輊之情。居然可見。苟是莊子自序。則以莊子俯視群言之態。豈宜作此謙詞哉。五章。

寂寞無形。變化無常。寂本作芴。此從元嘉本。死與生與。天地並與。神明往與。郭云。隨物任化也。芒乎何之。忽乎何適。郭云。無意趣也。萬物畢羅。莫足以歸。按。莊子之學。包羅萬象。然其所重在道。故不以物爲歸宿也。古之道術有在於是者。莊周聞其風而說之。以謬悠之說。按。謬繆古通。繆。綢繆也。悠。遠也。謂其言綢繆而悠遠。荒唐之言。釋文。謂廣大無域畔。無端崖之辭。時恣縱而不儻。王先謙云。釋文無不字。近之謂忽然而至也。不以觭見之也。觭與奇通。謂奇零也。宣云。不以一端自見。以天下爲沈濁。不可與莊語。

釋文。一云。莊。端正也。郭云。以莊語爲狂而不信。故不與也。以巵言爲曼衍。以重言爲眞。以寓言爲廣。獨與天地精神往來。而不敖倪於萬物。陸西星云。敖倪即傲倪。不傲倪於萬物。即不與物競也。按。二句即消搖遊義。不譴是非。齊物論也。以與世俗處。人間世之義。其書雖瓌瑋。而連犿無傷也。釋文。瓌瑋。奇特也。連犿。相從之貌。謂與物相從不違。故無傷也。其辭雖參差。而諔詭可觀。吳澄云。莊子內聖外王之學。洞澈天人。遭世沈濁。而放言滑稽以玩世。其爲人固不易知。而其書亦未易知也。彼其充實不可以已。德充符也。上與造物者遊。而下與外死生無終始者爲友。其於本也。弘大而辟。深閎而肆。其於宗也。可謂稠適而上遂矣。此即大宗師之義。雖然。其應於化而解於物也。其理不竭。其來不蛻。芒乎昧乎。未之盡者。錢基博云。竭。說文。負舉也。蛻。說文。蛇蟬所解皮。謂莊子於應化解物之理。尚未能理足辭舉。解脫一切也。郭云。莊子通以平意說己。與說他人無異也。案其辭明爲汪汪然。禹拜昌言。亦何嫌乎此也。按。雖然以下自謂於道猶有未盡。語似謙遜。然道體雖知。本亦不可盡也。六章。

惠施多方。按。本篇歷評各家。至於莊周。則並一己亦論之矣。其下不應再出惠施。且以上諸家。皆有古之道術有在於是者。某某聞其風而說之云云。此獨無有。是詞氣亦不類。殆出後人附益邪。北齊書杜弼傳。弼嘗注莊子惠施篇。是莊子本有惠施一篇。其文佚闕。郭象取其殘語。附之卷末而爲之注。後人不察。連上文一貫讀之。詞義遂不可通。近人或以施龍辯者爲別墨。不知兩派雖同論堅白同異。而其趣迥別。牽合爲一。謬誤顯然。或又以惠施爲道家別派。故附諸莊周之後。不知惠施歷物。莊生明道。宗旨既異。豈可混之爲一哉。其書五車。其道舛駁。舛。違戾也。駁。雜也。其言也不中。歷物之意。歷本作厤。此從亦本。郭云。分別歷說之。曰。至大無外。謂之大一。至小無內。謂之小一。至大至小。皆無可名。強名曰一。道亦無可名。亦謂之一。與此同名而異實。世人常識。謂天爲大。謂秋毫爲小。此舉無外無內者。辯者之詞異於常識也。無厚。不可積也。其大千里。世人皆以爲積點成線。積線成面。積面成體。然面既無厚。積無厚終是無厚。何能成體。故曰無厚不可積也。惟平展之。雖千里猶無限耳。此亦矯俗之詞。天與地卑。山與澤平。孫詒讓云。卑借爲比。荀子不苟篇曰。山淵平。天地比。是其證。按。天象四垂。遠望無極。則天地際矣。故曰天地相媲也。地體如珠。無平不陂。相去百里。高下漸差。故萬千里外。山與澤平也。日方中方睨。李云。睨。側視也。按。地體繞日。地面之受日光。東早西遲。故一方日中。一方已昃也。物方生方死。按。物之生死。不過四大合散。神識流轉耳。故死於此者生於彼也。大同而與小同異。此之謂小同異。萬物畢同畢

異。此之謂大同異。馮友蘭云。天下之物。若謂其同。則皆有相同之處。謂萬物畢同可也。若謂其異。則皆有相異之處。謂萬物畢異可也。至於世俗所謂同異。乃此物與彼物之同異。乃小同異。非大同異也。南方無窮而有窮。按。南方無窮。古人之常識也。蓋東西有海。北則有極。故三方皆有窮。惟南方爲百粵九黎所處。日益展拓。未有窮竟。故辯以爲無窮也。然辯者以天象地勢揆之。自當有窮。此亦矯正世俗之見者。今日適越而昔來。按。此言歷日之無定也。三正不同。遂至參互。北方諸國行周正。越爲禹後。其行夏正邪。故以二月適者。至越則仍爲正月。故曰今日適越而昔來也。來應從齊物論作至。此條近於詭辯。故齊物論駁之。或謂身未行而心已至。爲今適昔來。然文中本無心字。增字爲解。誤也。連環可解也。司馬云。連環所貫。貫於無環。非貫於環也。若兩環未相貫。故可解也。按。司馬之意。謂環本未貫。故無須解也。此條亦近詭辯。近某君謂莊子好以連環喻道。不知莊僅言環。不言連環也。我知天下之中央。燕之北越之南是也。按。北極在燕之北。南極在越之南。天下之中央應在兩極。故曰燕之北越之南也。司馬謂天下無方。故所在爲中。信如是說。則任舉燕越可矣。不必更言南北也。氾愛萬物。按。惠施徧爲萬物說。因知萬物各有其可愛之處。因而氾然以愛之耳。如儒家之由親及疏。氾愛衆之愛固別。與墨家兼愛之旨尤相逕庭。某君以此謂惠施出於墨子。何其不察也。至於道家忘己忘物。何有於愛。而或者乃謂此語爲道家言之究竟義。以證惠施出於莊子。何其誤邪。天地一體也。天地萬物。皆一氣之所化。惠施以此爲大觀於天下。而曉辯者。天下之辯者相與樂之。卵有毛。按。卵本無毛。孵而爲鳥。則有毛羽。是卵必有毛之自性也。雞三足。

司馬云。雞雖兩足。須神而行。故曰三足也。郢有天下。九州在宇宙中萬分之一耳。自謂爲天下。則郢雖愈小。亦可謂之有天下也。犬可以爲羊。司馬云。名以名物。而非物也。犬羊之名。非犬羊也。非羊可以名爲羊。則犬可以名爲羊。鄭人謂玉未理者曰璞。周人謂鼠腊者亦曰璞。故形在於物。名在於人。按。此即老子名可名非常名之理。馬有卵。按。胎生者非無卵。特其形微。寄母體中。與卵生者名異實同。故曰馬有卵也。丁子有尾。成云。楚人呼蝦蟆爲丁子。按。蝦蟆無尾而科斗有尾。故說如此。火不熱。釋文。一云猶金木加於人有楚痛。楚痛發於人。而金木非楚痛也。按。此謂熱感在人不在火。山出口。世人謂雲由山出。是山有口以吐之也。輪不蹍地。司馬云。地平輪圓。則輪之所行者迹也。按。圓之切平。其觸者一點耳。故能推迹而前。苟蹍籍者廣。則將有躓而不行之虞。目不見。司馬云。水中視魚。必先見水。光中視物。必先見光。是有假也。所以見者明也。故目之於物。未嘗有見也。按。人目所見。皆屬幻相。不能見物之眞。故曰目不見也。指不至。物不絕。馮友蘭云。今本莊子作指不至。至不絕。列子引公孫龍子云。有指不至。有物不絕。茲據以改正。公孫龍子以指物對舉。今公孫龍子有指物論。柏拉圖謂概念可知而不可見。蓋吾人所能感覺者爲個體。至共相只能知之而不能感覺之。故曰指不至也。共相雖不可感覺。而共相取與。現於時空之物。則繼續常有。故曰物不絕也。龜長於蛇。司馬云。蛇形雖長而命不久。龜形雖短而命甚長。按。此即秋水篇所謂因其所大而大之。則萬物莫不大之義。矩不方。規不可以爲圓。司馬云。矩雖爲方而非方。規雖爲圓而非圓。譬繩爲直而非直也。按。規矩所作。絕非概念中之方圓也。鑿不圍枘。按。鑿自鑿。枘自枘。各居其所。非能有所圍也。飛鳥之景。未嘗動也。鏃矢之

疾。而有不行不止之時。司馬云。形分止。勢分行。形分明者行遲。勢分明者行疾。馮友蘭云。此謂飛鳥之影動及飛矢不止者。就其勢分而言也。謂飛鳥之影不動及飛矢不行者。就其形分而言也。謂鏃矢之疾而有不行不止之時者。兼就其形分與勢分而言也。馮又引金岳霖説云。一物於一時間内在兩點謂爲動。一物於兩時間内在一點謂爲止。一物於一時間内在一點謂爲不動不止。謂飛鳥之影未嘗動者。就飛鳥之影於一時間内不在兩點而言也。謂鏃矢之疾而有不行不止之時者。就飛矢之於一時間内在一點而言也。此皆就思想中之飛鳥之影與思想中之鏃矢而言。按。金氏所謂一時間内云者。指最短促之一剎那而言。故祇能於思想中得之。不能於實事中見之也。狗非犬。馮友蘭云。爾雅。犬未成豪曰狗。是狗者小犬耳。小犬非狗。白馬非馬。黃馬驪牛三。司馬云。牛馬以二爲三。曰牛。曰馬。曰牛馬。形之三也。曰黃。曰驪。曰黃驪。色之三也。曰黃馬。曰驪牛。曰黃馬驪牛。形與色爲三也。故曰一與言爲二。二與一爲三也。白狗黑。司馬云。狗之目眇。謂之眇狗。狗之目大。不曰大狗。此乃一是一非。然則白狗黑目。亦可謂黑狗。孤駒未嘗有母。李云。駒生有母。言孤則無母。孤稱立則母名去也。母嘗爲駒之母。故孤駒未嘗有母也。按。此時雖已無母。不能謂前此無母。此語詭辯也。一尺之棰。日取其半。萬世不竭。司馬云。棰。杖也。若其可析。則常有兩。若其不可析。其一常存。故曰萬世不竭。按。司馬説非是。此謂尺棰取半。永永無已。辯者之意。不認其有不可析時也。此亦近詭辯。僅能於想像中得之。或從算式中證之耳。若在事實。終有竭時。即司馬所謂其一常存也。辯者以此與惠施相應。終身無窮。桓團、公孫龍辯者之徒。飾人之心。易人之意。能勝人之口。不能服

人之心。按。辯者所究心者。或爲物體之共相。或爲知識之本體。皆爲世人所難解。故人亦不信之也。辯者之囿也。惠施日以其知與人之辯。馬敘倫云。與猶敵也。特與天下之辯者爲怪。此其柢也。兪云。柢即大氐。猶大略也。然惠施之口談。自以爲最賢。曰。天地其壯乎。施存雄而無術。按。惠施所談。近於今世科學家言。精研於宇宙萬象而益嘆自然之雄偉矣。故曰天地其壯乎。施存雄而無術。言己知力有限。欲探其雄偉而不能也。南方有倚人焉。曰黃繚。釋文。倚或作畸。李云。異也。徐廷槐云。戰國策載魏王使惠子於楚。楚中善辯者如黃繚輩。爭爲詰難。問天地所以不墜不陷。風雨雷霆之故。惠施不辭而應。不慮而對。偏爲萬物說。說而不休。多而無已。猶以爲寡。益之以怪。以反人爲實。而欲以勝人爲名。是以與衆不適也。言與世俗之見不合。弱於德。謂其無得於性情之眞。強於物。謂其所知於物者多。其塗隩矣。隩。深曲也。言非正軌。由天地之道。觀惠施之能。其猶一蚉一蝱之

勞者也。其於物也何庸。莊子重道輕物。故以惠施之強於物爲何所庸邪。庸。用也。夫充一尙可。按。充讀若老子大盈若沖之沖。一即老子抱一之一。言惠子若能充一。尚可近道也。曰愈貴道幾矣。幾。近也。言以惠施之學。倘能充一。則愈爲可貴而於道爲近矣。惜其未達一間也。惠施不能以此自寧。散於萬物而不厭。散。分也。分其心思才力於萬物而不能抱一也。卒以善辯爲名。惜乎惠施之才。駘蕩而不得。釋文。駘。放也。宣云。不得。無所得也。逐萬物而不反。是窮響以聲。形與影競走也。悲夫。

莊子詁義卷十終

跋

學『莊』小憶——寫在『莊子詁義』後面

抗日戰爭後期近乎三年的歲月裡，耕研先師爲念純兄和我講授了一系列古典名著，『莊子』是第一部、重頭的一部。

此刻我因心力衰竭躺在醫院裡，日夜輸液，手頭文無書，每憶往日學習『莊子』，『莊子』的故事、警句、哲理，輒湧上腦際，仍一如過去學習時之感動，但無力有條理地從頭敘說我對先師研究『莊子』的理解。

猶憶曾在先師『居安日記』中（一九四三年十二

月二十一日）讀及　先師爲『莊子章旨』所寫序稿，謂『莊周之學，出於老氏而恢皇過之。世人覩其文詞連忭昌狂，疑爲遺落世事者。今籀讀內篇所述，悲閔生人而求所以救濟之，雖尼山之皇皇，殆無以逾之。』惜乎中輟未再完成，但此一重要見解，已表述甚明。　先師又另寫七律一首，抒發此時心情，處此亂離之世，牢愁憤懣，中心如焚，焉得不感慨萬端，焉能靜心從事著作！

我讀『莊子』，不是焚香靜坐讀『南華經』，也不是在讀了幾種中國哲學史之後，想進而深研『消搖』、『齊物』以及『天下』諸名篇。我只是想讀懂『謬悠之

說，荒唐之言，無端崖之辭。』『以卮言爲曼衍，以重言爲眞，以寓言爲廣。』說得堂皇些，是文學欣賞。先師講授中，每至精采處，輒輕輕地格格一笑，表達他的會心激賞；而我輩聽者也如飲春醪，時覺微醺。深佩 先師對『莊子』文章以至『莊子』美學理解之深，深覺 先師學問之『仰之彌高。』

先師講授中不僅於各家注釋，隨手引來，或贊或評，其所涉及者極廣。試就『莊子詁義』提及之書籍文章，列爲參考書目，則勢將成爲長蛇之陣，見其首難見其尾。『莊子』有待研究的方面仍多，先師爲我們講

授中，已陸續寫成『莊子章旨』、『莊子音』、『莊子詁義』一系列各書，展示多方面成果。我以爲　先師如就『莊子』文章美學探究歸納，必可寫出高質量的新著，目前有人以『莊子美學』試用於語文教學，便是摸索這一條路。

當年我忙於衣食，影響學『莊』時間，國學根柢又差，所得遠不如念純兄。『莊子詁義』與『周易詁辭』兩稿，曾有同樣的命運，原稿遭刦，另又覓得抄稿，再加校勘，這些艱辛工作，皆念純兄獨任之。

受業芮和師一九九六年初在醫院病床上

後記

此輯之成，全繫於郁念純師兄一人之身。雖曰機緣巧合，若非念純師兄多方設法，輾轉請託，鍥而不舍，何由能成？爲此，全家感戴，吾後世子孫更應銘記在心，永志不忘。

民國七十七年（一九八八），震回大陸，在上海珊祜大姊及二弟滋處，攜來之先父遺稿中未見《周易詁辭》，雖先父呈柳太夫子貽徵先生函中曾經提及，且已刊於《藷硯齋詩文殘稿》，當時並未留下任何印象，以昔日所讀之書太少，不知此《周易詁辭》爲何物，匆忙

中抄寫付印而已。現今思之，何粗心如此！先父博學，震難及萬一，遂成虎父犬子，愧甚、慚甚！

兩岸分隔數十年後得與念純師兄取得聯繫，因而佳音頻傳，不但先有《說文部首授讀》之得以印行，繼又知《周易詁辭》及《莊子詁義》有重現之可能，其經過頗爲曲折，應予詳述。

《藷硯齋叢書》之四《莊子詁義》僅爲內篇，且亦不全，當時並未深究何以殘缺，一心爲保存先父遺稿免再遭散佚而已。此經念純師兄借錄之《周易詁辭》原稿，乃民國三十一年（一九四二）七月先祖母仙逝後，

先父居喪在家時所寫，惜與《莊子詁義》均已佚於文化大革命期間二舍弟滋之滬寓中。處此動亂時代，滋弟能保住性命已屬萬幸，先父遺著遭紅衛兵之劫掠，僅能存諸懷念耳，何敢妄求復得？然天下事常出意料之外，蓋念純師兄於文革末期中，忽於其摯友工院同事陶振亞先生之揚州大十三灣巷寄寓之鄰家，見一老翁聚精會神以毛筆工楷抄書。其時人民生活困苦，何有此雅興於舊學之研究？受好奇心驅使，探首以察究竟，孰料不看則已，一看之下，大驚失色！想當時念純師兄所受衝擊之大，定必無法形容也。

民國三十二年至三十四年間（一九四三—一九四五），念純師兄曾與芮和師師兄從先父研習《莊子》及《易經》等，見有《周易詁辭》及《莊子詁義》之著，曾借錄揣摩。此抄本於文革除四舊時，不敢不遵從紅衛兵之勅令佈告，與其他舊書，一同送進揚州旌忠寺堆藏，當時心痛而無可奈何，僅不時惋惜而已。今老翁所抄者，竟爲被堆置該寺之抄本，驟然又睹原物，能不激動萬分？經詢，乃知爲古籍書店抄寫出售，當時自不敢說明原委，念純師兄心中之難受將何如邪！

念純師兄向以舌耕維持生活，而食指浩繁，僅能以

生命爲重，對此事亦僅傷感、落淚而已。三十年間事，彈指而過。後經于在春先生轉告芮和師師兄，得知《藹硯齋叢書》在台印行，急函念純師兄，遂又憶及往事。多年前既見抄本，證明未被焚燬，應可有物歸原主之望，因此一念，夢幻竟成眞實。

念純師兄年過八旬，又患關節炎、白內障等病，行動極度不便。幸寓揚多年，平日熱誠待人，交游廣闊，遂得顧一平先生慨允相助。以其服務於邗江政協與文化界熟稔之便，立即趨訪揚州古籍書店珍藏部負責人，其人年輕，以無聞對。忽一老者於旁插嘴曰：『確有其

事，記得曾抄錄多部出售，可去南京圖書館及各學校圖書館查詢。』此老者係書店退休職工，去店中訪舊友閒談，乃有此巧遇，先父遺稿始得重見天日，似爲冥冥中注定事。謹於此遙拜，感謝此不知名之老者，福澤綿延，功德無量。

次一步驟，乃由念純師兄託外地友人到公私圖書館查詢，終於輾轉得到一份複印件，計共十四冊，《周易詁辭》原稿係大本一厚冊，傳抄本分爲四小冊；《莊子詁義》係按內、外、雜篇分裝三冊，傳抄本分爲十冊，蓋書賈爲提高售價計也。此傳抄本係書賈從念純師兄於

文革中佚失之陳李影寫本轉錄而來，錄後未經細校，除錯漏字句甚多外，竟將《易詁》漏抄原稿中之一大整葉，已由念純師兄於校勘時將此缺葉中之經文補全，詁辭只有從缺矣！

失而復得，更覺寶貴，自應及早付印。由於所尋得者是傳抄本，譌誤不少，必須校訂，遂懇請念純師兄勘誤兼加標點。念純師兄自是滿口應承，但認爲先秦古籍，如要按照現時流行方式標點則以力不勝任辭。爲此而書信往返討論，決定全部以舊日流行方式句讀。

念純師兄忍受一目視網膜剝離失明、一目白內障視

力太弱閱讀吃力及雙手因類風濕性關節炎而僵直，書寫困難之苦，又因患攝護腺肥大而尿頻，且曾一度因血糖過低而昏迷。以上種種情況，不但妨礙工作，更影響家人日常生活，仍咬緊牙根，不肯絲毫鬆懈，一切以先父遺著爲重，置個人健康於不顧，歷兩寒暑完成。念純師兄爲此兩輯出力多矣，每思何以爲報，何以爲報邪？

日寇侵略我國，震之中學教育於動盪環境下度過，在古書方面，僅從先父背誦過《論語》及《古文辭類纂》中幾篇文章而已，但二舍弟滋於戰後隨侍先父約十年，耳濡目染、日積月累，古文修養勝震多矣。此次校

勘亦出力參予研討，故蒙念純師兄多次來函讚譽也。

念純師兄原擬對《易》、《莊》兩稿進行三校，終因體日益衰、視日益弱、手日益僵，加以右股骨又發生退行性病變，不良於行，不得不止於二校，兩年間之辛苦備嘗矣。

去歲七月即得念純師兄諭知已竟全功，惜兩岸間交通不便，直至十月始與滋弟同至揚州郁府拜謁念純師兄、領歸先父遺稿傳抄本複印件。爲『于』與『於』兩字之用法困擾數月，書信往返費時，多有延擱，又耗時半載未能付梓，實有負念純師兄兩年不懈之精神也已。

先父畢生從事於教育事業，課餘亦手不釋卷。震畢業於國防醫學院後即以牙醫糊口，庸碌一生，愧對先父。幸次子肇宏於民國八十年（一九九一）獲美國賓州州立大學工程碩士。長子肇嘉繼於去歲（一九九五）得美國傑佛遜大學生化博士。小女肇芸今夏亦於美國康乃爾大學完成植物病理碩士學業。其所以稍有成就者，皆係食先人舊德之所致也。先父博洽，而震不能克紹箕裘，前曾以贖罪之心情，竭力印行《蘦硯齋叢書》，仰賴念純師兄之賜，得多刊三輯（《說文部首授讀》、《周易詁辭》及《莊子詁義》），完全出意料之外，是

乃先父五十年前寓居寶應爲郁、芮二位師兄講授《莊》、《易》等書所未意想到之福報，先父在天之靈自必慰甚。

得此二稿之初，私心甚盼能請念純及和師二位師兄同時分別點校後彙整，而和師師兄自謙功力遠遜念純師兄，堅請念純師兄獨力圈校，僅允構思兩篇「寫在後面」爲已足。其謙抑如此，處今之世，實屬難能而可貴者也，令震敬佩無已。今年，和師師兄心臟病復發，去歲農年除夕不得不住院治療，長達三越月，醫囑不可勞累，但〈莊跋〉未成（〈易跋〉早已寄達），時在念

中，因而未能獲得完全休息，利用其間稍有體力之三、四日奮力寫成。震於捧讀之際，感念郁、芮二位師兄爲報師恩均置舊疾於不顧。反觀自己，取回兩稿業已近年尚未送印，能不汗顏？不但愧對二位師兄，亦無顏見先父於泉下！

念純、和師二位師兄爲《易》、《莊》寫敍與跋，徐沁君先生多次解決詁文中爲鈔胥所訛誤之處，顧一平先生親訪書賈，徐永楠先生慨假書籍多冊，梁嶸小姐及王正來先生謄寫敍文，郁府全家合力照顧老人生活，對此二輯均有莫大助力，乃得終底於成，謹代表范家子孫

同申謝意。

震既無學識，又乏才能，今勉強爲此兩輯共寫一後記，亦不過聊記完成此兩輯之種種因緣而已，實不勝惶愧之至。

中華民國八十五年七月淮陰范　震謹記於台北市

本書之成，全賴郁念純先生。惜幾經周折，現始竣事。而念純師兄已於今（八十六）年二月十四日近午之時病逝揚州寓所，哀哉！其於校訂期間，曾一再渴盼有生之年能覩成果，其奈震之因循怠忽，未如其願，自覺汗顏無地。

付梓期間，又常有自以爲是之困惑，因之查閱校勘，輾轉需時。幸賴程　凱醫師轉懇謝朝拭教授在百忙中代爲審閱指點迷津，始知多爲震才疏學淺自作聰明之誤，平白浪費幾許韶光，稽延之過，深感愧對先父及念純師兄於泉下。至於謝教授之指導贊助，則尤爲衷心銘感者也。

八十六年九月范　震補記